R staat voor Rekening

Van dezelfde auteur:

M-N-O Omnibus
P staat voor Pijngrens

Sue Grafton

R staat voor Rekening

2005 – De Boekerij – Amsterdam

Oorspronkelijke titel: R is for Ricochet (G.P. Putnam's Sons)
Vertaling: Wim Holleman
Omslagontwerp: marliesvisser.nl
Omslagillustratie: Paul Edmonson/Corbis/TCS

ISBN 90-225-4006-5

Voor mijn kleindochter Taylor, met een hart vol liefde.

Dankwoord

De auteur wil graag de volgende personen haar erkentelijkheid betuigen voor hun onschatbare hulp: Steven Humphrey; Boris Romanowski, reclasseringsambtenaar van de staat Californië; Alice Sprague, substituut-officier van justitie, Alameda County, Californië; Pat Callahan, pr-medewerker Valley State Vrouwengevangenis; directeur John Dovey, pr-medewerker Larry J. Aaron en Pam Clark, pr-medewerkster van de Vrouwengevangenis van de staat Californië; Bruce Correll, voormalig hoofd van het Santa Barbara Sheriff's Department; Lorrinda Lepore, onderzoekster bij het bureau van de officier van justitie van Ventura County; Bill Kracht, manager van The Players Club; Joan Francis, Francis Pacific Investigations; Julianna Flynn en Kurt Albershardt; en Gail en Harry Gelles.

En voor de genereus aangeboden steun en expertise voor de subplot die uiteindelijk gesneuveld is, gaat mijn dank uit naar voormalig rechercheur Bill Turner van het Sheriff's Department van Santa Barbara County; Dona Cohn, Cohn Law Firm; de advocaten Joseph M. Devine, Lawrence Kern, en Philip Segal van Kern Noda Devine & Segal; Daniel Trudell, directeur Accident Reconstruction Specialists; James F. Lafferty, P.E., Ph.D., biomechanica en werktuigbouwkunde; dr. Anthony Sances jr., directeur Instituut voor Biomechanica; en Nancy Degger, directrice Rudy Degger & Associates. Misschien in het volgende boek.

1

De vraag waar het om gaat is deze: zijn wij, gegeven de menselijke aard, werkelijk in staat te veranderen? Andermans fouten springen ons doorgaans onmiddellijk in het oog, maar het valt niet mee die van onszelf te erkennen. In de meeste gevallen weerspiegelt onze levensweg een fundamentele waarheid met betrekking tot wie we nu zijn, wie we vanaf onze geboorte geweest zijn. We zijn optimisten of pessimisten, opgewekt of gedeprimeerd, goedgelovig of cynisch, geneigd het avontuur op te zoeken of alle risico's te vermijden. Therapie zou onze sterke punten kunnen versterken of onze zwakke punten kunnen afzwakken, maar over het algemeen doen we wat we doen omdat we het altijd zo gedaan hebben, zelfs wanneer het resultaat te wensen overlaat... misschien wel júist wanneer het resultaat te wensen overlaat.

Dit is een verhaal over romantiek: beantwoorde liefde, versmade liefde, en toestanden ergens daartussenin.

Die dag ging ik 's middags om kwart over een vanuit Santa Teresa op weg naar Montebello, een ritje van een kilometer of vijftien in zuidelijke richting. Het weerbericht had een hogedrukgebied beloofd met temperaturen rond de 25 graden. 's Ochtends was de hemel nog betrokken geweest maar inmiddels scheen de zon, een welkome variatie op de bewolking die zo kenmerkend is voor de maanden juni en juli hier. Ik had aan mijn bureau geluncht, smullend van een in vieren gesneden bruine boterham met olijf-en-pimentkaas, wat mij betreft de op twee na lekkerste boterham ter wereld. Dus wat was nou eigenlijk het probleem? Ik had geen probleem. Het leven was fantastisch.

Nu ik het hele verhaal op papier zet, zie ik wat vanaf het begin al duidelijk had moeten zijn, maar de gebeurtenissen voltrokken zich zo geleidelijk dat ik, figuurlijk gesproken, achter het stuur in slaap sukkelde. Ik ben privé-detective, van het vrouwelijk geslacht, 37 jaar, en ik werk in het stadje Santa Teresa in het zuiden van Californië. Mijn werkzaamheden zijn afwisselend, niet altijd lucratief, maar ik kan er behoorlijk van leven. Ik trek achtergronden van sollicitanten na. Ik spoor vermiste personen op of erfgenamen die recht hebben op een deel van een nalatenschap. Af en toe stel ik een onderzoek in naar schadeclaims waarbij sprake zou kunnen zijn van brandstichting, fraude of overlijden onder verdachte omstandigheden.

Wat mijn privé-leven betreft, ik ben tweemaal getrouwd geweest en tweemaal gescheiden, en latere relaties zijn meestal op niets uitgelopen. Hoe ouder ik word, hoe minder ik mannen schijn te begrijpen, en daardoor heb ik de neiging hen te ontwijken. Goed, ik mag dan nauwelijks een seksleven hebben, maar ik heb in elk geval ook geen last van ongewenste zwangerschappen of seksueel overdraagbare aandoeningen. Ik ben er door schade en schande achter gekomen dat werk en liefde een twijfelachtige combinatie vormen.

Ik reed over een stuk snelweg dat ooit bekendstond als de Montebello Parkway, aangelegd in 1927 na een fondsenwervingscampagne ter financiering van ventwegen en fraai aangelegde middenbermen die vandaag de dag nog altijd bestaan. Aangezien toen ook reclameborden en bedrijfsgebouwen langs de weg verboden werden, is dat gedeelte van de 101 nog steeds aantrekkelijk, behalve wanneer het spitsuurverkeer de hele zaak verstopt.

Montebello zelf onderging een soortgelijke gedaanteverwisseling in 1948, toen de Montebello Protective and Improvement Association met succes een petitie indiende om trottoirs, betonnen trottoirbanden, aanplakborden en al het overige wat de landelijke sfeer zou kunnen verstoren, te verwijderen. Montebello staat bekend om zijn meer dan tweehonderd fraaie landhuizen, veel ervan gebouwd door lieden die hun fortuin vergaard hadden met het verkopen van kruidenierswaren als zout en meel.

Ik was op weg naar een afspraak met Nord Lafferty, een heer op leeftijd wiens foto af en toe verscheen in de societyrubriek van de *Santa Teresa Dispatch*. De aanleiding was gewoonlijk dat hij weer een aanzienlijk geldbedrag had geschonken aan de een of andere liefdadigheidsinstelling. Twee gebouwen van de universiteit van Santa Teresa waren naar hem vernoemd, evenals een vleugel van het Santa Teresa Ziekenhuis, en een speciale collectie zeldzame boeken die hij geschonken had aan de openbare bibliotheek. Hij had me twee dagen eerder gebeld met de mededeling dat hij 'een bescheiden opdracht' met me wilde bespreken. Ik was nieuwsgierig hoe hij aan mijn naam gekomen was en nog nieuwsgieriger naar de opdracht zelf. Ik werk al tien jaar als privé-detective in Santa Teresa, maar ik heb maar een klein kantoor en normaal gesproken heb ik geen klanten onder de welgestelden, die er de voorkeur aan schijnen te geven hun zaken af te handelen via hun advocaten in New York, Chicago, of Los Angeles.

Ik nam de afrit naar St. Isadore en vervolgde mijn weg in noordelijke richting naar de heuvelrug tussen Montebello en het Los Padres National Forest. Ooit kon deze regio bogen op schitterende oude kuurhotels, citrus- en avocadoplantages, olijfboomgaarden, een grote plattelandswinkel, en het spoorwegstation van Montebello, dat deel uitmaakte van de Southern Pacific Railroad. Ik lees veel over de plaatselijke geschiedenis, waarbij ik me de streek probeer voor te stellen zoals die 125 jaar geleden was. De grond werd toen verkocht voor 75 dollarcent per acre. Montebello is nog steeds landelijk, maar veel van de charme is platgewalst. Wat er voor in de plaats is gekomen – de appartementencomplexen, nieuwbouwprojecten, en de grote opzichtige landhuizen van de nouveau riche – is slechts een armzalige compensatie voor wat er verloren gegaan of vernietigd is.

Bij West Glen sloeg ik rechts af en ik reed over de bochtige tweebaansweg tot aan Bella Sera Place. Aan weerszijden van de weg staan olijf- en peperbomen, en de smalle asfaltstrook loopt geleidelijk aan omhoog naar een plateau dat een overweldigend uitzicht biedt op de kust. Met het stijgen van de weg maakte de prikkelende oceaanlucht plaats voor de geur van salie en laurierbomen. De hellingen waren bedekt met duizendblad, mosterdplanten en klaprozen. De middagzon zette de rolstenen in een gouden gloed en een warme wind bracht het droge gras in beweging. De weg ging over in een kronkelend eikenlaantje dat eindigde bij de toegang tot het landgoed van Lafferty. Dat was omgeven door een stenen muur van tweeënhalve meter hoog, voorzien van bordjes met VERBODEN TOEGANG.

Ik stopte voor het brede ijzeren hek en wilde de meldknop indrukken op een bedieningspaneel dat naast het hek was aangebracht, toen ik boven op een van de twee stenen poortzuilen een gemonteerde camera zag, het holle oog op mij gericht. Ik moest de inspectie doorstaan hebben, want het hek zwaaide langzaam open. Ik trok op en reed zo'n vierhonderd meter over een met bakstenen geplaveide oprijlaan.

Tussen de pijnbomen door ving ik af en toe een glimp op van een grijs stenen gebouw. Toen het landhuis ten slotte in zijn geheel voor me opdoemde, slaakte ik een zucht. Iets van het verleden was toch bewaard gebleven. Vier reusachtige eucalyptusbomen zorgden voor de nodige met vlekjes zonlicht doorspikkelde schaduw op het gras en een briesje stuwde een serie wolkvormige schaduwen over het rode pannendak. Het twee verdiepingen tellende huis, met aan weerszijden identieke vleugels van slechts één verdieping met daarop stenen balustrades, besloeg mijn hele gezichtsveld. Een serie van vier stenen bogen bij de ingang zorgde voor een overdekte veranda waarop rieten meubilair stond opgesteld. Ik telde twaalf ramen op de eerste verdieping, gescheiden door paarsgewijs aangebrachte, voornamelijk decoratieve, schoorbalken die het dak leken te dragen.

Er was een parkeerruimte die groot genoeg was voor tien auto's en ik liet mijn lichtblauwe VW achter tussen een gestroomlijnde Lincoln Continental aan de ene kant en een grote Mercedes aan de andere. Het leek wel een cartoon. Ik nam niet de moeite mijn auto af te sluiten, ervan uitgaand dat de elektronische bewakingsinstallatie zowel over mij als over mijn voertuig zou waken terwijl ik naar het bordes liep.

De grote gazons waren goed onderhouden, en de stilte werd benadrukt door het gekwetter van vinken. Ik drukte op de deurbel die een holle tweetonige klank produceerde. De oude vrouw die opendeed droeg een ouderwets zwart uniform met een wit schortje. Haar ondoorschijnende kousen hadden de kleur van poppenvlees en haar crêpezolen maakten een licht piepend geluid terwijl ik achter haar aan liep over de marmeren vloer van de hal. Ze had niet naar mijn naam gevraagd, maar misschien was ik de enige bezoeker die vandaag verwacht werd. De gang was voorzien van eiken lambrisering, het witte gipsplafond van chevrons en Franse lelies in reliëf.

Ze bracht me naar de bibliotheek, die eveneens voorzien was van eiken lambrisering. Vaalbruine in leer gebonden boeken vulden planken die van de vloer tot aan het plafond reikten, waarbij de hogere regionen toegankelijk waren middels een aan een koperen rail bevestigde ladder. Het rook er naar droog hout en beschimmeld papier. De stenen schouw was hoog genoeg om rechtop in te kunnen staan. Er lag een gedeeltelijk verkoold blok eikenhout in de open haard en er hing een zwakke geur van verbrand hout. De heer Lafferty zat in een van twee identieke oorfauteuils.

Ik schatte hem een jaar of tachtig, een leeftijd die ik ooit als bejaard had beschouwd. Inmiddels realiseer ik me hoeveel variatie het verouderingsproces kan vertonen. Mijn huisbaas is 87, de jongste van zijn familie, met nog drie broers en een zus, van wie de oudste 96 is. Alle vijf zijn levendige, intelligente, avontuurlijke, competitief ingestelde mensen die onderling graag op gemoedelijke wijze kibbelen. De heer Lafferty, daarentegen, zag eruit alsof hij al minstens twintig jaar lang bejaard was. Hij was broodmager, met knieën die zo knokig waren als misplaatste ellebogen. Zijn ooit scherpe gelaatstrekken waren met het verstrijken der jaren in elk geval verzacht. Vanaf een forse groene zuurstofcilinder op een karretje naast hem liepen twee dunne doorzichtige plastic slangetjes naar zijn neusgaten. Eén kant van zijn kaak was ingevallen en een vurig rood litteken over zijn keel duidde erop dat hij een ingrijpende operatie had ondergaan.

Hij nam me op met donkere, glanzende ogen. 'Bedankt dat u gekomen bent, mevrouw Millhone. Ik ben Nord Lafferty,' zei hij terwijl hij een met knobbelige aderen bedekte hand uitstak. Zijn stem was hees, nauwelijks meer dan een gefluister.

'Hoe maakt u het,' mompelde ik, terwijl ik naar hem toe liep om hem een hand te geven. Zijn handen waren bleek en zijn vingers, die ijskoud aanvoelden, trilden zichtbaar.

Hij maakte een gebaar. 'U kunt het beste die stoel wat dichterbij trekken. Ik heb een maand geleden een schildklieroperatie ondergaan, en kortgeleden zijn er wat poliepen van mijn stembanden verwijderd. Vandaar dat raspende geluid dat voor een stem moet doorgaan. Het is niet pijnlijk, maar het is wel vervelend. Mijn excuses als ik moeilijk te verstaan ben.'

'Tot dusver heb ik daar geen enkel probleem mee.'

'Mooi zo. Wilt u misschien een kopje thee? Ik kan mijn huishoudster een pot laten zetten, maar u zult helaas zelf moeten inschenken. Vandaag de dag zijn haar handen al net zo onvast als de mijne.'

'Nee, dank u.' Ik trok de andere oorfauteuil dichterbij en ging zitten. 'Wanneer is dit huis gebouwd? Het is werkelijk schitterend.'

'In 1893. Een zekere Mueller kocht een lap grond van zo'n 260 hectare van het district Santa Teresa. Daar is nog zo'n dertig hectare van over. De bouw van het huis nam zes jaar in beslag en het verhaal gaat dat Mueller overleed op de dag dat het werk eindelijk voltooid was. Sinds die tijd is het de bewoners slecht vergaan, met uitzondering van mezelf. Laat ik dat maar even afkloppen. Ik heb het landgoed in 1929 gekocht, vlak na de beurskrach. De toenmalige eigenaar was alles kwijtgeraakt. Reed naar de stad, klom in de klokkentoren en sprong van de borstwering naar beneden. Zijn weduwe had het geld hard nodig en ik deed haar een bod. Natuurlijk kreeg ik de nodige kritiek over me heen. Men zei dat ik misbruik maakte van de situatie, maar ik was al gek op het huis vanaf het moment dat ik het voor het eerst zag. Iemand zou het hoe dan ook gekocht hebben. Beter ik dan iemand anders. Ik had geld voor het onderhoud, en dat kon je in die tijd niet van veel mensen zeggen.'

'U hebt geluk gehad.'

'Inderdaad. Ik heb mijn fortuin gemaakt in de papierbranche, voor het geval u nieuwsgierig bent en te beleefd om ernaar te vragen.'

Ik glimlachte. 'Beleefd, dat weet ik nog zo net niet. Maar ik ben wel altijd nieuwsgierig.'

'Dat lijkt me een uitstekende eigenschap, gezien het soort werk dat u doet. Ik neem aan dat u een drukbezette vrouw bent, dus ik zal meteen ter zake komen. Ik heb uw naam doorgekregen van een vriend van u, iemand die ik tijdens mijn recente verblijf in het ziekenhuis heb ontmoet.'

'Stacey Oliphant,' zei ik, omdat die naam onmiddellijk bij me opkwam. Ik had aan een zaak gewerkt samen met Stacey, een gepensioneerd rechercheur van de afdeling Moordzaken van het Sheriff's Department, en mijn oude vriend inspecteur Dolan van het politiekorps van Santa Teresa, inmiddels eveneens gepensioneerd. Stacey had kanker, maar volgens de laatste berichten ging het redelijk met hem.

Lafferty knikte. 'Tussen haakjes, hij vroeg me om u te zeggen dat het goed met hem gaat. Hij was in het ziekenhuis voor een serie onderzoeken, maar die vielen allemaal negatief uit. 's Middags wandelden we wel eens samen door de gangen en ik vertelde hem over mijn dochter, Reba.'

Ik dacht onmiddellijk aan het opsporen van een verdwenen erfgename, mogelijk een achtergrondonderzoek naar een man met wie Reba een romantische relatie onderhield.

Hij vervolgde: 'Zij is mijn enige kind en ik neem aan dat ik haar gruwelijk verwend heb, hoewel dat niet mijn bedoeling was. Haar moeder ging ervandoor toen ze nog maar een peuter was. Ik had het druk met de zaak en liet haar opvoeding over aan een serie kindermeisjes. Als ze een jongen was geweest, had ik haar naar een kostschool kunnen sturen, zoals mijn ouders ook met mij hebben gedaan, maar ik wilde haar thuis houden. Achteraf gezien is dat misschien niet zo verstandig van me geweest, maar indertijd dacht ik daar anders over.' Hij zweeg even en maakte toen een ongeduldig gebaar naar de vloer, alsof hij een hond berispte die tegen hem op sprong. 'Doet er niet toe. Het is te laat om spijt te hebben. Dat is sowieso zinloos. Gedane zaken nemen geen keer.' Hij wierp me een scherpe blik toe. 'U vraagt u waarschijnlijk af waar ik naartoe wil.'

Ik haalde lichtjes mijn schouders op en wachtte af wat hij te zeggen had.

'Reba wordt op 20 juli voorwaardelijk in vrijheid gesteld. Dat is aanstaande maandagochtend. Iemand moet haar afhalen en haar naar huis brengen. Ze komt zolang hier wonen tot ze haar leven weer een beetje op orde heeft.'

'Waar zit ze?' vroeg ik, hopend dat ik niet zo geschokt klonk als ik me voelde.

'Het California Institution for Women. Zegt u dat iets?'

'Het CIW? De vrouwengevangenis van Californië in Corona, ruim driehonderd kilometer hiervandaan. Ik ben er nooit geweest, maar ik weet waar het is.'

'Mooi zo. Ik hoop dat u tijd kunt vrijmaken voor de rit.'

'Dat lijkt me niet zo'n punt, maar waarom ik? Mijn tarief is 500 dollar per dag. U hebt toch geen privé-detective nodig voor een dergelijke klus? Heeft ze geen vrienden of vriendinnen?'

'Niemand die ik daarvoor zou vragen. U hoeft u geen zorgen te maken over het geld. Dat is wel het minste probleem. Mijn dochter is lastig. Eigenzinnig en opstandig. Ik wil dat u ervoor zorgt dat ze de afspraak met haar reclasseringsambtenaar nakomt, evenals alle overige voorwaarden die aan haar voorwaardelijke invrijheidsstelling verbonden zijn. Ik betaal u uw volledige dagtarief, ook als u maar een gedeelte van de dag werkt.'

'En als ze nu eens niet gediend is van dat toezicht?'

'Die beslissing is niet aan haar. Ik heb haar laten weten dat ik iemand inhuur om haar bij te staan en daar is ze mee akkoord gegaan. Als ze u mag, zal ze meewerken, althans tot op zekere hoogte.'

'Mag ik vragen wat ze gedaan heeft?'

'Gezien de tijd die u in haar gezelschap zult doorbrengen, hebt u er recht op dat te weten. Ze is veroordeeld wegens het verduisteren van geld van het bedrijf waar ze voor werkte, Alan Beckwith & Co. Hij houdt zich bezig met onroerend goed, investeringen en projectontwikkeling, dat soort zaken. Kent u hem?'

'Ik ben zijn naam wel eens in de krant tegengekomen.'

Nord Lafferty schudde het hoofd. 'Ik heb het eerlijk gezegd niet zo op hem begrepen. Ik ken de familie van zijn vrouw al heel lang. Tracy is een schat van een meid. Ik begrijp niet hoe ze aan een dergelijke figuur is blijven hangen. Alan Beckwith is een parvenu. Hij noemt zich ondernemer, maar het is me nooit helemaal duidelijk geworden wat hij nou precies uitvoert. We hebben elkaar bij diverse gelegenheden ontmoet en ik kan niet zeggen dat ik onder de indruk van hem ben. Reba schijnt een ontzettend hoge dunk van hem te hebben. Eén ding moet ik hem nageven, hij heeft vóór de uitspraak een goed woordje voor haar gedaan. Dat was een edelmoedig gebaar van hem. Dat had hij niet hoeven doen.'

'Hoelang heeft ze vastgezeten?'

'Ze werd veroordeeld tot vier jaar, waarvan ze 22 maanden heeft uitgezeten. Tot een proces is het nooit gekomen. Bij haar voorgeleiding – waarbij ik helaas niet aanwezig ben geweest – stelde ze dat ze onvermogend was, waarop haar door de rechtbank een raadsman werd toegewezen. Nadat ze met hem overlegd had, zag ze af van haar recht op een pro-formazitting en bekende schuld.'

'Zomaar?'

'Inderdaad.'

'En haar raadsman was het daarmee eens?'

'Hij ontraadde het haar ten stelligste, maar Reba wilde niet naar hem luisteren.'

'Over welk bedrag gaat het eigenlijk?'

'Over 350.000 dollar, over een periode van twee jaar.'

'Hoe zijn ze erachter gekomen?'

'Bij een tussentijdse controle. Reba was een van de weinige medewerkers die toegang hadden tot de rekeningen. Uiteraard viel de verdenking op haar. Ze heeft zich al eerder in de nesten gewerkt, maar nog nooit in deze mate.'

Ik voelde een protest opwellen, maar ik slikte mijn reactie in.

Hij boog zich voorover. 'Als u iets wilt zeggen, ga gerust uw gang. Stacey heeft me al verteld dat u geen blad voor de mond neemt, dus u hoeft u wat mij betreft niet in te houden. Dat voorkomt mogelijk misverstanden.'

'Ik vroeg me alleen maar af waarom u niet ingegrepen hebt. Met een goede advocaat was het misschien nooit zover gekomen.'

Hij sloeg zijn blik neer en keek naar zijn handen. 'Ik had haar moeten helpen... ik weet het... maar ik had haar al zo dikwijls uit de nesten gehaald... eigenlijk haar hele leven al. Dat werd me tenminste door vrienden voorgehouden. Ze zeiden dat ze de consequenties van haar gedrag maar eens onder ogen moest zien, anders zou ze het nooit leren. Ze zeiden dat het anders van kwaad tot erger zou gaan, dat haar de hand boven het hoofd houden in de gegeven omstandigheden het onverstandigste zou zijn wat ik kon doen.'

'Wie zijn die "ze" waar u het over hebt?'

Voor het eerst aarzelde hij. 'Ik had een vriendin, Lucinda. We hadden al jaren min of meer een relatie. Ze had al ik weet niet hoe vaak meegemaakt dat ik Reba in bescherming nam. Zij drong er bij me op aan om ditmaal mijn poot stijf te houden en dat heb ik gedaan.'

'En nu?'

'Eerlijk gezegd was ik geschokt toen Reba tot vier jaar veroordeeld werd. Ik had geen idee dat het vonnis zo zwaar zou uitvallen. Ik had gedacht dat de rechter haar tot een voorwaardelijke gevangenisstraf zou veroordelen, of akkoord zou gaan met een proeftijd met ondertoezichtstelling, zoals haar raadsman bepleitte. Hoe dan ook, Lucinda en ik kregen hooglopende ruzie en ik maakte een eind aan de relatie. Ze was veel jonger dan ik. Achteraf bezien realiseerde ik me dat ze uit was op een huwelijk. Reba had een intense hekel aan haar. Lucinda was zich daar uiteraard van bewust.'

'Wat is er met het geld gebeurd?'

'Dat heeft Reba vergokt. Ze heeft zich altijd al aangetrokken gevoeld tot kaartspelen, roulette, gokautomaten. Ze wedt ook graag op de paardenrennen, maar daar heeft ze totaal geen kijk op.'

'Is ze gokverslaafd?'

'Haar probleem is niet zozeer het gokken; het is het verliezen,' zei hij met een flauw glimlachje.

'Gebruikt ze drugs en alcohol?'

'In beide gevallen moet ik bevestigend antwoorden. Ze heeft een neiging tot roekeloosheid, net als haar moeder. Ik hoop dat deze ervaring in de gevangenis haar enige zelfbeheersing heeft bijgebracht. Wat de opdracht zelf betreft, moeten we maar een beetje kijken hoe het loopt. Het is een kwestie van twee of drie dagen, hooguit een week, tot ze haar zaken weer min of meer op orde heeft. Aangezien uw verantwoordelijkheden beperkt van aard zijn, heb ik geen behoefte aan een schriftelijke rapportage. U kunt gewoon een rekening indienen en dan betaal ik u uw dagtarief en alle eventueel door u gemaakte onkosten.'

'Dat lijkt me prima.'

'Nog één ding. Als er ook maar de geringste aanwijzing is dat ze opnieuw in de fout dreigt te gaan, wil ik daarvan op de hoogte worden gesteld. Misschien dat ik ditmaal, als ik tijdig gewaarschuwd word, kan voorkomen dat de zaak uit de hand loopt.'

'Dat is geen gemakkelijke opgave.'

'Daarvan ben ik me bewust.'

Ik dacht heel even over het voorstel na. Normaal gesproken voel ik er weinig voor om als oppas en potentiële verklikster te fungeren, maar in dit geval leek zijn bezorgdheid me niet overdreven. 'Hoe laat wordt ze vrijgelaten?'

2

Op de terugweg naar de stad ging ik bij de stomerij langs om wat spullen op te pikken en daarna deed ik in een nabijgelegen supermarkt een paar boodschappen die ik even langs huis wilde brengen voordat ik weer aan het werk ging. Ik hoopte nog een praatje te kunnen maken met mijn huisbaas vóór de komst van zijn vrouwelijke bezoek die dag. De boodschappen die ik deed, dienden als rekwisieten om mijn onverwachte verschijning halverwege de middag te verklaren. Henry en ik nemen elkaar op veel gebieden in vertrouwen, maar zijn liefdesleven behoort daar niet toe. Ik wist dat ik, als ik daar iets over te weten wilde komen, het geraffineerd aan zou moeten pakken.

Mijn appartement was oorspronkelijk de voor één auto bestemde garage die via een met glas overdekte doorgang met Henry's huis verbonden was. In 1980 had hij die ruimte laten verbouwen tot de knusse studio die ik sinds die tijd huur. Wat begon als een simpele ruimte van zo'n vijf bij vier meter, is nu een volledig gemeubileerd appartement, met daarin een woonkamer, een keukentje in kombuisstijl, een kleine badkamer met in een van de hoeken een was/droogcombinatie, en op de via een wenteltrap bereikbare vide een slaapkamer en nog een badkamer. De ruimte is compact en uitgekiend ontworpen om elke beschikbare vierkante centimeter te benutten. Met zijn kleine bergruimten, de met glanzend teak- en eikenhout beklede wanden, en hier en daar een patrijspoort, heeft het geheel wel iets weg van een scheepskajuit.

Ik vond een parkeerplaats vlakbij en ik haalde mijn kleren en de twee zakken boodschappen uit de auto. Mijn timing had niet beter kunnen zijn. Terwijl ik mijn piepende ijzeren hek openduwde en achterom liep, reed Henry juist zijn dubbele garage in. Zijn felgele Chevy-coupé had zojuist zijn jaarlijkse onderhoudsbeurt gehad en de carrosserie glansde alsof de wagen net uit de showroom kwam. Het interieur zou vermoedelijk niet alleen smetteloos zijn, maar bovendien naar dennengeur uit een spuitbus ruiken. Hij had de auto in 1932 nieuw gekocht en hij heeft hem zo goed onderhouden dat je zou zweren dat hij nog steeds onder de garantie viel, aangenomen dat er in die tijd garantie op auto's werd gegeven. Hij heeft nog een auto, een stationcar die hij gebruikt voor het doen van de dagelijkse boodschappen en af en toe een rit naar de luchthaven van Los Angeles, zo'n 150 kilometer naar het zuiden. De coupé reserveert hij voor bijzondere gelegenheden, zoals vandaag.

Ik heb er moeite mee me te realiseren dat hij 87 is. Ook kost het me moeite hem te beschrijven in bewoordingen die niet gênant lovend zijn gezien het leeftijdsverschil van vijftig jaar dat er tussen ons bestaat. Hij is intelligent, lief, sexy, goed geconserveerd, knap, energiek en vriendelijk. Vroeger is hij bakker geweest, en hoewel hij inmiddels alweer 25 jaar met pensioen is, maakt hij nog steeds de lekkerste kaneelbroodjes die ik ooit gegeten heb. Het enige minpunt dat ik kon bedenken, was zijn terughoudendheid op het gebied van de liefde. De enige keer dat ik hem smoorverliefd had gezien, werd hij niet alleen bedrogen, maar ook nog eens financieel bijna helemaal uitgekleed. Sinds die tijd laat hij zich niet meer in de kaart kijken. Of hij was geen interessante vrouw tegen het lijf gelopen, of hij had de andere kant op gekeken. Dat wil zeggen, totdat Mattie Halstead op het toneel verscheen.

Mattie was de gastkunstenaar op een cruise in de Caribische Zee die hij samen met zijn broers en zijn zus in april had gemaakt. Niet lang na afloop van de cruise had ze hem opgezocht toen ze op weg was naar Los Angeles om daar een aantal schilderijen af te leveren bij een galerie. Een maand later had hij zomaar opeens een uitstapje naar San Francisco gemaakt, waar hij een avond samen met haar doorbracht. Hij had niets losgelaten over hun relatie, maar het viel me op dat hij zijn garderobe gemoderniseerd had en begonnen was met gewichtheffen. De familie Pitts (althans van de kant van Henry's moeder) wordt over het algemeen oud, en hij en zijn broers en zijn zus mogen zich in een opmerkelijk goede gezondheid verheugen. William is een beetje een hypochonder en Charlie is bijna helemaal doof, maar afgezien daarvan wekken ze de indruk het eeuwige leven te hebben. Lewis, Charlie en Nell wonen in Michigan, maar ze gaan over en weer bij elkaar op bezoek, soms volgens plan en soms onaangekondigd. William en mijn vriendin Rosie, de uitbaatster van de kroeg annex eethuisje een half blok verderop, zouden op 28 november hun tweejarig huwelijksfeest vieren. Nu zag het ernaar uit dat Henry mogelijk soortgelijke gedachten koesterde... dat hoopte ik althans. Andermans romances zijn zoveel minder riskant dan die van jezelf. Ik verheugde me op alle geneugten van de ware liefde zonder zelf enig risico te lopen.

Henry wachtte even op me toen hij me zag. Het viel me op dat hij zijn haar had laten knippen, en hij droeg een blauw denim overhemd en een keurig geperste katoenen broek. Hij had zelfs zijn gebruikelijke teenslippers verruild voor een paar bootschoenen met donkere sokken.

Ik zei: 'Ik zet even deze spullen binnen.'

Hij wachtte terwijl ik mijn voordeur openmaakte en mijn armvol boodschappen op de vloer er vlak achter deponeerde. Niets van wat ik gekocht had zou het komende halfuur bederven. Ik stapte weer naar buiten, trok de deur achter me dicht en zei: 'Je hebt je haar laten knippen. Het ziet er prima uit.'

Enigszins verlegen streek hij met een hand over zijn hoofd. 'Ik kwam toevallig langs de kapper en bedacht dat het onderhand wel weer eens tijd werd. Vind je het te kort?'

'Helemaal niet. Je ziet er jaren jonger uit,' zei ik, terwijl ik bij mezelf dacht dat Mattie wel gek moest zijn als ze zich niet realiseerde wat een lot uit de loterij hij was. Ik hield de hordeur open terwijl hij zijn sleutels te voorschijn haalde en zijn achterdeur openmaakte. Ik liep achter hem aan de keuken in waar hij zijn boodschappen op het aanrecht zette.

'Leuk dat Mattie komt. Je verheugt je vast heel erg op jullie weerzien.'

'Ze komt maar één avond.'

'Is er een speciale aanleiding voor haar komst?'

'Ze heeft een schilderij gemaakt in opdracht van een vrouw in La Jolla. Dat gaat ze laten zien, plus nog een paar andere voor het geval de opdrachtgeefster niet weg is van het eerste.'

'Nou, het is leuk dat ze je op kan komen zoeken. Hoe laat verwacht je haar?'

'Ze hoopte dat ze er tegen vieren zou zijn, afhankelijk van het verkeer. Ze zei dat ze in het hotel zou inchecken en zou bellen zodra ze zich wat opgeknapt had. Ze eet hier, op voorwaarde dat ik me niet al te zeer uitsloof. Ik heb gezegd dat ik het simpel zou houden, maar je kent me.'

Hij begon zijn boodschappen uit te pakken: een in wit slagerspapier gewikkeld pakketje, aardappelen, kool, bosuitjes en een grote pot mayonaise. Terwijl ik toekeek, deed hij het deurtje van de oven open om een blik te werpen op een stoofschotel met bonen die met melasse, mosterd, en een homp gezouten varkensvlees stond te pruttelen. Op een rek op het aanrecht lagen twee versgebakken broden. In het midden van de keukentafel stond een chocoladelaagjestaart onder een glazen stolp. Ook stond er een boeket bloemen uit zijn eigen tuin: rozen en lavendel, die hij kunstzinnig in een porseleinen theepot had geschikt.

'Die taart ziet er verrukkelijk uit.'

'Het is een twaalflaagjestaart. Ik heb Nells recept gebruikt, dat oorspronkelijk van onze moeder was. We hebben het jarenlang geprobeerd, maar niemand van ons kon haar taart evenaren. Het is Nell uiteindelijk gelukt, maar ze vindt het een bezoeking. Ik heb een half dozijn taarten weg kunnen gooien voordat ik het onder de knie had.'

'Wat staat er verder nog op het menu?'

Henry pakte een gietijzeren koekenpan en zette die op het fornuis. 'Gebraden kip, aardappelsalade, koolsla, en cassoulet. Ik dacht dat we er maar een picknick op de patio van moesten maken, tenzij het te koud wordt.' Hij deed het kruidenkastje open en haalde er een potje gedroogde dille uit te voorschijn. 'Waarom eet je niet met ons mee? Ze zou het enig vinden om je weer eens te zien.'

'Toe, zeg. Dat soort gezelligheid is wel het laatste waar ze behoefte aan heeft, na zes uur achter het stuur. Geef haar een borrel en laat haar lekker bijkomen.'

'Maak je over haar maar geen zorgen. Ze beschikt over een onuitputtelijke energie. Ik weet zeker dat ze het hartstikke leuk zou vinden.'

'Laten we maar gewoon zien hoe het loopt. Ik ga nu terug naar kantoor, maar ik wip wel even langs als ik weer terug ben.'

Ik had al besloten de uitnodiging af te slaan, maar ik wilde geen onbeleefde indruk maken. Volgens mij hadden ze tijd voor zichzelf nodig. Ik zou mijn hoofd om de hoek van de deur steken en haar gedag zeggen, voornamelijk om mijn nieuwsgierigheid naar haar te bevredigen. Ze was óf weduwe óf gescheiden, ik wist niet welk van de twee, maar tijdens haar laatste bezoek was me opgevallen dat ze het een paar keer over haar man had gehad. Op een gegeven moment, toen Henry last had van zijn knie, was ze er in haar eentje op uit getrokken en ze had haar aquarelleerspullen meegenomen om een bepaalde plek in de bergen te schilderen waar zij en haar man prettige herinneringen aan hadden. Zat ze nog altijd emotioneel aan hem vast? Of manlief nu dood of nog in leven was, het idee stond me niet aan. Ondertussen deed Henry daar heel nonchalant over, wellicht bij wijze van ontkenning van zijn gevoelens of als reactie op bedekte signalen van haar. Natuurlijk bestond er altijd de mogelijkheid dat ik me dit alles verbeeldde, maar dat dacht ik niet. Hoe dan ook, ik was van plan die avond bij Rosie te gaan eten en me haar gebruikelijke portie tirannie en beschimpingen te laten welgevallen.

Ik liet Henry zijn gang gaan en reed terug naar mijn kantoor, waar ik het nummer draaide van Priscilla Holloway, de reclasseringsambtenaar van Reba Lafferty. Nord Lafferty had me aan het eind van ons gesprek haar naam en telefoonnummer gegeven. Ik was alweer bijna terug bij mijn auto geweest en had juist het portier opengedaan toen de bejaarde huishoudster bij de voordeur mijn naam had geroepen en met een foto in haar hand op een sukkeldrafje naar me toe was gekomen.

Buiten adem had ze gezegd: 'Meneer Lafferty was vergeten u deze foto van Reba te geven.'

'Bedankt. Ik zal hem teruggeven zodra ik haar hier afgeleverd heb.'

'O, dat is niet nodig. Hij zei dat u hem mocht houden als u wilde.'

Ik had haar nogmaals bedankt en had de foto in mijn tas gestopt. Nu, terwijl ik wachtte tot Priscilla Holloway de telefoon opnam, haalde ik de foto te voorschijn en bekeek hem opnieuw. Ik had liever een wat recentere opname gehad. Deze was gemaakt toen ze halverwege of eind twintig was en er bijna ondeugend uitzag. Haar grote donkere ogen waren strak op de camera gericht, haar volle lippen iets van elkaar alsof ze op het punt stond iets te gaan zeggen. Haar schouderlange haar was blond geverfd, maar dat was duidelijk vakwerk geweest. Ze had een gave teint met een licht blosje op de wangen. Na twee jaar gevangenisvoedsel zou ze wellicht een paar kilo zijn aangekomen, maar ik dacht wel dat ik haar zou herkennen.

Aan de andere kant van de lijn zei een vrouwenstem: 'Holloway.'

'Goedemiddag, mevrouw Holloway. U spreekt met Kinsey Millhone. Ik ben privé-detective hier in Santa Teresa...'

'Ik weet wie u bent. Ik ben gebeld door Nord Lafferty, die me vertelde dat hij u in de arm had genomen om zijn dochter op te halen.'

'Dat is de reden waarom ik bel, om te vragen of dat wat u betreft in orde is.'

'Prima. Geen punt. Dat bespaart mij de rit. Als u vóór drieën weer terug bent, kom dan maar met haar naar mijn kantoor. Weet u waar dat is?'

Dat wist ik niet, maar ze gaf me het adres.

'Tot maandag dan,' zei ik.

De rest van de middag hield ik me bezig met mijn administratie, wat voornamelijk neerkwam op ordenen en opbergen in een vergeefse poging mijn bureau op te ruimen. Ook verdiepte ik me nog enige tijd in de regels waaraan men zich bij een voorwaardelijke invrijheidsstelling dient te houden aan de hand van een brochure van de Dienst voor het Gevangeniswezen van Californië.

Toen ik voor de tweede keer die dag thuiskwam, zag ik geen picknickspullen op de patiotafel. Misschien had hij besloten dat ze toch maar beter binnen konden eten. Ik liep naar zijn achterdeur en keek naar binnen. Mijn hoop op een romantisch samenzijn van Henry en Mattie werd de bodem ingeslagen door de aanwezigheid van William in de keuken. Henry zat met een verongelijkt gezicht in zijn schommelstoel met zijn gebruikelijke glas Jack Daniel's terwijl Mattie een glas witte wijn in haar hand had.

William, die twee jaar ouder is dan Henry, lijkt genoeg op hem om voor zijn tweelingbroer te kunnen doorgaan. Zijn zilvergrijze haardos begon in tegenstelling tot die van Henry uit te dunnen, maar hij had dezelfde helblauwe ogen en dezelfde kaarsrechte houding. Hij droeg een keurig driedelig kostuum met een horlogeketting over zijn vest. Ik tikte op het glas van de deur en Henry gebaarde dat ik binnen moest komen. William kwam overeind zodra hij me zag, en ik wist dat hij zou blijven staan tenzij ik er bij hem op aandrong weer te gaan zitten. Mattie stond op om me te begroeten, en ook al omhelsden we elkaar niet, we pakten wel elkaars handen beet en gaven elkaar een luchtkus.

Ze was begin zeventig lang en slank, met zacht zilvergrijs haar dat ze in een knotje boven op haar hoofd droeg. Haar grote handgemaakte zilveren oorringen glinsterden in het licht.

Ik zei: 'Hallo, Mattie. Hoe is het met je? Je moet keurig op tijd gearriveerd zijn.'

'Inderdaad. Leuk om je weer te zien.' Ze droeg een koraalrode zijden blouse, een lange zigeunerrok en suède laarzen met platte hakken. 'Drink je een glaasje met ons mee?'

'Nee, dank je. Ik heb nog het een en ander te doen, dus ik moet er zo weer vandoor.'

Henry's stem klonk gemelijk. 'Neem nou maar een glas wijn. Je kunt ook blijven eten. William heeft zichzelf al uitgenodigd, dus waarom niet? Hij liep Rosie alleen maar voor de voeten en dus heeft ze hem hiernaartoe gestuurd.'

William zei: 'Ze kreeg zomaar van het ene op het andere moment een driftbui. Ik was juist terug van de dokter en ik ging ervan uit dat ze benieuwd zou zijn naar de resultaten van mijn bloedonderzoek, met name mijn HDL. Misschien wil je ze zelf even zien.' Hij stak me een formulier toe en wees op de lange kolom getallen aan de rechterkant. Mijn blik gleed langs zijn glucose-, natrium-, kalium-, en chloridegehalten voordat ik de uitdrukking op Henry's gezicht zag. Hij keek verschrikkelijk scheel. William zei: 'Je kunt zien dat mijn LDL-HDL-verhouding 1:3 is.'

'Eh, is dat slecht?'

'Nee, nee. De dokter zei dat het uitstekend was... mijn gezondheidstoestand in aanmerking genomen.' Williams stem klonk plotseling wat zwakker, alsof daar het nodige aan mankeerde.

'Mooi zo. Dat is geweldig.'

'Dank je. Ik heb onze broer Lewis gebeld om het hem te vertellen. Zijn cholesterolgehalte is aan de hoge kant, wat volgens mij tamelijk verontrustend is. Hij zegt dat hij er alles aan doet, maar zonder veel succes. Als je het formulier doorgenomen hebt, kun je het aan Mattie doorgeven.'

Henry zei: 'William, wil je alsjeblieft gaan zitten? Ik krijg een stijve nek van je.' Hij kwam overeind uit de schommelstoel en pakte een wijnglas uit een keukenkastje. Hij schonk het tot de rand toe vol en gaf me het glas aan, waarbij er wat wijn op mijn hand terechtkwam.

William wilde pas gaan zitten nadat hij een stoel voor me bijgetrokken had. Ik ging zitten met een gemompeld 'Dank je' en liet vervolgens mijn vinger demonstratief langs de diverse kolommen van het medisch rapport glijden. 'Je verkeert in goede conditie,' merkte ik op terwijl ik het formulier aan Mattie doorgaf.

'Nou, ik heb nog steeds wel hartkloppingen, maar de dokter gaat mijn medicatie aanpassen. Hij zegt dat ik in verbazingwekkend goede gezondheid verkeer voor iemand van mijn leeftijd.'

'Als je zo vreselijk gezond bent, hoe komt het dan dat je zo'n beetje om de dag naar de eerstehulppost gaat?' zei Henry op bitse toon.

William knipoogde onbewogen naar Mattie. 'Mijn broer is nogal nonchalant waar het zijn gezondheid betreft en begrijpt niet dat sommigen van ons proactief zijn.'

Henry maakte een snuivend geluid.

William schraapte zijn keel. 'Goed. Ander onderwerp, aangezien Henry hier klaarblijkelijk moeite mee heeft. Ik hoop dat het niet te persoonlijk is, maar Henry zei dat je echtgenoot overleden is. Heb je er bezwaar tegen als ik vraag waaraan hij gestorven is?'

Henry was duidelijk geïrriteerd. 'Noem je dat een ander onderwerp? Het is exact hetzelfde: ziekte en dood. Kun je nou nooit eens ergens anders aan denken?'

'Ik had het niet tegen jou,' antwoordde William voordat hij zich weer tot Mattie richtte. 'Ik hoop dat het onderwerp niet te pijnlijk is.'

'Nu niet meer. Barry is zes jaar geleden overleden aan een hartverlamming. Cardiale ischemie is meen ik de term die ze gebruikten. Hij was docent sieraad-ontwerpen aan het San Francisco Art Institute. Hij was een zeer getalenteerd man, maar ook een tikkeltje excentriek.'

William knikte. 'Cardiale ischemie. Ik ben zeer vertrouwd met de term. Van het Griekse *ischoo*, wat "tegenhouden" betekent, gecombineerd met *haima*, oftewel "bloed". Een Duitse hoogleraar in de pathologische anatomie heeft die term halverwege de negentiende eeuw geïntroduceerd. Rudolf Virchow. Een opmerkelijk man. Hou oud is je man geworden?'

'William,' zei Henry op zangerige toon.

Mattie glimlachte. 'Het geeft niet, Henry. Ik ben er allang overheen. Hij overleed twee dagen voor zijn zeventigste verjaardag.'

William trok een gezicht. 'Droevig wanneer een man in de bloei van zijn leven uit ons midden wordt weggerukt. Ik heb zelf meerdere perioden gekend waarin ik gekweld werd door angina, wat ik op wonderbaarlijke wijze heb overleefd. Toevallig had ik het twee dagen geleden nog over mijn hartkwaal met Lewis, over de telefoon. Je herinnert je onze broer vast nog wel.'

'Natuurlijk. Ik hoop dat hij en Nell en Charles allemaal in goede gezondheid verkeren.'

'Uitstekend zelfs,' zei William. Hij ging verzitten en liet zijn stem dalen. 'Nog even over je man. Had hij vóór zijn fatale attaque al eerder een waarschuwing gehad?'

'Hij had last van pijn op de borst, maar hij vertikte het om naar de dokter te gaan. Barry was een fatalist. Hij geloofde dat je gaat als het je tijd is, welke voorzorgsmaatregelen je ook neemt. Hij vergeleek de levensduur met een wekker die God instelt op het moment dat je geboren wordt. Niemand van ons weet wanneer die wekker afgaat, maar hij zag er het nut niet van in om dat moment te willen voorspellen. Hij genoot intens van het leven, dat moet ik hem nageven. De meeste mensen in mijn familie halen de zestig niet, en ze voelen zich voortdurend doodongelukkig uit angst voor het onvermijdelijke.'

'Zestig! Is het werkelijk? Dat is ongelooflijk. Is er een genetische factor in het spel?'

'Voorzover ik weet niet. Het is zo'n beetje van alles wat. Kanker, diabetes, nierfalen, chronische longaandoeningen...'

William legde zijn handen op zijn borst. Ik had hem niet meer zo opgetogen gezien sinds hij griep had gehad. 'COPD. *Chronic obstructive pulmonary disease.* Die term brengt herinneringen bij me boven. In mijn jeugd werd ik getroffen door een longaandoening...'

Henry klapte in zijn handen. 'Oké, mooi zo. Genoeg over dat onderwerp. Zullen we maar eens gaan eten?'

Hij liep naar de koelkast en haalde er een glazen kom met koolsla uit te voorschijn die hij met een ostentatief gebaar op tafel neerzette. De kip die hij gebraden had, lag op een ovale schaal op het aanrecht, waarschijnlijk nog warm. Hij zette de schaal midden op de tafel, en legde er een vleestang en een voorsnijmes naast. De cassoulet stond nu achter op het fornuis en verspreidde een geur van malse boontjes en laurierblad. Hij haalde opscheplepels uit een aardewerken pot en pakte vervolgens vier platte borden die hij aan William overhandigde, misschien in de hoop zijn aandacht af te leiden terwijl hij de rest van de maaltijd op tafel zette. William zette de borden neer terwijl hij Mattie uitgebreid aan de tand voelde over het overlijden van haar moeder ten gevolge van acute bacteriële meningitis.

Onder het eten stuurde Henry de conversatie naar neutraal terrein. Er werden obligate vragen gesteld over Matties rit vanuit San Francisco, het verkeer, de toestand van de wegen en meer van dat soort zaken, wat mij ruimschoots de gelegenheid gaf om haar te observeren. Haar ogen waren heldergrijs en ze had maar heel weinig make-up gebruikt. Ze had krachtige gelaatstrekken en haar neus, jukbeenderen en kaken waren net zo geprononceerd en goed geproportioneerd als die van een fotomodel. Haar huid vertoonde sporen van overmatige blootstelling aan de zon, wat haar teint iets blozends gaf. Ik stelde me voor hoe ze urenlang in de openlucht doorbracht met haar verfdoos en haar schildersezel.

Terwijl William in beslag genomen werd door het onderwerp dodelijke ziekten, hield ik me bezig met de vraag hoe snel ik me discreet terug kon trekken. Ik was van plan William mee te slepen zodat Henry en Mattie wat tijd voor elkaar zouden hebben. Ik hield de klok in de gaten terwijl ik me te goed deed aan de gebraden kip, aardappelsalade, koolsla, cassoulet en taart. Het eten was uiteraard voortreffelijk en ik at met mijn gebruikelijke snelheid en enthousiasme. Om even over halfnegen, net toen ik een plausibel leugentje aan het bedenken was, vouwde Mattie haar servet op en legde het op de tafel naast haar bord.

'Goed, ik moet er weer eens vandoor. Ik wil nog een paar telefoontjes plegen zodra ik terug ben in het hotel.'

'Ga je nu alweer weg?' zei ik, terwijl ik mijn best deed om mijn teleurstelling te verbergen.

'Ze heeft een lange dag achter de rug,' zei Henry, terwijl hij opstond om haar bord weg te halen. Hij spoelde het af en zette het in de afwasmachine terwijl hij ondertussen tegen haar bleef praten. 'Ik kan wat kip voor je inpakken voor het geval je later nog trek krijgt.'

'Breng me nou niet in de verleiding. Ik zit vol, maar niet propvol, en dat vind ik wel zo prettig. Het was heerlijk, Henry. Je hebt geweldig je best gedaan en dat stel ik zeer op prijs.'

'Fijn dat je het lekker vond. Ik zal je shawl even uit de andere kamer halen.' Hij droogde zijn handen af aan een keukenhanddoek en liep naar de slaapkamer.

William vouwde zijn servet op en schoof zijn stoel achteruit. 'Ik moest er ook maar weer eens vandoor. De dokter heeft me op het hart gedrukt dat ik minstens acht uur per nacht moet slapen. Misschien dat ik nog wat lichte gymnastiekoefeningen doe voordat ik naar bed ga om de spijsvertering te bevorderen. Niet al te inspannend, uiteraard.'

Ik wendde me tot Mattie. 'Heb je nog plannen voor morgen?'

'Jammer genoeg moet ik morgenochtend vroeg alweer op pad, maar over een paar dagen ben ik weer terug.'

Henry kwam terug met een zachte wollen shawl die hij over haar schouders drapeerde. Ze klopte hem op zijn hand en pakte een grote leren tas op die naast haar stoel stond. 'Ik hoop je gauw weer te zien,' zei ze tegen mij.

'Dat hoop ik ook.'
Henry legde zijn hand even op haar elleboog. 'Ik breng je even naar je auto.'
William trok zijn vest recht. 'Dat is niet nodig. Ik loop wel even met haar mee.' Hij bood Mattie zijn arm, en nadat ze nog even een blik op Henry geworpen had, liepen zij en William naar buiten.

3

Zaterdagochtend sliep ik uit tot acht uur, ik nam een douche, zette een pot koffie, en ging aan de eetbar zitten, waar ik zoals gewoonlijk een kom cornflakes at. Nadat ik de kom en de lepel afgewassen had, klom ik weer op mijn kruk en overzag mijn domein. Ik ben overdreven netjes en ik had eerder die week het hele appartement nog grondig schoongemaakt. Mijn sociale agenda was leeg en ik wist dat ik de zaterdag en zondag in mijn eentje zou doorbrengen, zoals de meeste weekends. Normaal gesproken zit ik daar niet mee, maar die dag werd ik bekropen door een verontrustend gevoel. Ik verveelde me. Ik snakte zozeer naar iets te doen dat ik overwoog om terug te gaan naar mijn kantoor om alvast het dossier te openen voor een andere opdracht die ik aangenomen had. Helaas is mijn kantoorruimte nogal deprimerend en de motivatie ontbrak om ook nog maar een minuut aan mijn bureau door te brengen. Wat zou ik verder nog kunnen doen? Joost mocht het weten. In een opwelling van paniek realiseerde ik me dat ik niet eens een boek had om te lezen. Ik stond op het punt om naar de boekwinkel te gaan om een voorraadje paperbacks aan te schaffen toen de telefoon ging.

'Hoi, Kinsey. Met Vera. Fijn dat je thuis bent. Heb je even?'

'Natuurlijk. Ik stond op het punt om de deur uit te gaan, maar dat heeft geen haast,' zei ik. Vera Lipton was een collega van me geweest bij California Fidelity Insurance, waar ik zes jaar lang onderzoek had gedaan naar schadeclaims waarbij mogelijk sprake was van brandstichting of overlijden onder verdachte omstandigheden. Zij was het hoofd van de afdeling Schadeclaims terwijl ik als zelfstandig contractant werkte. Ze was inmiddels weg bij het bedrijf, was met een arts getrouwd, en was tegenwoordig fulltimemoeder. Ik had haar in april nog even gezien, samen met haar man Neil Hess. Ze hadden een baldadige golden-retrieverpup bij zich, evenals hun zoontje van anderhalf, naar wiens naam ik was vergeten te vragen. Ze was hoogzwanger en naar de omvang van haar buik te oordelen, zou de bevalling binnen enkele dagen plaatsvinden. Ik zei: 'Vertel me eens over de baby. Je zag eruit alsof die elk moment te voorschijn kon floepen die dag dat ik jullie op het strand zag.'

'Dat kun je wel zeggen. Ik had een holle rug als een muilezel. Ik had vreselijke pijnscheuten in allebei mijn benen, en het hoofdje van de baby dat op mijn blaas drukte zorgde ervoor dat ik voortdurend een beetje urine verloor. Diezelfde avond begonnen de weeën en de volgende middag werd Meg geboren. Hoor eens, de reden dat ik je bel is dat we je graag willen uitnodigen. We zien je de laatste tijd nooit meer.'

'Lijkt me een prima idee. Geef even een belletje en dan spreken we iets af.'

Het bleef even stil aan de andere kant van de lijn. 'Dat doe ik nou juist. Ik heb je zojuist uitgenodigd om een borrel te komen drinken. We nodigen wat mensen uit voor een barbecue vanmiddag.'

'O, oké. Hoe laat?'

'Vier uur. Ik weet dat het kort dag is, maar ik hoop dat je kunt komen.'

'Toevallig wel. Is er een speciale aanleiding?'

Vera lachte. 'Nee hoor. Het leek me gewoon een leuk idee. We hebben een paar buren uitgenodigd. Allemaal heel informeel. Als je een pen bij de hand hebt, zal ik je het adres geven. Als je nou een beetje op tijd komt, kunnen we gezellig even bijpraten.'

Ik noteerde haar adres, terwijl ik bekropen werd door een gevoel van twijfel. Waarom zou ze me zomaar ineens bellen? 'Vera, weet je zeker dat je niet iets in je schild voert? Niet om het een of ander, maar we hebben afgelopen april vijf minuten met elkaar gepraat. Vóór die tijd hadden we vier jaar lang geen contact meer gehad. Begrijp me niet verkeerd, ik zou het leuk vinden om je weer eens te zien, maar ik vind het wel wat merkwaardig.'

'Mm-mm.'

Ik zei: 'Wat,' zonder de moeite te nemen het als een vraag te laten klinken.

'Oké, ik zal open kaart met je spelen, maar je moet me beloven dat je niet gaat gillen.'

'Ik luister, maar ik heb inmiddels wel een beetje pijn in mijn buik.'

'De jongere broer van Neil, Owen, is dit weekend in de stad. Het leek ons een goed idee dat jullie kennis met elkaar zouden maken.'

'Waarom?'

'Kinsey, af en toe worden mannen en vrouwen aan elkaar voorgesteld, of heb je daar nog nooit van gehoord?'

'Je bedoeld een blind date?'

'Het is geen blind date. Het is een borrel met wat hapjes. Er zijn ik weet niet hoeveel andere mensen, dus je zit heus niet aan hem vast. Als je hem aardig vindt, prima. Zo niet, geen man overboord.'

'De laatste keer dat je een afspraakje voor me regelde, was het met Neil,' zei ik.

'Precies. En kijk eens waar dat op uitgedraaid is.'

Ik zweeg even. 'Wat is hij voor iemand?'

'Nou, afgezien van het feit dat zijn knokkels tijdens het lopen de grond bijna raken, kan hij er best mee door. Hoor eens, ik zal hem een aanmeldingsformulier laten invullen, dan kun je een antecedentenonderzoek naar hem instellen. Zorg nou maar dat je er om halfvier bent. Ik draag mijn enige spijkerbroek die van achteren niet opengeknipt is.'

Ze hing op terwijl ik zei: 'Maar...'

Met een gevoel van wanhoop luisterde ik naar de kiestoon. Het was me nu wel duidelijk dat dit de straf was voor mijn gelanterfant. Ik had naar mijn kantoor en aan het werk moeten gaan. Het universum houdt onze zonden bij en legt uitgekiende en weerzinwekkende straffen op, zoals afspraakjes met onbekende mannen. Ik beklom de wenteltrap en deed mijn kast open zodat ik naar mijn kleren kon staren. Dit was wat ik zag: mijn zwarte jurk voor alle gelegenheden, de enige jurk die ik bezit, geschikt voor begrafenissen en andere sombere gelegenheden, niet geschikt voor afspraakjes met mannen, tenzij ze al dood zijn. Drie spijkerbroeken, een denim gilet, één korte rok, en de nieuwe tweed blazer die ik gekocht had toen ik een lunchafspraak had met mijn nicht Tasha, anderhalf jaar geleden. Verder een olijfgroen cocktailjurkje waarvan ik vergeten was dat ik het had, en dat ik gekregen had van een vrouw die later opgeblazen werd. Dan waren er ook nog afdankertjes van Vera, waaronder een zwartzijden pantalon die zo lang was dat ik hem bij de taille op moest rollen. Als ik die aantrok, zou

Vera vragen of ze hem weer terug kon krijgen, waardoor ik gedwongen zou zijn om met een zo goed als naakt onderlijf terug naar huis te rijden. Niet dat ik dacht dat een harembroek geschikt zou zijn voor een barbecue. Ik wist wel beter. Ik haalde mijn schouders op en ging voor mijn gebruikelijke spijkerbroek en coltrui.

Exact om halfvier belde ik bij Vera aan. Het adres dat ze me gegeven had, bevond zich in het noordoostelijk deel van de stad, in een buurt met oudere huizen. Dat van hen was een donkergrijs Victoriaans pand met witgeschilderd houtwerk en een L-vormige houten veranda. Midden in de voordeur bevond zich een roos van gebrandschilderd glas, waardoor Vera's gezicht er felroze uitzag toen ze erdoorheen naar buiten keek. Achter haar blafte de hond opgewonden, popelend om tegen de nieuwkomer op te springen en die eens lekker af te lebberen. Ze deed de deur open terwijl ze de hond bij zijn halsband vasthield om te voorkomen dat hij ervandoor zou gaan.

Ze zei: 'Kijk niet zo somber. Je hebt uitstel van executie gekregen. Ik heb de jongens eropuit gestuurd om Pampers en bier te kopen, dus de komende twintig minuten hebben we voor onszelf. Kom verder.' In haar kortgeknipte haar zaten blonde highlights. Ze droeg nog steeds haar bril met metalen montuur en de enorme lichtblauw getinte glazen. Vera is het type vrouw dat waar ze ook gaat bewonderende blikken trekt. Ze was nog steeds aan de stevige kant, hoewel ze al heel wat was kwijtgeraakt van de kilo's die ze door haar laatste zwangerschap was aangekomen. Ze was blootsvoets en droeg een strakke spijkerbroek en een wijde blouse met korte mouwen en een ingewikkelde kraag. Door het rondsjouwen met een peuter en een baby had ze stevige biceps gekregen.

Ze hield de deur voor me open, waarbij ze zich zo opstelde dat de hond me nog even niet kon bespringen. Hij was twee keer zo groot geworden sinds ik hem op het strand had gezien. Hij zag er niet kwaadaardig uit, maar hij was wel heel erg uitgelaten. Ze boog zich naar hem over, legde een hand rond zijn snuit en zei: 'Nee!' op een toon die nauwelijks effect had. Hij scheen de aandacht op prijs te stellen en gaf haar een lik op haar mond zodra hij de kans kreeg.

'Dit is Chase. Let maar niet op hem. Hij wordt vanzelf wel rustiger.'

Ik deed een poging niet op de hond te letten terwijl hij vrolijk blaffend om me heen sprong, tot hij de zoom van mijn broekspijp pakte en eraan begon te trekken. Hij gromde en zette zijn poten schrap zodat hij mijn spijkerbroek aan flarden kon scheuren. Ik stond er hulpeloos bij en zei: 'Jeetje, dit is echt enig, Vera. Ik ben zo blij dat ik hier ben.'

Ze keek me aan, maar reageerde niet op mijn sarcasme. Ze pakte de hond bij zijn halsband en trok hem mee naar de keuken terwijl ik achter haar aan liep door een hal met een hoog plafond, met aan de rechterkant een trap en aan de linkerkant de woonkamer. Een korte gang, met de gebruikelijke verzameling houten blokken, plastic speelgoedonderdelen en afgedankte hondenkluiven leidde naar de keuken aan de achterkant. Ze duwde Chase een hok in dat het formaat had van een flinke hutkoffer. De hond leek daar niet mee te zitten, maar evengoed voelde ik me schuldig.

De keuken was ruim en ik zag een breed terras dat via openslaande glazen tuindeuren bereikbaar was. De keukenkastjes waren van donker kersenhout, de werkbladen van donkergroen marmer, en het kookeiland had een ingebouwde kookplaat met zes branders. Zowel de baby als Vera's zoon, die Peter bleek te heten, was al in bad gedaan en klaar om naar bed te worden gebracht. Aan het aanrecht was een vrouw in een lichtblauw uniform bezig een dozijn hardgekookte eieren vol te spuiten met een gele vulling.

'Dit is Mavis,' zei Vera. 'Zij en Dirk helpen een handje, om mij een beetje te ontzien. Er komt zo dadelijk ook een babysitter.'

Ik mompelde een groet en Mavis wierp me een glimlach toe terwijl ze doorging met het persen van de vulling uit een spuitzak. De rand van de schaal was gegarneerd met takjes peterselie. Op het aanrecht lagen twee bakplaten met canapés klaar om in de oven te worden geschoven en er stonden twee andere schalen, de een met verse groenten en de ander met een assortiment geïmporteerde kazen met druiven ertussen. Dit feestje was duidelijk al wekenlang voorbereid. Inmiddels koesterde ik het vermoeden dat de oorspronkelijke blind date griep gekregen had en dat ik uitverkoren was om haar plaats in te nemen... een plaatsvervangster van de B-lijst.

Dirk, gekleed in een zwarte pantalon en een kort wit jasje, was bezig bij de provisiekamer waar hij een geïmproviseerde bar had opgezet met een verscheidenheid aan glazen, een ijsemmer, en een indrukwekkende hoeveelheid flessen wijn en sterkedrank.

'Hoeveel mensen komen er?'

'Een stuk of 25. Het is allemaal op het laatste nippertje, dus een heleboel mensen konden niet.'

'Ah.'

'Ik drink nog steeds niet vanwege deze jongedame hier.'

Meg lag in een tuigje in een kinderzitje midden op de keukentafel om zich heen te kijken met een vage uitdrukking van voldoening. Peter, 21 maanden oud, zat vastgegespt in een kinderstoel. Zijn bordje lag vol Cheerios en doperwten die hij oppakte en in zijn mond stopte als hij ze tenminste niet fijnkneep.

Vera zei: 'Dat is niet zijn avondeten, hoor. Het is alleen maar om hem bezig te houden tot de babysitter er is. Dirk schenkt wel wat voor je in terwijl ik Peter naar boven breng.' Ze pakte het bordje van de kinderstoel en zette het op het aanrecht, tilde de jongen toen uit de stoel en zette hem op haar heup. 'Ik ben zo terug. Als Meg gaat huilen, wil ze waarschijnlijk opgetild worden.'

Vera liep met Peter de gang door in de richting van de trap.

Dirk zei: 'Wat kan ik voor u inschenken?'

'Een glas chardonnay graag.'

Ik keek toe terwijl hij een fles chardonnay uit een bak ijs achter zich te voorschijn haalde. Hij schonk een glas voor me in en deed er een cocktailservetje bij toen hij het glas voor me neerzette op de geïmproviseerde bar.

'Bedankt.'

Vera had brie en dun gesneden stokbrood, schaaltjes noten en groene olijven klaargezet. Ik nam een olijf, ervoor zorgend dat ik mijn tanden niet stukbeet op de pit. Ik zou graag de rest van de benedenverdieping willen bekijken, maar ik durfde Meg niet alleen te laten. Ik had geen idee wat een baby van haar leeftijd kon doen terwijl ze vastzat in een kinderzitje. Konden ze in die dingen huppen?

Aan een kant van de keuken stonden twee met bloemetjesstof beklede sofa's, twee bijpassende stoelen, een salontafel en een televisietoestel. Met het glas in mijn hand liep ik het vertrek rond, terwijl ik de in zilveren lijstjes gevatte foto's van familie en vrienden bekeek. Onwillekeurig vroeg ik me af of een van de afgebeelde jongemannen Neils broer Owen was. Ik stelde me voor dat hij, net als Neil, aan de kleine kant was en waarschijnlijk ook donker haar had.

Achter me maakte Meg een onrustig geluid van het soort dat deed vermoeden dat er nog meer zouden volgen, maar dan aanmerkelijk luider. Ik kweet me van mijn verantwoordelijkheden en zette het glas neer zodat ik het kind uit haar zitje kon bevrijden. Ik tilde haar op, zo onvoorbereid op hoe licht ze was dat ik haar bijna door de lucht liet vliegen. Haar haartjes waren donker en fijn, en haar ogen waren helderblauw met wimpers zo fijn als veertjes. Ze rook naar babypoeder en waarschijnlijk iets vers geproduceerds en bruins in haar luier. Verbazingwekkend genoeg legde ze, na me even aangestaard te hebben, haar hoofdje tegen mijn schouder en begon op haar vuistje te sabbelen. Ze wriemelde en de zachte knorrende geluidjes die ze maakte suggereerden zuigreflexen die naar ik hoopte niet al te hevig zouden worden voordat haar moeder terugkeerde. Ik wiegde haar een beetje en dat scheen haar tijdelijk tevreden te stellen.

Ik was inmiddels aan het einde gekomen van mijn uitgebreide arsenaal aan trucs op het gebied van zuigelingenzorg.

Ik hoorde voetstappen buiten op het houten terras. Neil deed de achterdeur open met in zijn hand een tas die uitpuilde van de wegwerpluiers. De knaap die achter hem aan naar binnen kwam droeg twee sixpacks bier. Neil en ik begroetten elkaar en daarna wendde hij zich tot zijn broer en zei: 'Kinsey Millhone. Dit is mijn broer Owen.'

Ik zei: 'Hallo.' De baby in mijn armen maakte het onmogelijk om elkaar een hand te geven.

Hij zei iets in de trant van 'prettig kennis met je te maken', achterom pratend terwijl hij het bier aan Dirks capabele handen toevertrouwde.

Neil zette de tas op een keukenkrukje en haalde het pak wegwerpluiers eruit. 'Ik breng deze even naar boven. Zal ik haar overnemen?' vroeg hij, terwijl hij op Meg wees.

'Nee hoor, het gaat prima zo,' zei ik, en verrassend genoeg was dat inderdaad het geval. Toen Neil weg was, keek ik op haar neer en ik kwam tot de ontdekking dat ze in slaap gevallen was. 'O, wauw,' zei ik, terwijl ik nauwelijks adem durfde te halen. Ik wist niet of het tikken dat ik hoorde mijn biologische klok was of het ontstekingsmechanisme van een tijdbom.

Dirk was bezig een margarita voor Owen te maken en het ijs ratelde in de blender. Terwijl Owens aandacht in beslag genomen werd door wat er achter de bar gebeurde, had ik de gelegenheid om hem op te nemen. Vergeleken met zijn broer was hij lang, boven de een meter tachtig, terwijl Neil ongeveer even lang was als ik met mijn een meter achtenzestig. Zijn haar was rossig, lichtjes doorspikkeld met grijs. Hij was mager, terwijl Neil een stevig postuur had. Blauwe ogen, lichtblonde wimpers, een flinke neus. Hij keek mijn richting uit en ik liet mijn blik discreet naar Meg afdwalen. Hij droeg een katoenen broek en een donkerblauw shirt met korte mouwen, die het donzige haar op zijn onderarmen onthulden. Hij had een goed gebit en zijn glimlach leek oprecht. Op een schaal van 1 tot 10 – waarbij 10 Harrison Ford was – gaf ik hem een 8, of misschien wel een dikke 8+.

Hij kwam naar het aanrecht waar ik stond en pakte een canapé. We maakten een praatje waarbij we het soort vrijblijvende vragen en antwoorden uitwisselden dat gebruikelijk is bij mensen die elkaar niet kennen. Hij vertelde me dat hij over was uit New York, waar hij als architect werkte en woonhuizen en bedrijfspanden ontwierp. Ik vertelde hem wat ik voor de kost deed en hoelang ik dat al deed. Hij veinsde meer belangstelling dan hij waarschijnlijk voelde. Hij vertelde me dat hij en Neil nóg drie broers hadden en dat hij de op een na jongste van het stel was. De meeste familieleden, zei hij, woonden verspreid over de hele oostkust, en Neil was de enige die nog in Californië woonde. Ik vertelde hem dat ik enig kind was en liet het daarbij.

Na verloop van tijd kwamen Neil en Vera weer naar beneden. Zij nam de baby van me over en ging op de bank zitten. Vera frommelde aan haar blouse, haalde een borst te voorschijn, en begon Meg te voeden terwijl Owen en ik ostentatief een andere kant op keken.

Na een tijdje begonnen er verscheidene andere stellen te arriveren. De keuken vulde zich geleidelijk aan met gasten. Ze stonden in kleine groepjes bij elkaar, en sommigen begaven zich naar de hal en naar het terras. Toen de babysitter arriveerde, bracht Vera Meg naar boven en toen ze weer terugkwam had ze een andere blouse aangetrokken. Het geluidsniveau steeg. Owen en ik raakten in de drukte van elkaar gescheiden, wat ik allang best vond aangezien ik toch niet meer wist wat ik verder nog tegen hem moest zeggen.

Ik deed mijn best om me sociaal te gedragen en maakte een praatje met elke arme ziel die me aansprak. Iedereen was erg aardig, maar dergelijke gezelschappen zijn uiterst vermoeiend voor iemand met mijn introverte aard. Ik onderging de beproeving gelaten zolang ik kon en begaf me toen onopvallend in de richting van de hal waar ik mijn schoudertas had achtergelaten. Het was een kwestie van goede manieren om de gastheer en gastvrouw te bedanken en gedag te zeggen, maar ik zag geen van beiden en het leek me het beste om er stilletjes vandoor te gaan zonder de aandacht te vestigen op mijn ontsnapping.

Terwijl ik de voordeur achter me dichttrok en het houten verandatrapje af stapte, kreeg ik Cheney Phillips in het oog, die me tegemoetkwam. Hij was gekleed in een donkerrood zijden overhemd, een crèmekleurige pantalon en glanzend gepoetste Italiaanse instappers. Cheney was een plaatselijke rechercheur, die volgens mijn laatste informatie bij de zedenpolitie werkte. Ik liep hem vroeger regelmatig tegen het lijf in een kroeg genaamd het Caliente Café – ook wel bekend als het CC – ter hoogte van Cabana Boulevard in de buurt van het vogelreservaat. Het gerucht ging dat hij in het CC een meisje had ontmoet en dat ze nauwelijks zes weken later samen naar Vegas waren vertrokken om daar te trouwen. Ik herinnerde me de scheut van teleurstelling die ik bij het horen van dat nieuws had gevoeld. Dat was drie maanden geleden.

Hij zei: 'Ga je er nou alweer vandoor?'

'Hé, hoe is het met je? Wat doe jij hier?'

Hij hield zijn hoofd schuin. 'Ik woon hiernaast.'

Ik volgde zijn blik naar het huis, eveneens een Victoriaans pand van twee verdiepingen dat identiek leek te zijn aan dat waaruit ik zojuist vertrokken was. Niet veel politiemensen kunnen zich een dergelijke woning in Santa Teresa veroorloven. 'Ik dacht dat je in Perdido woonde.'

'Dat was ook zo. Daar ben ik opgegroeid. Toen mijn oom overleed, liet hij me een smak geld na en dat heb ik in onroerend goed belegd.' Voorzover ik wist was hij 34, drie jaar jonger dan ik. Hij had een mager gezicht en een bos donker krullend haar, was ongeveer een meter zeventig en slank gebouwd. Hij had me verteld dat zijn moeder onroerend goed in de duurdere sector verkocht en dat zijn vader X. Phillips was, eigenaar van de Bank of X. Phillips in Perdido, een stadje vijftig kilometer zuidelijker. Hij was duidelijk opgegroeid in een bevoorrecht milieu.

'Fraai huis,' zei ik.

'Dank je. Ik ben de boel momenteel aan het opknappen, anders zou ik het je wel laten zien.'

'Misschien een andere keer,' zei ik, terwijl ik me afvroeg hoe het met zijn vrouw zat.

'Waar hou jij je tegenwoordig zoal mee bezig?'

'Niet veel bijzonders.'

'Waarom ga je niet mee terug naar het feestje, dan drinken we samen een borrel? We moeten nodig weer eens bijpraten.'

Ik zei: 'Dat zal niet gaan. Ik moet ergens heen en ik ben al aan de late kant.'

'Een andere keer dan?'

'Prima.'

Achteruitlopend wuifde ik even voordat ik me omdraaide en naar mijn auto liep. Waarom had ik dat nou gezegd? Ik had nog best een borrel met hem willen drinken, maar ik kon het gewoon niet opbrengen. Te veel mensen en te veel gekeuvel.

Om kwart over zes was ik weer thuis. Ik was opgelucht dat ik alleen was, maar evengoed voelde ik me teleurgesteld. De blind date was geen succes gebleken. Aardige knaap, maar geen vonk die oversprong, wat waarschijnlijk ook maar het beste was, dacht ik. Het was heel goed mogelijk dat mijn teleurstelling iets met Cheney Phillips te maken had in plaats van met Owen Hess, maar daar wilde ik niet over nadenken. Wat had dat voor zin?

4

Maandagochtend om zes uur ging ik op weg naar de gevangenis. Het was een saaie, warme rit vanuit Santa Teresa over de 101 tot aan Highway 126, die bij Perdido afbuigt het binnenland in. De weg loopt tussen de Santa Clara River rechts en een wirwar van hoogspanningskabels links, langs de zuidrand van het Los Padres National Forest. Ik had topografische kaarten van het gebied gezien, waarop talrijke trekkersroutes door dit onherbergzame en bergachtige terrein stonden aangegeven. Tientallen riviertjes kronkelen zich over de bodem van de cañons. Er bevindt zich een verrassend groot aantal kampeerterreinen verspreid over deze wildernis die zo'n 900 vierkante kilometer beslaat. Als ik niet zo'n enorme afkeer zou hebben van insecten, zwarte beren, ratelslangen, coyotes, hitte, brandnetels en vuil, zou ik misschien wel kunnen genieten van de aanblik van de befaamde zandsteenrotsen en de pijnbomen die schots en scheef op de met grote rolstenen bezaaide hellingen groeien. Soms had ik de afgelopen jaren vanaf de veilige autoweg een van de laatste van de Californische condors met zijn vleugelspanwijdte van drie meter majestueus en sierlijk in de lucht zien zweven.

Ik reed langs talloze avocadoboomgaarden en citrusplantages vol rijpende sinaasappels, met om de paar kilometer fruitstalletjes langs de kant van de weg. Ik moest wachten voor een rood licht in drie opeenvolgende kleine gemeenten bestaande uit nieuwbouwwijken en uitgebreide winkelcentra. Anderhalf uur later bereikte ik de kruising met de 125 en Highway 5, die ik in zuidelijke richting volgde. Weer een uur later was ik in Corona. Families waarvan de leden met enige regelmaat in de gevangenis vertoefden, konden het niet veel beter treffen dan in deze regio, waar ze hun straffen konden uitzitten in respectievelijk de jeugdgevangenis, de mannengevangenis en de vrouwengevangenis van Californië die zich binnen schootsafstand van elkaar bevinden. Het landschap was vlak en stoffig, hier en daar onderbroken door hoogspanningskabels en watertorens. De percelen grond waren van elkaar gescheiden door middel van lage prikkeldraadomheiningen en soms door een rijtje bomen. De huizen hadden platte daken en maakten een haveloze indruk, met bouwvallige aanbouwen. Er stonden dikke, knoestige bomen met afgeknotte takken die, als ze al niet dood waren, in elk geval geen bladeren meer droegen. Zoals op de meeste braakliggende grond in Californië, schoten de nieuwbouwwijken als onkruid de grond uit.

Tegen halfnegen zat ik in mijn auto op het parkeerterrein naast het California Institution for Women. Het CIW stond ook wel bekend als Frontera, de vrouwelijke afleiding van het woord 'frontier'. De vijftig hectare beslaande campus (zoals ze het indertijd noemden) werd geopend in 1952 en tot dit jaar, 1987, was het de enige inrichting in Californië voor vrouwelijke gevangenen. Ik was al binnen geweest, waar ik de dienstdoende functionaris mijn identiteitsbewijs compleet met pasfoto had getoond en hem verteld had dat ik Reba Lafferty kwam afhalen. Hij keek op zijn lijst, zag haar naam, en pleegde vervolgens een telefoontje.

Hij had voorgesteld dat ik op het parkeerterrein zou wachten, en dus had ik mijn VW weer opgezocht. Tot dusver was ik niet erg gecharmeerd van de gemeente Corona. Er hing een sliert gele smog boven de horizon als iets wat een sproeivliegtuigje achtergelaten zou kunnen hebben. De julihitte was dik als zure melk en rook naar een mesterij. Er stond een harde wind en het stikte van de vliegen. Mijn T-shirt plakte aan mijn rug en mijn gezicht voelde klam aan, het soort klamheid dat je doet ontwaken uit een diepe slaap als je net geveld bent door de griep.

Het uitzicht door het drie meter hoge hekwerk was een verbetering. Ik zag groene gazons, wandelpaden en hibiscusstruiken vol felrode en gele bloemen. De meeste van de lage gebouwen waren vaalgrijs van kleur. Vrouwelijke gevangenen slenterden in groepjes van twee en drie over het terrein. Ik had gelezen dat er zojuist een speciale afdeling met 110 bedden was voltooid. In totaal werkten er zo'n 500 mensen op een gevangenispopulatie die varieerde tussen de 900 en de 1200. Blanken waren in de meerderheid, de meeste tussen de dertig en veertig jaar. De gevangenis bood zowel school- als beroepsopleidingen, waaronder die tot computerprogrammeur. De gevangenisindustrie – voornamelijk textiel – produceerde overhemden, shorts, kielen, schorten, zakdoeken, halsdoeken en brandweerkledij. Frontera diende tevens als centrum voor de selectie en opleiding van brandweerlieden, die te werk zouden worden gesteld in de ruim veertig beschermde natuurgebieden die Californië rijk is.

Voor de zoveelste keer bekeek ik de foto van Reba Lafferty die genomen was vóór haar aanvaringen met de wet en haar veroordeling. Als ze overmatig alcohol en drugs had gebruikt, dan was daar niets van te zien. Rusteloos stopte ik de foto weer in mijn schoudertas en ik draaide aan de afstemknop van de autoradio. Het ochtendnieuws was de gebruikelijke ontmoedigende mix van moord, politieke intriges, en sombere economische vooruitzichten. Tegen de tijd dat de nieuwslezer uitgepraat was, was ik bereid om mijn eigen keel door te snijden.

Toen ik om negen uur opkeek, zag ik activiteit bij de gevangenispoort. De hekken waren opengeschoven en een bus stond met stationair draaiende motor klaar voor vertrek terwijl de chauffeur zijn papieren aan de poortwachter liet zien. De twee maakten wat gekheid met elkaar. Ik stapte uit mijn auto. De bus reed door het hek, maakte een ruime bocht naar rechts, remde toen af en kwam tot stilstand. Ik zag een aantal vrouwen in de bus zitten, voorwaardelijk in vrijheid gestelden op weg naar de echte wereld, hun gezicht naar het raam gewend als planten die het licht zoeken. De deuren van de bus gleden sissend open en weer dicht, en toen trok de bus weer op.

Reba Lafferty stond op het trottoir in een van gevangeniswege verstrekte outfit, bestaande uit gympen, spijkerbroek en een wit T-shirt, zonder beha. Alle gevangenen moeten hun eigen kleding bij aankomst afgeven, maar het verbaasde me dat haar vader haar niet wat van haar eigen kleding had opgestuurd die ze op de terugreis had kunnen dragen. Ik wist dat ze de kleding die ze droeg had moeten kopen, aangezien die spullen werden beschouwd als regeringseigendom. Kennelijk had ze bedankt voor de door de gevangenis ter beschikking gestelde beha, die waarschijnlijk ongeveer net zo flatteus was als een orthopedische beugel. Gevangenen worden geacht de gevangenis zonder bagage te verlaten, afgezien van hun tweehonderd dollar in contanten. Tot mijn verbazing zag ik dat ze sprekend op de foto leek. Gezien de gevorderde leeftijd van Nord Lafferty, had ik me Reba voorgesteld als ergens in de vijftig. Dit meisje was nauwelijks dertig.

Haar haar was nu kortgeknipt en zag er vochtig uit, alsof ze zojuist onder de douche vandaan kwam. Tijdens haar gevangenschap was het blond uitgegroeid en haar van nature donkere piekhaar zag eruit alsof het met mousse verstevigd was. Ik had verwacht dat ze zwaar zou zijn, maar ze was zo slank dat ze een bijna frêle indruk maakte. Ik kon de benige holten van haar sleutelbeenderen onder de goedkope stof van haar T-shirt zien. Ze had een gave, enigszins bleke teint en ze had donkere wallen onder haar ogen. Er was iets sensueels in haar houding en in de manier waarop ze zich bewoog.

Ik stak mijn hand op bij wijze van groet en ze stak de weg over en liep naar me toe.

'Ben je hier voor mij?'

'Dat klopt. Ik ben Kinsey Millhone,' zei ik.

'Mooi. Ik ben Reba Lafferty. Laten we maken dat we hier wegkomen,' zei ze terwijl we elkaar een hand gaven.

We liepen naar de auto en gedurende het volgende uur werd er geen woord meer gesproken.

Ik geef de voorkeur aan zwijgen boven een gesprek over koetjes en kalfjes, dus ik ervoer de stilte niet als bezwaarlijk. Op de terugreis nam ik een andere route, Highway 5 in zuidelijke richting tot aan de kruising met de 101. Een paar keer overwoog ik haar iets te vragen, maar het leek me niet dat de dingen die ik wilde vragen – met name: waarom heb je dat geld gestolen? en: hoe is het misgegaan? – me iets aangingen.

Het was Reba die ten slotte de stilte verbrak. 'Heeft pa je verteld waarom ik in de nor zat?'

'Hij zei dat je geld in je zak gestoken had, meer niet,' zei ik. Ik realiseerde me dat ik het woord 'verduistering' vermeden had, alsof het onbeleefd zou zijn om de misdaad die geresulteerd had in haar gevangenisstraf bij de naam te noemen.

Ze liet haar hoofd tegen de rugleuning rusten. 'Hij is een lieverd. Hij verdient heel wat beter dan mij.'

'Mag ik vragen hoe oud je bent?'

'Tweeëndertig.'

'Neem me niet kwalijk, maar je ziet eruit alsof je een jaar of twaalf bent. Hoe oud was je vader toen je geboren werd?'

'Zesenvijftig. Mijn moeder was eenentwintig. Ik heb geen idee wat zij wilde. Nadat ik geboren was, ging ze ervandoor.'

'Heb je nog contact met haar?'

'Nee. Ik heb haar één keer gezien, toen ik acht was. Toen hebben we één dag samen doorgebracht; nou ja, een halve dag. Ze nam me mee naar Ludlow Beach en keek toe hoe ik in de golven rondspartelde tot mijn lippen blauw werden. We hebben gegeten bij die snackbar vlak bij High Ridge Road.'

'Ik weet welke je bedoelt.'

'Ik nam een milkshake en gebakken mosselen, die ik sinds die tijd niet meer gegeten heb. Ik moet hyperactief zijn geweest. Ik herinner me dat ik vlinders in mijn buik had vanaf het moment dat ik wakker werd, omdat ik wist dat ze zou komen. We waren op weg naar de dierentuin toen ik moest overgeven in de auto en toen heeft ze me naar huis gebracht.'

'Wat wilde ze?'

'Wie zal het zeggen? Wat het ook was, sinds die tijd heeft ze er geen behoefte meer aan gehad. Maar pa heeft het fantastisch gedaan. In dat opzicht heb ik geboft.'

'Hij voelt zich schuldig tegenover jou.'

Ze draaide haar hoofd opzij en keek me aan. 'Hoe dat zo? Hij heeft hier geen enkele schuld aan.'

'Hij vindt dat hij je verwaarloosd heeft toen je jong was.'

'O. Nou ja, dat is ook wel zo, maar wat heeft dat ermee te maken? Hij heeft zijn eigen beslissingen genomen en ik de mijne.'

'Jawel, maar over het algemeen is het beter om de beslissingen te vermijden die je in de nor doen belanden.'

Ze glimlachte. 'Je kende me niet in die tijd. Ik was óf dronken óf stoned en soms allebei.'

'Hoe combineerde je dat met een baan?'

'Het drinken bewaarde ik voor de avonden en de weekends. Dope rookte ik vóór en na het werk. Ik heb me nooit aan hard drugs gewaagd zoals heroïne, crack, of speed. Daar kun je echt helemaal de mist mee in gaan.'

'Is het niemand ooit opgevallen dat je stoned was?'

'Mijn baas wel.'

'Hoe heb je het voor elkaar gekregen om dat geld te verduisteren? Het lijkt me toch dat je voor zoiets een helder hoofd nodig hebt.'

'Geloof me, sommige zaken hebben me altijd helder voor ogen gestaan.'

'Ik heb ooit eens een nacht in de cel doorgebracht,' zei ik. Het klonk als een uitstapje met mijn padvindstersgroep.

'Waarvoor?'

'Het aanvallen van een politieman en verzet tegen mijn arrestatie.'

Ze lachte. 'Wauw. Wie had dat kunnen denken? Je ziet eruit als het prototype van de gezagsgetrouwe burger. Ik wed dat je alleen de straat oversteekt als het voetgangerslicht op groen staat en nooit met je belastingaangifte sjoemelt.'

'Klopt. Is dat slecht?'

'Nee, het is niet slecht. Het is alleen maar saai,' zei ze. 'Wil je nooit eens uit de band springen? Risico nemen en misschien helemaal uit je dak gaan?'

'Mijn leven zoals het is bevalt me wel.'

'God, wat duf. Ik zou er gek van worden.'

'Waar ik gek van word, is als ik de zaken niet in de hand heb.'

'Wat doe je dan voor je plezier?'

'Nou... ik lees veel en ik jog.'

Ze keek me aan terwijl ze op de pointe wachtte. 'Dat is alles? Je leest veel en je jogt?'

Ik lachte. 'Het klinkt inderdaad nogal treurig.'

'Waar ga je uit?'

'Ik ga niet echt uit, maar als ik trek heb in een warme maaltijd of een glas wijn, ga ik meestal naar Rosie's, een tentje bij mij in de buurt. De eigenaresse waakt over me als een moederbeer over haar jong, wat betekent dat ik kan eten zonder lastiggevallen te worden door kerels op de versiertoer.'

'Heb je een vriend?'

'Niet echt,' zei ik. Beter om een ander onderwerp aan te snijden. Ik keek haar van opzij aan. 'Als je het niet vervelend vindt dat ik het vraag, heb je al eerder problemen gehad?'

Ze keek uit het zijraampje. 'Dat hangt ervan af wat je daaronder verstaat. Ik heb twee keer een ontwenningskuur voor drugs ondergaan. Ik heb een halfjaar in de districtsgevangenis gezeten voor het knoeien met ongedekte cheques. Tegen de tijd dat ik weer vrijkwam, zat ik financieel volkomen aan de grond en ik liet me failliet verklaren. En weet je wat nou het gekke is? Toen het eenmaal zover was, kreeg ik allerlei aanbiedingen van creditcardmaatschappijen in de bus en allemaal waren ze van tevoren goedgekeurd. Daar kon ik vanzelfsprekend geen weerstand aan bieden. Ik bouwde een schuld van zo'n dertigduizend dollar op voordat ze geblokkeerd werden.'

'Dertigduizend? Waar ging dat aan op?'

'Ach, het gebruikelijke: gokken, drugs. Ik verloor zwaar bij de paardenkoersen en daarna ben ik naar Reno gegaan om mijn geluk op de fruitmachines te beproeven. Ik heb ook meegedaan aan een paar pokersessies met hoge inzetten, maar ik kreeg alleen maar beroerde kaarten. Niet dat dat een reden was om ermee op te houden. Ik ging ervan uit dat het geluk me op een gegeven moment vanzelf wel zou gaan toelachen. Jammer genoeg kwam het nooit zover. Voor ik het wist, was ik blut en leefde ik op straat. Dat was in 1982. Pa haalde me naar huis en betaalde mijn schulden. En hoe staat het met jouw ondeugden? Je zult er toch wel een hebben?'

'Ik drink wijn en af en toe een martini. Vroeger rookte ik, maar daar ben ik mee opgehouden.'

'Hé, ik ook. Ik ben een jaar geleden gestopt. Een lijdensweg.'

'Ik weet precies wat je bedoelt,' zei ik. 'Waarom ben je gestopt?'

'Alleen maar om te bewijzen dat ik het kon,' zei ze. 'Verder nog iets? Gebruik je wel eens coke?'

'Nee.'

'Ludes, Vicodam, Percocet?'

Ik keek haar aan.

'Ik vraag het alleen maar,' zei ze.

'Op de middelbare school heb ik hasj gerookt, maar daar ben ik na een tijdje ook mee gestopt.'

Ze liet haar hoofd opzij zakken en zei: 'Gaap.'

Ik lachte. 'Hoezo gaap?'

'Je leeft als een non. Heb je dan helemaal geen lol in je leven?'

'Natuurlijk heb ik lol. Ik heb lol genoeg in mijn leven.'

'Hé, je hoeft niet zo in de verdediging te gaan. Ik veroordeel je niet.'

'Wel waar.'

'Nou ja, oké, misschien een klein beetje. Ik ben voornamelijk nieuwsgierig.'

'Waarnaar?'

'Hoe je het in deze wereld redt als je voortaan een burgerlijk leven wilt leiden.'

'Misschien kom je daar nog wel achter.'

'Daar zou ik niet al te vast op rekenen, maar je kunt natuurlijk nooit weten.'

Toen we in de buurt van Santa Teresa kwamen, had er zich een sliertige, bleke mist over het landschap gevlijd. Ik reed langs het strand, waar de palmen zich donker aftekenden tegen het zachte wit van de Grote Oceaan. Reba zat naar buiten te staren. Dat deed ze al sinds hij ten zuiden van Perdido in zicht was gekomen. Toen we de afrit naar Perdido Avenue namen, zei ze: 'Heb je wel eens gehoord van The Double Down?'

'Wat is dat?'

'De enige pokertent van Perdido, het toneel van mijn ondergang. Ik heb het daar vreselijk naar mijn zin gehad, maar dat is nu afgelopen. Dat hoop ik tenminste.'

De weg boog zich landinwaarts en ze keek naar de voorbijglijdende citrusplantages. Aan weerszijden van de weg verschenen steeds meer huizen en bedrijfspanden totdat de stad zelf in zicht kwam met witgepleisterde huizen van twee en drie verdiepingen met rode pannendaken, palmbomen, groene struiken, de architectuur bepaald door Spaanse invloeden.

'Wat heb je het meest gemist?' vroeg ik.

'Mijn kat. Een langharige rode cyperse kat die ik al heb sinds hij zes weken oud was. Hij zag eruit als een poederdonsje. Hij is nu zeventien en een fantastische ouwe kater.'

Toen ik de afrit naar Milagro nam, keek ik op mijn horloge. Het was 12.36 uur. 'Heb je honger? We hebben nog tijd genoeg om iets te eten vóór de afspraak met je reclasseringsambtenaar.'

'Prima idee. Ik heb al honger sinds we vertrokken.'

'Had dat dan gezegd. Heb je een bepaalde voorkeur?'

'McDonald's. Ik zou een moord doen voor een quarterpounder.'

'Ik ook.'

Onder het eten zei ik: 'Tweeëntwintig maanden. Waar heb je je al die tijd mee beziggehouden?'

'Ik heb leren computerprogrammeren. Dat was best leuk. En ik heb ook gevangenisstatistieken uit mijn hoofd geleerd.'

'Lijkt me enig.'

Ze doopte haar frietjes in een plas ketchup en schoof ze als wormen naar binnen. 'Nou, het was best interessant. Ik bracht heel wat tijd door in de bibliotheek waar ik alle studies las die er over vrouwelijke gevangenen zijn verschenen. Vroeger las ik wel eens zo'n artikel en dat had dan niets met mezelf te maken. Nu is het allemaal relevant. In 1976 zaten er bijvoorbeeld 11.000 vrouwen in staats- en federale gevangenissen. Vorig jaar schoot dat aantal omhoog tot 26.000 en weet je waarom? Het feminisme. Vroeger hadden rechters medelijden met vrouwen, vooral als ze jonge kinderen hadden. Tegenwoordig hebben mannen en vrouwen gelijke kansen op gevangenisstraf. Hartelijk dank, Gloria Steinem. Slechts zo'n drie procent van alle veroordeelden gaat ook werkelijk achter de tralies. En dan nog iets. Vijf jaar geleden had de helft van de moordenaars die vrijkwamen, minder dan zes jaar gezeten. Dat is toch niet te geloven? Als je iemand vermoordt, sta je na zes jaar cel weer op straat. Als je betrapt wordt op het niet nakomen van de voorwaarden voor voorwaardelijke invrijheidsstelling, draai je een jaar de bak in. Dat is verhoudingsgewijs toch krankzinnig? Ik hoef maar één keer positief op een drugtest te reageren en ik ben de pineut. Echt, het rechtsstelsel deugt van geen kanten. Ik bedoel, wat is nou eigenlijk de essentie van voorwaardelijke invrijheidsstelling? Je dient je straf op straat uit. Wat is dat nou voor soort straf? Je hebt gewoon geen idee hoeveel gevaarlijke criminelen er daar buiten rondlopen.' Ze glimlachte. 'Nou ja, we gaan mijn reclasseringsambtenaar maar eens opzoeken, dan hebben we dat tenminste gehad.'

5

De burelen van de reclassering bevonden zich in een laag gebouw, opgetrokken uit gele baksteen in een stijl die tijdens de jaren zestig populair was: heel veel glas en aluminium en lange horizontale lijnen. Donkergroene ceders groeiden onder een overhangend gedeelte dat de hele breedte van de voorgevel besloeg. Er was een groot parkeerterrein en ik vond zonder probleem een plek. Ik zette de motor af. 'Wil je dat ik meega?'

'Waarom ook niet?' zei ze. 'Wie weet hoelang ik moet wachten. Ik kan best wat gezelschap gebruiken.'

We staken het parkeerterrein over en liepen naar de ingang. De glazen deuren gaven toegang tot een langwerpige, kleurloze hal met aan weerszijden kantoortjes. Zo te zien was er geen receptie, hoewel er even verderop een paar klapstoelen stonden waarop een handjevol mannen had plaatsgenomen. Toen we binnenkwamen, stapte er een grote vrouw met rood haar en een dik dossier in haar hand vanuit een kantoortje de gang in en riep een van de zittende mannen. Een treurig kijkende man van in de zestig stapte naar voren, gekleed in een sjofel colbert en een niet bepaald schone broek. Ik had knapen zoals hij in portieken zien slapen en half opgerookte sigaretten uit de met zand gevulde asbakken in hotellobby's zien vissen.

Ze keek onze kant op en liet haar blik op Reba rusten. 'Reba Lafferty?'

'Inderdaad.'

'Ik ben Priscilla Holloway. We hebben elkaar over de telefoon gesproken. Ik kom zo bij je.'

'Prima.' Reba keek haar na terwijl ze samen met de man weer haar kantoortje in liep. 'Mijn reclasseringsambtenaar.'

'Dat vermoedde ik al.'

Priscilla Holloway was in de veertig, met krachtige gelaatstrekken, een fors postuur en een gebruinde huidskleur. Ze droeg het donkerrode haar in een vlecht die tot halverwege haar rug reikte. Haar donkere pantalon was gekreukt door het zitten. Verder droeg ze een witte blouse die ze over haar broek droeg en een openhangend rood vest met een ritssluiting, dat het vuurwapen dat ze in een holster aan haar zij droeg discreet aan het zicht onttrok. Ze was atletisch gebouwd, en ik vermoedde dat ze een fanatiek beoefenaar was van snelle sporten waarbij de nodige zweetdruppels worden vergoten, zoals squash, voetbal, basketbal en tennis. Op de lagere school zou een meisje van haar postuur me de stuipen op het lijf hebben gejaagd, maar in die tijd leerde ik dat het investeren in een vriendschap met zo iemand me uiteindelijk een levenslange bescherming op de speelplaats opleverde.

Reba en ik zochten een plekje in de hal waar we een beetje tegen de muur hingen in een poging het ons zo gemakkelijk mogelijk te maken terwijl we wachtten. Reba's blik viel op een munttelefoon even verderop en ze zei: 'Heb je wat kleingeld voor me? Ik moet even een telefoontje plegen. Een lokaal gesprek.'

Ik viste wat losse munten uit mijn schoudertas en keek haar na terwijl ze naar de telefoon liep en de hoorn van de haak nam. Ze liet de munten in de gleuf vallen, toetste een nummer in, en draaide me toen haar rug toe zodat ik niet zou kunnen liplezen terwijl ze praatte. Het gesprek duurde ongeveer drie minuten en toen ze de hoorn weer op de haak legde, zag ze er opgewekter en meer ontspannen uit dan ik haar tot dusver gezien had.

'Alles in orde?'

'Ja hoor. Ik heb even met een vriend gepraat.' Ze liet zich met haar rug tegen de muur omlaag zakken en ging op de grond zitten.

Tien minuten later kwam Priscilla Holloway weer te voorschijn en ze liep met haar sjofel uitziende cliënt naar de ingang. Ze sprak hem vermanend toe en wendde zich toen tot Reba. 'Loop je even met me mee?' Reba krabbelde overeind. 'En zij dan?'

'Straks mag zij erbij. Eerst moeten we samen een paar zaken doorpraten. Ik kom u zo halen,' zei ze tegen mij.

Samen liepen ze naar haar kantoortje. Ik leunde weer tegen de muur, mijn schoudertas op de vloer aan mijn voeten. De glazen deuren gingen open en Cheney Phillips kwam binnen en liep me voorbij door de hal. Ik zag hem op Priscilla Holloways openstaande deur kloppen en zijn hoofd om de hoek steken. Hij praatte even met haar, draaide zich toen om en kwam mijn richting weer uit. Hij had me nog steeds niet herkend, wat me de gelegenheid gaf hem even rustig op te nemen.

Ik kende Cheney al jaren, maar pas tijdens een moordonderzoek twee jaar geleden hadden we elkaar wat beter leren kennen. Tijdens een aantal gesprekken dat we met elkaar voerden had hij me verteld dat hij zich als kind enigszins verwaarloosd had gevoeld en al op jeugdige leeftijd zijn zinnen had gezet op een carrière bij de politie. De laatste keer dat onze wegen zich kruisten, werkte hij undercover voor de zedenpolitie, maar inmiddels was zijn gezicht waarschijnlijk te bekend voor dat soort werk. Zoals gewoonlijk zag hij er piekfijn uit: donkere pantalon en een colbertje met krijtstreep, getailleerd en breed in de schouders. Zijn overhemd was donkerblauw en hij droeg er een donkerblauwe stropdas bij met iets lichter blauwe accenten. Hij had donker krulhaar en zijn duistere blik was tegelijkertijd cynisch en verleidelijk. Toen ik hoorde dat hij in het huwelijk was getreden, had ik in mijn mentale Rolodex zijn naam verplaatst van een prominente plek tamelijk voorin naar een categorie die ik voorzien had van het etiket GESCHRAPT ONDER VOORBEHOUD, ergens helemaal achterin.

Onze blikken kruisten elkaar en toen hij zich realiseerde dat ik het was, bleef hij plotseling staan. 'Kinsey. Hoe is het mogelijk. Ik liep net aan je te denken.'

'Wat doe jij hier?'

'Ik probeer iemand die voorwaardelijk in vrijheid is gesteld op het spoor te komen. En jij?'

'Ik speel oppas voor een meid die weer op eigen benen moet leren staan.'

'Zendelingenwerk.'

'Niet echt. Ik krijg ervoor betaald,' zei ik.

'Toen ik je zaterdag tegen het lijf liep, had ik je nog willen vragen waarom ik je niet meer in het CC heb gezien. Dolan had me verteld dat jullie samen aan een zaak werkten. Ik dacht dat je wel op zou komen dagen.'

'Op mijn leeftijd kom ik niet meer in bars, afgezien van Rosie's,' zei ik. 'En jij? Volgens de laatste berichten ben je getrouwd in Las Vegas.'

'Jeetje, het nieuws doet snel de ronde. Wat heb je nog meer gehoord?'

'Dat je haar in het CC hebt ontmoet en haar pas zes weken kende voordat jullie er samen vandoor gingen.'

Cheney glimlachte bedroefd. 'Het klinkt zo stom als je het zo stelt.'
'Wat is er met je andere vriendin gebeurd? Ik dacht dat je al jaren een relatie met iemand anders had.'
'Dat was een uitzichtloze zaak. Zij had dat eerder in de gaten dan ik en ze heeft me de bons gegeven.'
'En toen ben je van de weeromstuit maar met een ander getrouwd?'
'Daar komt het inderdaad wel zo'n beetje op neer. En hoe staat het met jou? Hoe is het met je vriend Dietz?'
'Mevrouw Millhone, komt u er even bij zitten?'
Toen ik opkeek, zag ik Priscilla Holloway naderbij komen.
Cheney volgde mijn blik. Daarna keek hij mij weer aan en zei: 'Ik zal je niet langer ophouden.'
'Leuk om je weer eens te zien,' zei ik.
'Ik bel je zodra ik vrij ben,' zei Priscilla tegen hem voordat hij zich omdraaide en wegliep.
Ik keek achterom en zag hem de glazen deuren uit lopen in de richting van het parkeerterrein.
'Waar kent u Cheney van?' vroeg ze.
'Van een zaak waar ik aan gewerkt heb. Aardige kerel.'
'Zeker. Goeie reis gehad?'
'Prima, maar het was wel warm daar.'
'En veel te veel insecten,' zei ze. 'Je kunt nauwelijks je mond opendoen zonder er een in te slikken.'
Haar kantoor was klein en eenvoudig gemeubileerd. Een raam keek uit op het parkeerterrein, waarbij het uitzicht in reepjes werd gehakt door een stoffige jaloezie. Op de vensterbank stond een polaroidcamera en boven op een stapel lijvige dossiers lagen twee foto's van Reba. Ik nam aan dat Priscilla recente foto's bij het dossier voegde voor het geval Reba er zonder toestemming vandoor zou gaan. Aan haar kant van het bureau bevonden zich dossierkasten en aan onze kant twee metalen stoelen. Reba zat op de stoel die het dichtst bij het raam stond. Priscilla nam plaats op haar draaistoel en keek mij aan. 'Reba zegt dat u haar gezelschap zult houden.'
'Een paar dagen maar, tot ze haar zaakjes weer een beetje op orde heeft.'
Priscilla boog zich voorover. 'Ik heb het er al met haar over gehad, maar het kan geen kwaad het nog eens te zeggen zodat u precies weet waar Reba zich aan te houden heeft. Geen drugs, geen alcohol, geen vuurwapens, geen mes met een lemmet langer dan vijf

centimeter, uitgezonderd messen in haar woning of op haar werkplek. Geen kruisboog.' Ze zweeg even en glimlachte, waarna ze de rest van haar opmerkingen tot Reba richtte, als om ze meer nadruk te geven. 'Geen omgang met mensen die als crimineel bekendstaan. Elke verandering van verblijfplaats moet binnen 72 uur gemeld worden. Voor reizen verder dan 80 kilometer moet van tevoren toestemming worden gevraagd. Je mag je niet langer dan 48 uur aaneen buiten Santa Teresa County bevinden en je mag Californië niet verlaten zonder schriftelijke toestemming van mij. Als de politie je aanhoudt en je beschikt niet over dat magische papiertje, ga je terug naar de nor.'

'Oké,' zei Reba.

'Er is nog één ding dat je moet weten als je op zoek gaat naar een baan. Een van de voorwaarden van je voorwaardelijke invrijheidsstelling houdt in dat je geen vertrouwenspositie mag bekleden: geen salarisbetalingen, geen belastingaangiften, geen toegang tot cheques...'

'En als de werkgever op de hoogte is van mijn strafblad?'

Holloway dacht even na. 'In dat geval misschien wel, maar overleg eerst met mij.' Ze wendde zich weer tot mij. 'Hebt u nog vragen?'

'Ik niet. Ik hou haar alleen maar gezelschap.'

'Ik heb Reba mijn telefoonnummer gegeven voor het geval ze me nodig mocht hebben. Als ik er niet ben, laat dan een boodschap achter op mijn antwoordapparaat. Dat luister ik vier of vijf keer per dag af.'

'Oké.'

'Wat mij betreft zijn er twee zaken van belang. De eerste is de openbare veiligheid. De tweede is haar succesvolle terugkeer in de maatschappij. Laten we zorgen dat we in beide opzichten de zaak niet in het honderd laten lopen, goed?'

'Helemaal mee eens,' zei ik.

Priscilla stond op en boog zich over haar bureau om eerst Reba en toen mij een hand te geven. 'Succes. Prettig kennis met u te hebben gemaakt, mevrouw Millhone.'

'Zeg maar Kinsey,' zei ik.

'Ik hoor het wel als ik iets kan doen.'

Toen we weer in de auto zaten, zei ik: 'Ik mag die Holloway wel. Ze maakt een sympathieke indruk.'

'Vind ik ook. Ze zegt dat ik de enige vrouw ben die ze onder haar hoede heeft. De helft van haar cliënten is een 288A of een 290.'

'Wat houdt dat in?'

'Plegers van zedenmisdrijven. Een 288A is iemand die zich aan een kind vergrepen heeft. Sommigen van die lui staan te boek als seksueel gewelddadige roofdieren. Prettig gezelschap. En het is echt niet zo dat je het aan ze af kunt zien,' zei ze. Ze haalde een brochure te voorschijn met het opschrift DIENST VOOR HET GEVANGENISWEZEN en nam de informatie vluchtig door. 'Ik val tenminste niet in de categorie Intensieve Controle. Die gasten zijn pas echt de klos. In het begin zie ik haar één keer per week, maar ze zegt dat ze me, als ik me fatsoenlijk gedraag, op één keer per maand zet. Ik moet dan wel nog steeds verplicht AA-bijeenkomsten bijwonen en ik moet elke week een drugtest ondergaan, maar dat is alleen maar een kwestie van in een potje plassen, dus dat valt nogal mee.'

'Hoe zit het met werk? Ga je een baan zoeken?'

'Pa wil niet dat ik ga werken. Hij denkt dat ik daarvan in de stress raak. Bovendien is het geen voorwaarde die aan mijn voorwaardelijke invrijheidsstelling verbonden is en het zal Holloway een zorg zijn zolang ik me maar gedeisd houd.'

'Zal ik je dan nu maar naar huis brengen?'

Om halfdrie zette ik Reba af bij het huis van haar vader, na me ervan vergewist te hebben dat ze mijn telefoonnummers had, zowel mijn nummer thuis als dat van mijn kantoor. Ik stelde voor dat ze een paar dagen de tijd zou nemen om weer een beetje haar draai te vinden, maar ze zei dat ze zich de afgelopen twee jaar al genoeg had verveeld en dat ze er nu wel eens uit wilde. Ik zei haar dat ze me de volgende ochtend moest bellen om af te spreken hoe laat ik haar op zou komen halen.

'Bedankt,' zei ze, waarna ze het portier opendeed. De bejaarde huishoudster stond haar al op het bordes op te wachten. Naast haar zat een grote langharige rode kat. Terwijl Reba het portier dichtgooide, kwam de kat het bordes af en liep haar in een waardig tempo tegemoet. Reba boog zich voorover en pakte het dier op. Ze begroef haar gezicht in zijn vacht en wiegde hem in haar armen, een vertoon van verknochtheid dat de kat zich als iets vanzelfsprekends liet welgevallen. Reba droeg hem naar het bordes. Ik wachtte tot ze de huishoudster had omhelsd en het huis in ging, met de kat nog steeds in haar armen, en reed toen terug naar de stad.

Ik stopte bij mijn kantoor en besteedde de nodige tijd aan het beantwoorden van telefoontjes en het doornemen van de post. Om vijf uur vond ik dat het mooi geweest was. Ik sloot het kantoor af, liep naar mijn auto en reed naar huis. Daar aangekomen, haalde ik het gebruikelijke assortiment reclameblaadjes en rekeningen uit mijn brievenbus. Ik duwde het piepende hek open, verdiept in een advertentie van een kleermaker uit Hongkong die naar mijn klandizie dong. Er was nog een ander aanbod van een hypotheekmaatschappij die me contant geld in het vooruitzicht stelde na slechts één enkel telefoontje. Bofte ik even!

Henry stond achter het huis de patio schoon te spuiten. De late middagzon was door de bewolking heen gebroken en eindelijk begon het een beetje op zomer te lijken. Henry droeg een T-shirt en een spijkerbroek met afgeknipte pijpen, en zijn lange, elegante blote voeten staken in een paar versleten slippers. William, in zijn gebruikelijke keurige driedelige kostuum, stond vlak achter hem, er zorgvuldig voor wakend dat hij geen spatten op zijn kleding kreeg. Hij leunde op een zwarte rotan wandelstok met een bewerkt ivoren handvat. Ze waren aan het bekvechten maar hielden daar even mee op om mij beleefd te begroeten.

'William, wat heb je met je voet gedaan? Ik heb je nog nooit met een wandelstok gezien.'

'De dokter dacht dat ik daarmee wat vaster ter been zou zijn.'

'Het is gewoon aanstellerij,' zei Henry.

William negeerde hem.

Ik zei: 'Sorry dat ik jullie stoor. Volgens mij waren jullie net een discussie aan het voeren.'

William zei: 'Henry voelt zich besluiteloos met betrekking tot Mattie.'

'Ik ben niet besluiteloos! Ik ben alleen maar verstandig. Ik ben 87. Hoeveel goede jaren heb ik nog voor de boeg?'

'Doe niet zo belachelijk,' zei William. 'Onze kant van de familie wordt tot nog toe altijd minstens 103. Heb je gehoord wat ze over háár familie vertelde? Ik dacht dat ze aan het voordragen was uit een medische encyclopedie. Kanker, diabetes, hartkwalen. Haar moeder is nota bene gestorven aan meningitis! Geloof mij nou maar, Mattie Halstead gaat lang voordat het jouw tijd is.'

'Waar maak je je nou eigenlijk druk over? Niemand van ons "gaat" binnen afzienbare tijd,' zei Henry.

'Doe nou toch niet zo dom. Ze mag haar handen samenknijpen als ze jou krijgt.'

'Waarom in vredesnaam?'

'Ze zal iemand nodig hebben om haar bij te staan. Niemand

wil ziek en alleen zijn, zeker niet als het einde nadert.'

'Ze mankeert niets! Ze is zo gezond als een vis. Ze overleeft me minstens twintig jaar, en dat kan ik van jou niet zeggen.'

William wendde zich tot mij. 'Lewis zou niet zo koppig zijn...'

'Wat heeft Lewis ermee te maken?' vroeg Henry.

'Hij waardeert haar. Zoals je je misschien nog zult herinneren, was hij tijdens de cruise uiterst attent voor haar.'

'Dat was maanden geleden.'

'Zeg jij eens wat, Kinsey. Misschien dat hij naar jou luistert.'

Ik voelde me ongemakkelijk. 'Ik weet niet wat ik moet zeggen, William. Ik ben wel de allerlaatste om iemand advies te geven met betrekking tot de liefde.'

'Nonsens. Je bent twee keer getrouwd geweest.'

'Maar beide keren werd het geen succes.'

'Je was in elk geval niet bang om je te binden. Henry gedraagt zich gewoon lafhartig...'

'Niet waar!' Henry begon zich kwaad te maken. Even dacht ik dat hij de tuinslang op zijn broer zou richten, maar hij liep naar de buitenkraan en draaide die dicht. 'Het hele idee is onzinnig. Om te beginnen is Mattie verknocht aan San Francisco en mijn wortels liggen hier. Ik ben in wezen een huismus en kijk nou eens naar het soort leven dat zij leidt: voortdurend op reis aan boord van een cruiseschip.'

'Ze maakt alleen maar cruises in de Caribische Zee, dus dat is geen punt,' zei William.

'Ze is weken achtereen weg. Dat zal ze absoluut niet willen opgeven.'

'Waarom zou ze dat opgeven?' zei William geïrriteerd. 'Laat haar toch gewoon doen wat ze wil. Jullie kunnen de ene helft van het jaar hier wonen en de andere helft in San Francisco. Verandering van omgeving is goed voor een mens en voor jou al helemaal. En kom me nou niet aan met dat verhaal over je "wortels". Zij kan haar huis aanhouden en jij het jouwe, dan kunnen jullie op en neer reizen.'

'Ik wil helemaal niet op en neer reizen. Ik wil gewoon hier blijven.'

'Weet je wat jouw probleem is? Jij bent gewoon niet bereid om ook maar enig risico te nemen,' zei William.

'Dat geldt voor jou net zo goed.'

'Geen sprake van! Dat zie je helemaal verkeerd. Mijn hemel, ik ben op mijn 86e getróúwd en als je vindt dat dat geen risico nemen is, vraag het dan maar eens aan haar,' zei hij, terwijl hij naar mij wees.

'Zeker wel,' mompelde ik plichtmatig, terwijl ik mijn hand opstak alsof ik een eed aflegde. 'Maar, jongens? Neem me niet kwalijk...' Ze keken me allebei aan. 'Vinden jullie niet dat Matties gevoelens ook meetellen? Misschien is zij wel evenmin in hem geïnteresseerd als hij in haar?'

'Ik heb niet gezegd dat ik niet geïnteresseerd was. Ik bekijk de situatie vanuit haar gezichtspunt.'

'Nou, zij is wel degelijk geïnteresseerd, oen!' zei William. 'Luister nou eens. Ze komt morgen weer bij je langs. Dat heeft ze zelf gezegd. Heb je dat dan niet gehoord?'

'Omdat het op haar weg ligt. Ze komt heus niet speciaal voor mij.'

'Natuurlijk wel, waarom zou ze anders niet gewoon doorrijden?'

'Omdat ze moet tanken en haar benen even moet strekken.'

'Dat zou ze ook kunnen doen zonder tijd uit te trekken om jou op te zoeken.'

'Daar zit wat in. Ik ben het met William eens,' zei ik.

Henry begon de tuinslang op te rollen. 'Ze is een fantastische vrouw en ik stel onze vriendschap zeer op prijs. Ander onderwerp graag.'

William wendde zich tot mij. 'Ik heb hem er alleen maar op gewezen dat ze een fantastische vrouw is en dat hij haar maar beter zo snel mogelijk in kan pikken.'

Henry zei: 'Schei toch uit!' terwijl hij een wegwerpgebaar naar William maakte en naar het huis liep. Hij deed de hordeur open en liet hem met een klap weer dichtvallen.

William leunde op zijn wandelstok en schudde het hoofd. 'Zo is hij zijn hele leven al. Onredelijk. Koppig. Opvliegend bij het geringste vermoeden dat je het niet met hem eens bent.'

'Weet je, William, als ik jou was, zou ik hem met rust laten en ze het zelf laten uitzoeken.'

'Ik wil alleen maar helpen.'

'Henry wil absoluut niet geholpen worden.'

'Omdat hij zo koppig is.'

'Als het erop aankomt, zijn we allemaal koppig.'

'Nou, er zal toch iets moeten gebeuren. Misschien is dit wel zijn laatste kans op liefde. Ik kan het gewoon niet aanzien dat hij die verprutst.' Er klonk een zacht piepend geluid en William haalde zijn horloge uit zijn vestzak en keek erop. 'Tijd voor mijn tussendoortje.' Hij haalde een klein cellofaan zakje cashewnoten te voorschijn dat hij met zijn tanden openmaakte. Hij stopte twee noten in zijn mond en kauwde erop alsof het pillen waren. 'Je weet dat ik een te laag suikergehalte in het bloed heb. De dokter zegt dat ik eigenlijk om de twee uur iets moet eten. Anders kan ik last krijgen van flauwten, slapheid, klamheid, en hartkloppingen. En ook beverigheid, wat je ongetwijfeld al opgemerkt hebt.'

'Werkelijk? Dat was me eerlijk gezegd nog niet opgevallen.'

'De dokter heeft me aangeraden om vrienden en familie zodanig te instrueren dat ze de symptomen herkennen, omdat onmíddellijke behandeling van het grootste belang is. Een glas vruchtensap, een paar noten, dat kan een enorm verschil maken. Hij wil natuurlijk dat ik onderzoeken onderga, maar ondertussen is het voornamelijk een kwestie van een proteïnerijk dieet,' zei hij. 'Weet je, als je glucosegehalte te laag is, kan een aanval teweeg worden gebracht door alcohol, salicylaten, of in zeldzame gevallen door het eten van de *ackee*-noot, die de zogenaamde Jamaicaanse braakziekte kan veroorzaken...'

Ik hield een hand achter mijn oor. 'Ik geloof dat ik mijn telefoon hoor rinkelen. Ik moet ervandoor.'

'Goed hoor. Ik kan je later nog wel het een en ander vertellen, aangezien je duidelijk geïnteresseerd bent.'

'Prima,' zei ik. Ik begon me langzaam in de richting van mijn deur te bewegen.

William wees naar me met zijn wandelstok. 'En wat die kwestie met Henry betreft, is het niet beter om intense gevoelens te koesteren, zelfs als je daarbij gekwetst raakt?'

Ik wees naar hem. 'Daar hebben we het nog wel over.'

6

Ik overlegde even met mezelf of ik al dan niet vijf kilometer zou gaan joggen. Ik had mijn ochtendloop moeten overslaan omdat ik om negen uur bij het CIW moest zijn. Meestal jog ik om zes uur 's ochtends, als ik nog half slaap en mijn weerstandsvermogen laag is. Ik heb gemerkt dat met het verstrijken van de dag mijn deugdzaamheid en vastberadenheid snel afnemen. Op de meeste dagen is het laatste waar ik zin in heb als ik thuiskom van mijn werk, mijn joggingspullen aantrekken en mezelf naar buiten slepen. Ik ben op het gebied van lichaamsbeweging niet zo fanatiek dat ik mezelf niet af en toe vrijaf gun; ik had echter bij mezelf een toenemende neiging geconstateerd om elk excuus aan te grijpen om op mijn achterste te blijven zitten in plaats van mijn conditie op peil te houden. Voordat ik er al te lang over na kon denken, liep ik de wenteltrap op om me om te gaan kleden.

Ik schopte mijn instappers uit, trok mijn spijkerbroek uit en trok mijn T-shirt over mijn hoofd, waarna ik mijn joggingspullen en mijn Saucony's aantrok. In dit soort omstandigheden gooi ik het met mezelf op een akkoordje. Als ik het na tien minuten joggen nog steeds echt heel verschrikkelijk vind, mag ik omkeren zonder me daar schuldig over te voelen. Tegen de tijd dat er tien minuten verstreken zijn, ben ik meestal wel op dreef gekomen en begin ik er plezier in te krijgen. Ik bond mijn huissleutel aan de veter van een van mijn schoenen, trok de deur achter me dicht en ging op weg in een stevig wandeltempo.

Nu de zon de zeemist verdreven had, waren veel buren bezig de tuin te sproeien, het gazon te maaien, of uitgebloeide bloemen uit de rozenstruiken te knippen die langs vrijwel alle tuinhekjes in bloei stonden. Ik rook de zilte oceaanlucht, vermengd met de geur van pasgemaaid gras. Het gedeelte van Albinil Street waar ik woon is smal. Aan weerskanten van de straat staan auto's geparkeerd waardoor er nauwelijks genoeg ruimte overblijft voor twee auto's om elkaar te passeren. Eucalyptusbomen en coniferen zorgen voor schaduw voor de verscheidenheid aan gepleisterde en houten huizen, de meeste klein en daterend uit het begin van de jaren veertig.

Tegen de tijd dat ik het joggingpad bereikte, waren mijn spieren voldoende losgemaakt om het op een draf te zetten. Daarna hoefde ik alleen nog maar het hoofd te bieden aan mijn protesterende lichaamsdelen, die zich geleidelijk aan voegden in het soepele ritme van mijn draf. Veertig minuten later was ik weer thuis, buiten adem, bezweet, maar met een deugdzaam gevoel. Ik trok mijn joggingspullen uit en nam een korte hete douche. Terwijl ik mezelf aan het afdrogen was, ging de telefoon. Ik sloeg het badlaken als een sarong om me heen en nam de hoorn op.

'Kinsey? Met Reba. Bel ik ongelegen?'

'Nou, ik kom net onder de douche vandaan, maar dat is verder geen punt. Wat is er aan de hand?'

'Niets bijzonders. Pa voelde zich niet lekker dus hij is naar bed gegaan. De huishoudster is zojuist vertrokken en de verpleegster van de thuiszorg heeft gebeld om te zeggen dat ze wat later komt. Ik vroeg me af of je misschien zin had om samen een hapje te gaan eten.'

'Prima. Weet je al waar?'

'Had jij het niet over een zaak bij jou in de buurt?'

'Rosie's. Daar wilde ik toch al naartoe. Het is niet bepaald chic, maar het is in elk geval dicht in de buurt.'

'Ik moet er gewoon even uit. Ik zou het hartstikke leuk vinden om met je mee te gaan, maar alleen als dat je plannen niet in de war stuurt.'

'Welke plannen? Wat mij betreft geen enkel punt. Heb je vervoer?'

'Maak je daar maar geen zorgen over. Zodra de verpleegster er is, kom ik naar het restaurant. Om een uur of zeven?'

'Prima.'

'Mooi. Ik kom zo snel mogelijk.'

'Ik zal alvast een goed tafeltje inpikken,' zei ik en ik gaf haar het adres.

Nadat ze opgehangen had, droogde ik me verder af, trok een schone spijkerbroek, een schoon zwart T-shirt en gympen aan. Ik ging naar beneden en besteedde een paar minuten aan het opruimen van mijn al opgeruimde keuken. Daarna deed ik de lampen aan, installeerde me in de woonkamer met het plaatselijke dagblad, en verdiepte me in de overlijdensberichten en andere recente gebeurtenissen.

Om vier minuten voor zeven ging ik te voet op weg naar Rosie's. Hier en daar zaten buurtgenoten op de veranda cocktails te drinken. Een kat stak de straat over en glipte met zijn soepele lijf tussen het staketsel van een tuinhekje door. Ik rook jasmijn.

Rosie's is een van de zes kleine middenstandsbedrijfjes in mijn blok, naast onder meer een wasserette, een reparatiewerkplaats voor huishoudelijke apparaten en een automonteur bij wie altijd oude brikken voor de deur staan geparkeerd. Al zo'n zeven jaar lang eet ik drie à vier avonden per week bij Rosie. Aan de buitenkant ziet het er sjofel uit, een pand dat ooit dienst zou kunnen hebben gedaan als buurtsuper. De ramen zijn van spiegelglas, maar het binnenvallende licht wordt gedeeltelijk tegengehouden door knipperende neonreclames voor bier, posters, affiches en verschoten plakkaten van de Keuringsdienst voor Waren. Voorzover ik me kan herinneren, is Rosie's nooit een hogere kwalificatie dan een C toegekend.

De ruimte binnenin is lang en smal, met een hoog, donkergeschilderd plafond. Tamelijk primitieve, met behulp van multiplex geconstrueerde afgescheiden zitjes vormen een L aan de rechterkant. Aan de linkerkant bevindt zich een langwerpige mahoniehouten bar, met daarnaast twee klapdeuren naar de keuken en een korte gang die naar de toiletten leidt die zich achter in het pand bevinden. Het resterende vloeroppervlak wordt in beslag genomen door een aantal formica tafeltjes. De bijbehorende stoelen hebben verchroomde poten en zijn voorzien van gemarmerd grijze plastic zittingen, hier en daar gescheurd en vervolgens gerepareerd met isolatietape. Het ruikt er altijd naar verschaald bier, popcorn, oude sigarettenrook en luchtverfrisser met dennengeur.

Maandagavond is het er meestal rustig, waarschijnlijk omdat de dagdrinkers en de gebruikelijke sportmeute dan van hun weekenduitspattingen moeten bekomen. Mijn favoriete zitje was nog vrij, evenals de meeste andere trouwens. Ik ging met mijn gezicht naar de deur zitten, zodat ik Reba binnen kon zien komen. Ik bekeek de menukaart, een in een plastic hoes gestoken gestencild vel papier. Rosie draait die op een apparaat achter in de zaak, en de vlekkerige purperrode tekst is nauwelijks leesbaar. Twee maanden geleden had ze een menukaart-nieuwe stijl geïntroduceerd die veel weg had van een in leer gebonden portfolio met een handgeschreven lijst van de Hongaarse Specialiteiten du Jour van de Dag, zoals zij ze noemde. Sommige van die menukaarten waren gestolen en weer andere hadden dienstgedaan als vervaarlijke projectielen als rivaliserende voetbalteams een verhit debat voerden over de afgelopen grote wedstrijd. Kennelijk had Rosie haar haute cuisine-pretenties laten varen en haar oude vertrouwde stencils waren weer terug. Ik liet mijn blik over de lijst met gerechten gaan, hoewel ik me die moeite eigenlijk net zo goed zou kunnen besparen. Rosie beslist altijd wat ik eet, zodat ik die Hongaarse lekkernijen opgediend krijg die toevallig bij haar opkomen als ze mijn bestelling opneemt.

William werkte nu achter de bar. Ik zag hoe hij even pauzeerde om zijn hartslag te controleren, met twee vingers van één hand tegen zijn halsslagader gedrukt, zijn vertrouwde zakhorloge in de andere hand. Henry kwam binnen en keek even zijn richting uit. Hij nam een tafeltje voorin en ging demonstratief met zijn rug naar de bar zitten. Rosie kwam vanachter de bar te voorschijn met een glas azijnzure witte wijn die chardonnay moest voorstellen. Ik zag een smalle grijze uitgroei aan weerszijden van haar scheiding. Een jaar of wat geleden beweerde ze dat ze in de zestig was, maar tegenwoordig is ze zo zwijgzaam over dat onderwerp dat ik het vermoeden heb dat ze de zeventig is gepasseerd. Ze is klein van stuk, heeft een kippenborst, en het rode gedeelte van haar rode haar is geverfd in een tint die het midden houdt tussen vermiljoen en oranje.

Ze zette het glas wijn voor me neer. 'Is nieuw. Heel lekker. Proef maar en zeg wat je ervan vindt. Hij is twee dollar per fles goedkoper dan het vorige merk.'

Ik nam een slokje en knikte. 'Heel lekker,' zei ik. Ondertussen had ik het idee dat het glazuur van mijn tanden sprong. 'Ik zie dat Henry en William niet meer met elkaar praten.'

'Ik zeg tegen William dat hij zich met zijn eigen zaken moet bemoeien, maar hij luistert niet naar me. Ik vind het vreselijk om te zien hoe een vrouw tussen twee broers kan komen.'

'Het gaat wel weer over,' zei ik. 'Wat vind jij van de situatie? Denk je dat Mattie een oogje heeft op Henry?'

'Hoe moet ik dat weten? Die Henry is een lot uit de loterij. Je had die ouwe dametjes op het cruiseschip met hem moeten zien flirten. Heel komisch. Aan de andere kant, haar man is dood. Misschien wil ze zich helemaal niet aan een andere man binden.

Misschien wil ze alleen maar vrijheid en Henry als vriend.'

'Daar heb ik me ook zorgen over gemaakt, maar William is ervan overtuigd dat er tussen die twee iets méér aan de hand is.'

'William is ervan overtuigd dat ze geen twee jaar meer te leven heeft. Hij wil dat Henry er vaart achter zet voor het geval ze straks misschien dood neervalt.'

'Dat is belachelijk. Ze is nauwelijks zeventig.'

'Heel jong nog,' mompelde Rosie. 'Ik hoop dat ik er zelf ook nog zo goed uitzie als ik zo oud ben als zij.'

'Vast wel,' zei ik. Ik pakte de menukaart op en deed of ik die bestudeerde. 'Ik verwacht een kennis van me, dus ik wacht nog even met bestellen. Het lijkt me trouwens allemaal heel lekker. Wat raad je me aan?'

'Goed dat je het vraagt. Voor jou en je kennis maak ik Krumpli Paprika. Dat is een stoofpot van gekookte aardappel, ui en in stukjes gesneden wienerworstjes. Wordt opgediend met roggebrood en daarnaast kun je kiezen uit komkommersalade of tafelzuur. Welk van de twee wil je? Ik zou zeggen tafelzuur,' zei ze, terwijl ze iets op haar blocnote krabbelde.

'Tafelzuur, mijn lievelingsgerecht. Past perfect bij de wijn.'

'Ik breng het eten zodra hij er is.'

'Het is een "zij", geen "hij".'

'Jammer,' zei ze hoofdschuddend, waarna ze terugliep naar de bar.

Om kwart over zeven kwam Reba binnen. Ze bleef even in de deuropening staan en liet haar blik door de ruimte dwalen. Ik wuifde naar haar en ze zag me en kwam naar me toe. Ze had haar spijkerbroek en T-shirt verwisseld voor een nette lange broek, een rode katoenen trui en sandalen. Ze had wat meer kleur op haar wangen en haar ogen zagen er enorm groot uit in het perfecte ovaal van haar gezicht. Ze had ook wat aan haar kapsel gedaan en de pieken waren eruit verdwenen. Ze schoof op het bankje tegenover me en zei: 'Sorry dat ik zo laat ben, maar ik moest uiteindelijk een taxi nemen. Mijn rijbewijs blijkt verlopen te zijn terwijl ik in de nor zat. Ik wilde niet het risico lopen aangehouden te worden zonder geldig rijbewijs. Ik had het vanuit de gevangenis kunnen laten verlengen, maar dat is er nooit van gekomen. Misschien kunnen we daar morgen achteraan.'

'Goed hoor. Als ik je nou eens om negen uur oppik, dan kunnen we dat eerst regelen en daarna eventueel nog wat andere boodschappen doen waar je om verlegen zit.'

'Misschien wat kleren. Ik zou wel het een en ander kunnen gebruiken.' Reba rekte haar hals en wierp een blik op de ruimte achter zich waar de klanten binnen begonnen te druppelen. 'Heb je er bezwaar tegen om van plaats te ruilen? Ik heb er een hekel aan om met mijn rug naar een open ruimte te zitten.'

Ik schoof van mijn bankje en wisselde van plaats met haar, ofschoon ik in feite net zomin als zij graag met mijn rug naar een open ruimte zat. 'Hoe deed je dat in de gevangenis?'

'Daar heb ik geleerd om mijn eigen rugdekking te verzorgen. Ik vertrouw de dingen alleen voorzover ik ze kan zien. De rest is me veel te link.' Ze pakte een menukaart en bekeek die.

'Was je bang?'

Ze keek me met haar enorme donkere ogen aan en glimlachte vluchtig. 'In het begin wel. Na een tijdje was ik niet zozeer bang als wel voorzichtig. Over het gevangenispersoneel maakte ik me geen zorgen. Ik had gauw genoeg door hoe ik die te vriend kon houden.'

'Hoe dan?'

'Door me meegaand op te stellen. Ik gedroeg me vriendelijk. Beleefd. Ik deed wat me gezegd werd en hield me aan alle regels. Dat viel best mee en het maakte het leven een stuk gemakkelijker.'

'Hoe stond het met je medegevangenen?'

'De meesten waren oké. Niet allemaal. Sommigen van de meiden waren echt valse loeders, dus het was zaak ze niet het idee te geven dat je een doetje was. Als je niet van je af beet, kon je het verder wel schudden. Dus als zo'n kreng mij het leven zuur probeerde te maken, dan gaf ik haar een koekje van eigen deeg. Was het dan nog niet afgelopen, dan gooide ik er nog een schepje bovenop, net zolang tot het uiteindelijk tot haar doordrong dat ze me maar beter met rust kon laten. Je moest alleen wel oppassen dat je niet op rapport geslingerd werd wegens geweldpleging – dan was je pas goed in de aap gelogeerd – dus je moest een manier zien te vinden om van je af te bijten zonder de aandacht op je te vestigen.'

'Hoe kreeg je dat voor elkaar?'

Ze glimlachte. 'O, ik had zo mijn maniertjes. Het was in elk geval zo dat ik nooit iemand te grazen nam die mij niet eerst het leven zuur had gemaakt. Ik wilde alleen maar met rust gelaten worden. Leven en laten leven. Maar soms lukte dat gewoon niet en dan moest je op een andere tactiek overgaan.' Ze keek weer naar de menukaart. 'Wat ís dit allemaal?'

'Het zijn allemaal Hongaarse gerechten, maar daar hoef je je het hoofd niet over te breken. Rosie heeft al besloten wat we gaan eten. Als je wilt, kun je met haar in discussie gaan, maar dat verlies je altijd.'

'Jeetje, net als in de gevangenis. Wat een prettige gedachte.'

Ik zag Rosie op ons afkomen met nog een glas van die beroerde wijn. Voordat ze het voor Reba kon neerzetten, nam ik het van haar aan en zei: 'Dank je. Wat wil jij drinken, Reba?'

'IJsthee, graag.'

Rosie noteerde de bestelling als een ijverige journalist. 'Met of zonder suiker?'

'Zonder.'

'Ik doe er een citroen in een servetje bij, om uit te persen in de thee zonder dat er pitjes meekomen.'

'Bedankt.'

Toen Rosie weer vertrokken was, zei Reba: 'Ik zou voor dat glas wijn bedankt hebben. Ik vind het helemaal niet vervelend om jou te zien drinken.'

'Ik wist niet hoe je zou reageren. Ik wil geen slechte invloed op je uitoefenen.'

'Jij? Onmogelijk. Maak je daar maar geen zorgen over.' Ze legde de menukaart opzij, sloeg haar handen ineen en legde ze voor zich op het tafeltje. 'Je hebt nog meer vragen. Dat voel ik gewoon.'

'Inderdaad. Waar zaten ze voor, die valse loeders?'

'Moord, doodslag. Een heleboel voor drugshandel. Die met levenslang waren de ergsten, omdat die toch niets meer te verliezen hadden.'

'Ik zou er niet tegen kunnen, al die mensen om me heen. Werd je daar niet gek van?'

'Het was verschrikkelijk. Echt heel erg. Vrouwen die zo dicht op elkaar leven, krijgen na verloop van tijd allemaal dezelfde menstruatiecyclus. Het zal wel te maken hebben met primitieve overlevingskansen: alle vrouwen in dezelfde periode vruchtbaar. Over PMS gesproken. Als het dan ook nog eens vollemaan was, werd het een compleet gekkenhuis. Depressies, ruzies, jankpartijen, zelfmoordpogingen.'

'Denk je dat je verblijf te midden van verstokte criminelen een negatieve invloed op je heeft gehad?'

'Hoe bedoel je?'

'Hebben ze je daar geen nieuwe en betere manieren aan de hand gedaan om de wet te overtreden?'

Ze lachte. 'Kom nou. We zaten daar allemaal omdat we tegen de lamp gelopen waren. Waarom zou ik iets aannemen van een stelletje losers? En trouwens, vrouwen gaan niet gezellig bij elkaar zitten om andere vrouwen te leren hoe ze banken moeten beroven of gestolen goederen aan de man moeten brengen. Ze hebben het over de waardeloze advocaten die ze hadden en over de mogelijkheden om in hoger beroep te gaan. Ze hebben het over hun kinderen en hun kerels en wat ze gaan doen als ze vrijkomen, wat meestal neerkomt op eten en seks, niet per se in die volgorde.'

'Waren er ook nog positieve ervaringen?'

'Ja zeker. Ik ben van de drugs en de drank af. De alcoholisten en de junks zijn degenen die uiteindelijk toch weer in de nor belanden. Ze komen voorwaardelijk vrij en voor je het weet zitten ze weer in de bus die een nieuwe lading veroordeelden bij de poort aflevert. Vaak kunnen ze zich niet eens meer herinneren wat ze gedaan hebben gedurende de tijd dat ze op vrije voeten waren.'

'Hoe heb je het overleefd?'

'Ik wandelde over de binnenplaats of ik las, soms wel vijf boeken per week. Ik gaf les aan vrouwen die daar belangstelling voor hadden. Sommigen konden nauwelijks lezen. Niet dat ze dom waren; ze hadden het alleen nooit geleerd. Ik deed hun haar en bekeek foto's van hun kinderen. Het was best aangrijpend om te zien hoe ze probeerden het contact te onderhouden. De telefoontoestellen waren een voortdurende bron van conflict. Als je 's middags wilde bellen, moest je 's ochtends vroeg al meteen je naam op een lijst laten zetten. En als je dan eindelijk aan de beurt was, kreeg je maximaal twintig minuten. De grote forsgebouwde potten belden net zolang als ze wilden en als je het daar niet mee eens was, nou, pech gehad. Vergeleken met de meeste anderen was ik een onderdeurtje. Een meter vijfenvijftig, zevenenveertig kilo. Zodoende heb ik geleerd dat wie niet sterk is, slim moet zijn. Niets is zoeter dan wraak, maar je moet natuurlijk wel zorgen dat je niet overal je vingerafdrukken achterlaat. Als ik je een goede raad mag geven: als je iets flikt, laat dan nooit sporen achter die in jouw richting wijzen.'

'Ik zal het onthouden,' zei ik.

Rosie kwam aanlopen met een dienblad met daarop Reba's ijsthee, de in kaasdoek gewikkelde citroen, en voor ons allebei een portie Krumpli Paprika. Ze zette roggebrood, boter, en tafelzuur op tafel en ging weer weg.

Reba boog zich voorover naar haar bord. 'O, karwijzaad. Ik dacht even dat ik iets zag bewegen.'

De stoofpot, opgediend in grote porseleinen kommen en bespikkeld met karwijzaad, was smakelijk. Met het laatste stukje beboterd roggebrood depte ik het restje saus op toen ik Reba met grote ogen over mijn linkerschouder zag kijken. 'Allemachtig! Kijk eens wie we daar hebben.'

Ik boog me naar links en keek om de hoek van het zitje om haar blik te kunnen volgen. De deur was opengegaan en er was een man binnengekomen. 'Ken je hem?'

'Dat is Beck,' zei ze, alsof dat alles verklaarde. Ze schoof van haar bankje. 'Ik ben zo terug.'

7

Ik hield me in en wachtte een tijdje voordat ik een blik wierp op het tweetal dat bij de ingang stond. De man was lang en slank en droeg een spijkerbroek en een soepel zwart suède jack. Hij had zijn handen in de zakken van zijn jack gestoken en zijn kraag stond omhoog, wat er minder ordinair uitzag dan het klinkt. Zijn haar was een mix van blond en bruin, en zijn glimlachje veroorzaakte een diepe plooi aan weerszijden van zijn mond. Reba was ruim een kop kleiner dan hij, wat hem dwong zich aandachtig naar haar over te buigen terwijl ze met elkaar praatten.

Even later kwamen ze naar mijn tafeltje toe en Reba gebaarde naar hem. 'Alan Beckwith. Ik heb vroeger voor hem gewerkt. Dit is Kinsey Millhone.'

Hij stak zijn hand uit. Hij had een dunne pols en lange, slanke vingers. 'Prettig kennis met je te maken. De meeste mensen noemen me Beck.'

Ik schatte hem op in de dertig, fijne lijntjes in zijn gezicht, maar nog geen wallen. 'Hallo,' zei ik, terwijl ik hem een hand gaf. 'Kom erbij zitten.'

'Als je dat niet vervelend vindt. Ik wil me niet opdringen.'

'We zitten alleen maar wat te kletsen,' zei ik. 'Ga zitten.'

Reba nam weer plaats op het bankje tegenover me en schoof opzij om plaats voor hem vrij te maken. Hij ging zitten, enigszins slungelig, zijn lange benen onder de tafel uitgestrekt. Hij was gladgeschoren, maar ik kon de schaduw van een baard zien. Zijn ogen waren diepbruin. Vaag rook ik de frisse geur van aftershave. Ik had hem wel eens eerder gezien… niet hier, maar ergens in de stad, hoewel ik geen idee had waarom onze wegen zich gekruist zouden hebben.

Hij klopte Reba op de rug van haar hand. 'Hoe is het nou met je?'
'Prima. Het is een heerlijk gevoel om weer thuis te zijn.'
Ik sloeg hen gade terwijl ze nieuwtjes uitwisselden. Voor mensen die ooit hadden samengewerkt, maakten ze allebei de indruk zich niet erg op hun gemak te voelen, maar dat zou het gevolg kunnen zijn van het feit dat hij haar aan de politie had overgeleverd, een stap die een domper op de meeste relaties zou zetten.
'Je ziet er goed uit,' zei hij.
'Dank je. Ik moet alleen nodig eens naar de kapper. Dit heb ik zelf gedaan. En hoe is het met jou? Wat heb jij zoal uitgevoerd?'
'Niet veel bijzonders. Veel op zakenreis geweest. Ik ben net vorige week teruggekomen uit Panama en misschien moet ik daar straks opnieuw naartoe. We zitten inmiddels in het nieuwe gebouw, onderdeel van de winkelpromenade die van het voorjaar geopend is. Restaurants en winkels. Heel chic.'
'Daar waren jullie al mee bezig toen ik vertrok en ik weet hoeveel haken en ogen daaraan zaten. Gefeliciteerd.'
'Heb je het al gezien?'
'Nog niet. Het bevalt je zeker wel, werken in het centrum?'
'Reken maar,' zei hij.
Ze glimlachte. 'Hoe gaat het op kantoor? Ik heb gehoord dat Onni mijn baan heeft overgenomen. Doet ze het goed?'
'Ja hoor. Het duurde even voordat ze het systeem onder de knie had, maar nu gaat het prima. En verder is er eigenlijk nauwelijks iets veranderd.'
Ik voelde dat er iets in de lucht hing, en ik stak mijn voelhoorntjes uit in een poging erachter te komen wat precies de aard was van de spanning tussen hen.
Ik luisterde met een half oor terwijl Beck vervolgde: 'Er staat een nieuwe transactie op stapel. Een bedrijventerrein in de buurt van Merced. Ik heb net een bijeenkomst achter de rug met een paar potentiële investeerders, heel goed mogelijk dat daar iets uit komt. Ik liep hier even binnen om een borrel te drinken op de goede afloop voordat ik naar huis ging.' Hij verplaatste zijn aandacht naar mij in een poging mij ook in het gesprek te betrekken. Hij bewoog een vinger heen en weer tussen Reba en mij, als een ruitenwisser. 'Hoe kennen jullie elkaar?'
Ik deed mijn mond open om iets te zeggen, maar Reba was me voor. 'We kennen elkaar helemaal niet. We hebben elkaar vanochtend pas ontmoet toen zij me ophaalde om me naar huis te bren-

gen. Ik werd helemaal gestoord van het thuiszitten. Pa ging vroeg naar bed en ik was te ongedurig om stil te blijven zitten. De stilte vloog me naar de keel en dus heb ik haar gebeld.'

Hij keek me aan. 'Woon je hier in de buurt?'

'Ik woon even verderop. Daar zit trouwens mijn huisbaas,' zei ik, terwijl ik naar Henry wees aan zijn tafeltje voor in de zaak. 'De barkeeper is zijn oudere broer William, die getrouwd is met Rosie, de eigenaresse van deze zaak, dan ben je gelijk een beetje op de hoogte.'

Beck glimlachte. 'Een familieaangelegenheid.' Hij was zo'n man die de kunst verstaat zich volkomen te richten op degene met wie hij in gesprek is. Geen nauwverholen blikken op zijn horloge, geen ogen die heimelijk naar de ingang dwalen om te zien wie er binnenkomt. Hij maakte net zo'n geduldige indruk als een kat die naar een spleet in een rots staart waar een hagedis in verdwenen is.

'Woon jij hier ook in de buurt?' vroeg ik.

Hij schudde het hoofd. 'Ik woon in Montebello, vlak bij de kruising van East Glen en Cypress Lane.'

Ik liet mijn kin op mijn hand rusten. 'Ik heb je al eens eerder ergens gezien.'

'Ik ben hier geboren en getogen. Mijn ouders hadden een huis in Horton Ravine, maar die zijn al jaren geleden overleden. Mijn vader was eigenaar van het Clements Hotel,' zei hij, verwijzend naar een drie verdiepingen tellend luxehotel dat aan het eind van de jaren zeventig zijn deuren sloot. Latere eigenaren hadden het evenmin gered en het pand was verbouwd tot een appartementencomplex voor senioren. Als ik me goed herinnerde, had zijn vader bij heel wat ondernemingen in de stad een dikke vinger in de pap gehad. Een zeer vermogend man.

Ik zag Rosie naar ons toe komen met een leeg dienblad, haar blik strak op Beck gericht, koersvast als een hittezoekend projectiel. Toen ze bij ons tafeltje kwam, richtte ze het woord uitsluitend tot mij, een kleine eigenaardigheid van haar. Ze kijkt een onbekende zelden aan. Man of vrouw, dat doet er voor haar niet toe. Elke nieuwe kennis wordt behandeld als een soort aanhangsel van mij. Het effect, in dit geval, was koket, wat me ongepast voorkwam voor een vrouw van haar leeftijd. 'Wil je vriend iets drinken?'

Ik zei: 'Beck?'

'Hebt u single-malt Scotch?'

Ze kronkelde bijna van genoegen terwijl ze hem vanuit haar ooghoeken een goedkeurende blik toewierp. 'Speciaal voor hem heb ik MaCallum's. Vierentwintig jaar oud. Met of zonder ijs?'

'Met ijs, graag. Maak er maar een dubbele van, en dan graag ook nog wat water erbij.'

'Komt eraan.' Terwijl ze ons tafeltje afruimde, vroeg ze: 'Wil hij misschien ook iets eten?'

Hij glimlachte. 'Nee, dank u. Het ruikt heerlijk, maar ik heb al gegeten. Misschien een volgende keer. Bent u Rosie?'

'Inderdaad.'

Hij kwam overeind en stak zijn hand uit. 'Het is een eer u te ontmoeten. Alan Beckwith,' zei hij. 'Leuke zaak hebt u hier.'

In plaats van een echte handdruk, stond Rosie hem het tijdelijke bezit van haar vingertoppen toe. 'Volgende keer maak ik iets speciaals voor u klaar. Hongaars zoals u het nog nooit eerder gegeten hebt.'

'Afgesproken. Ik ben gek op de Hongaarse keuken,' zei hij.

'Bent u wel eens in Hongarije geweest?'

'In Boedapest, één keer, ongeveer zes jaar geleden.'

Heimelijk sloeg ik de interactie tussen hen beiden gade. Rosie begon zich met de seconde meisjesachtiger te gedragen. Beck was iets te glad naar mijn smaak, maar ik moest hem in elk geval nageven dat hij zijn best deed. De meeste mensen vinden Rosie maar een lastig mens, wat ze ook is.

Zodra ze zijn drankje ging halen, wendde Beck zich tot Reba. 'Hoe is het met je vader? Ik heb hem een paar maanden geleden gezien en toen zag hij er niet al te best uit.'

'Het gaat niet zo goed met hem. Dat wist ik helemaal niet. Ik schrok toen ik zag hoezeer hij vermagerd is. Je weet dat hij een schildklieroperatie heeft ondergaan. Toen bleek hij ook nog poliepen op zijn stembanden te hebben, dus die moesten ook verwijderd worden. Hij voelt zich nog altijd heel slapjes.'

'Het spijt me dat te horen. Hij maakte altijd zo'n energieke indruk.'

'Ja, nou ja, hij is 87. Het is natuurlijk niet zo gek dat het op een gegeven moment allemaal wat minder wordt.'

Rosie kwam terug met Becks Scotch en een karafje water. Ze zette het glas op een kartonnen onderzettertje en gaf hem een cocktailservetje aan. Ik zag dat ze een kleedje op haar dienblad had gelegd. Als hij bij mij had gehoord, zou ze hem de maat genomen hebben voor zijn trouwpak.

Hij pakte zijn glas op, nam een slokje en schonk haar een goedkeurende glimlach. 'Perfect.'

Rosie, niet wetend hoe ze hem verder nog van dienst kon zijn, vertrok met tegenzin.

Beck wendde zich weer tot mij. 'Kom jij ook hiervandaan?'

'Ja.'

'Waar heb je op school gezeten?'

'S.T.'

'Ik ook. Misschien kennen we elkaar daarvan. In welk jaar heb je examen gedaan?'

'In 1967. En jij?'

'Een jaar eerder dan jij, in 1966. Vreemd dat ik me jou niet herinner. Meestal ben ik wel goed in dat soort dingen.'

In gedachten stelde ik zijn leeftijd bij naar 38. 'Ik hoorde bij de muurgroep,' zei ik, daarmee te kennen gevend dat ik opgetrokken was met de probleemleerlingen die dikwijls achter het schoolgebouw te vinden waren op het lage muurtje dat de begrenzing vormde van het schoolterrein. We rookten sigaretten en dope en mengden af en toe wodka door onze flesjes ranja. Tam, gemeten naar latere maatstaven, maar in die tijd uiterst gewaagd.

'Je meent het,' zei hij. Hij wierp me een onderzoekende blik toe en pakte toen de menukaart op. 'Hoe is het eten?'

'Niet slecht. Ben je echt gek op de Hongaarse keuken, of zei je dat alleen maar?'

'Waarom zou ik over zoiets liegen?' Hij zei het op luchtige toon, maar hij kon er van alles mee bedoelen, misschien wel dat hij het gewoon niet de moeite waard vond om te liegen over de alledaagse, onbeduidende dingen in het leven. 'Waarom vraag je dat?'

'Het verbaast me dat je hier nog nooit eerder bent geweest.'

'Ik ben hier regelmatig langs gekomen, maar eerlijk gezegd vond ik het er altijd zo sjofel uitzien dat ik nooit de moed heb kunnen opbrengen om naar binnen te gaan. Ik heb net een vergadering achter de rug en ik dacht dat ik het maar eens moest proberen, nu ik toch in de buurt was. Ik moet zeggen dat het er vanbinnen beter uitziet dan vanbuiten.'

Mijn voelsprieten schoven met een zacht zoemend geluid omhoog. Dit was al de tweede keer dat hij uitgelegd had hoe hij hier toevallig verzeild was geraakt. Ik pakte mijn glas op en nam nog een slokje beroerde wijn. Het smaakte naar iets wat je gebruikt om teer van je voeten te verwijderen na een dagje aan het strand. Reba zat met het rietje in haar ijsthee te spelen.

Terwijl ik van haar gezicht naar het zijne keek, besefte ik plotseling hoe naïef ik was geweest. Ze had dit van tevoren bekokstoofd. Dat etentje met mij was alleen maar een voorwendsel om hem te ontmoeten, maar waarom had ze dat op zo'n slinkse manier aangepakt? Ik ging zodanig verzitten dat ik met mijn rug tegen de zijmuur leunde, zette mijn voeten op het bankje en wachtte af hoe het scenario zich verder zou ontrollen. 'Je zit in het onroerend goed?' vroeg ik.

Hij sloeg de helft van de whisky achterover en verdunde het restant met water. Hij draaide het glas rond zodat de ijsblokjes tegen elkaar tinkelden. 'Inderdaad. Ik heb een investeringsmaatschappij. Voornamelijk projectontwikkeling. Ook wel vastgoedbeheer, maar de laatste tijd niet zoveel meer. En wat doe jij voor de kost?'

'Ik ben privé-detective.'

Hij glimlachte. 'Niet slecht voor iemand die haar carrière begon met rondhangen achter het schoolgebouw.'

'Nou, het was een goeie leerschool. Als je omgaat met een stelletje criminelen in de dop, leer je vanzelf hoe ze denken.' Ik keek demonstratief op mijn horloge. 'Ah. Ik weet niet hoe het met jou staat, Reba, maar voor mij wordt het tijd om ervandoor te gaan. Mijn auto staat niet ver hiervandaan. Als je een paar minuten geduld hebt, ga ik hem even halen en dan kan ik je naar huis brengen.'

Beck keek Reba met geveinsde verbazing aan. 'Heb je geen auto?'

'Jawel, maar ik heb mijn rijbewijs laten verlopen.'

'Als ik je nou eens een lift geef, dan besparen we Kinsey de rit.'

Ik zei: 'Ik vind het helemaal niet erg om haar naar huis te brengen. Ik heb mijn autosleutels bij me.'

'Nee, nee. Ik wil haar met alle plezier een lift geven, dan kun jij gewoon naar huis.'

Reba zei: 'Het is voor hem inderdaad gemakkelijker dan voor jou.'

'Weet je het zeker?'

Beck zei: 'Ja, echt. Het ligt precies op mijn route.'

'Oké dan. Jullie kunnen gerust nog even blijven als je wilt. Ik reken wel af,' zei ik, terwijl ik opstond.

'Bedankt. Dan neem ik de fooi voor mijn rekening.'

'Leuk je ontmoet te hebben.' Ik gaf Beck een hand en keek toen Reba aan. 'Ik zie je morgenochtend om negen uur. Zal ik je eerst nog even bellen?'

'Dat is niet nodig. Kom maar gewoon wanneer het je uitkomt,' zei ze. 'Ik moest er trouwens zelf ook maar eens vandoor. Het is een lange dag geweest en ik ben bekaf. Vind je het vervelend?'

'Nee hoor, je zegt het maar.' Beck dronk de met water aangelengde whisky op.

Ik liep naar de bar en betaalde de rekening. Toen ik achteromkeek, zag ik dat Beck al overeind stond en zijn portefeuille te voorschijn haalde voor de fooi. Hij legde twee bankbiljetten op het tafeltje, waarschijnlijk van vijf dollar, aangezien hij er kennelijk op gebrand was indruk te maken. Ze wachtten even op mij zodat we met z'n drieën tegelijk de zaak konden verlaten. Henry was inmiddels vertrokken, maar de stamgasten begonnen binnen te druppelen.

Buiten was het donker en de maan was nog niet zichtbaar. De lucht was helder en stil, afgezien van het tjirpen van de krekels. Zelfs het geluid van de branding klonk gedempt. Gedrieën wandelden we naar het kruispunt, terwijl we over koetjes en kalfjes praatten.

'Mijn wagen staat daar,' zei Beck, terwijl hij naar de donkere zijstraat rechts van ons wees.

'Wat voor auto rij je?' vroeg ik.

'Mercedes. En jij?'

'Een Volkswagen kever uit 1974. Tot kijk.'

Ik zwaaide en liep rechtdoor terwijl zij afsloegen. Vijftien seconden later hoorde ik het geluid van twee dichtslaande portieren. Ik bleef staan wachten op het geluid van een motor die gestart werd. Niets. Misschien wilden ze eerst eens even uitgebreid bijpraten. Even later duwde ik mijn hek open en hoorde het vertrouwde gepiep van de scharnieren. Ik liep over het tuinpad naar de achterkant. Toen ik bij mijn voordeur kwam, aarzelde ik, terwijl ik nadacht over Reba en Beck. Misschien had ik het mis wat hen betrof. Mijn nieuwsgierigheid kreeg de overhand. Ik liet mijn schoudertas bij de voordeur achter, liep over het gras naar Henry's patio en vandaar naar de erfafscheiding van kippengaas achter in de tuin. Ik zocht op de tast mijn weg van paal tot paal tot ik zijn garage bereikte. Ik bukte me, duwde de gammele afscheiding opzij en glipte door de opening.

Mijn hart ging tekeer en ik voelde mijn maag zich al bij voorbaat samentrekken. Ik ben gek op dit soort nachtelijke avontuurtjes, waarbij ik geluidloos door donkere achtertuinen sluip. Gelukkig kreeg geen van de buurthonden de lucht van me, dus ik kon mijn doortocht voltooien zonder een schel blafconcert dat alle omwonenden gealarmeerd zou hebben. Aan het einde van de steeg sloeg ik rechts af de zijstraat in. Terwijl ik langzaam verder liep, nam ik de vormen en afmetingen op van de auto's die aan weerszijden geparkeerd stonden. Een enkele straatlantaarn zorgde voor een minimale verlichting, maar zodra mijn ogen aan het donker gewend waren, kostte het me geen enkele moeite Becks Mercedes te identificeren. Alle andere voertuigen waren middenklassers, kleine bestelwagens, of pick-ups.

Ik kon zijn profiel onderscheiden terwijl hij enigszins onderuitgezakt en half omgedraaid achter het stuur zat zodat hij Reba aan kon kijken. Ik bleef tien minuten staan kijken en toen er verder niets gebeurde, draaide ik me om en liep terug naar mijn appartement.

Ik ging naar binnen en legde mijn tas op een keukenkruk. Het was vijf minuten over acht. Ik zette de tv aan en keek naar het begin van een film die eigenlijk best wel leuk was, ondanks alle irritante reclameonderbrekingen. Ik nam me altijd weer voor geen van de op het scherm aangeprezen producten te kopen. Om negen uur zette ik het geluid uit en liep mijn keukentje in, waar ik een fles chardonnay opentrok en mezelf een glas inschonk. In een opwelling haalde ik een steelpan te voorschijn, het deksel, en een fles maïsolie. Ik stak de voorste brander aan, zette de pan erop, en goot een plasje olie op de bodem van de pan. Ik zocht in de kast naar de zak popcorn die ik maanden geleden gekocht had. Ik wist dat die inmiddels oud zou zijn, maar ik hield wel van taaie popcorn. Ik mat een bekertje maïskorrels af en gooide ze in de pan. Ik hield één oog gericht op het tv-scherm terwijl de popcorn tegen het deksel knalde als de finale van een vuurwerkshow. Gelukkig voor mij zijn de afmetingen van mijn appartement zodanig dat ik kan koken, tv-kijken, de wasmachine kan inruimen, of naar het toilet kan zonder me meer dan tweeënhalf à drie meter te hoeven verplaatsen.

Ik liep terug naar de bank met de wijn en het schaaltje warme popcorn, legde mijn voeten op het salontafeltje, en keek naar de rest van de film. Om elf uur, toen het nieuws begon, verliet ik het appartement en volgde weer dezelfde route door de steeg naar de donkere zijstraat waarin ik al eerder een tijdje op de loer had gestaan. De Mercedes van Beck stond er nog steeds. De achterruit was helemaal beslagen van de condens. In plaats van Becks silhouet zag ik Reba's benen. Haar hoofd bevond zich kennelijk ergens ter hoogte van het stuur, en een van haar voeten steunde op het dashboard en de andere tegen het portier aan de passagierskant, terwijl Beck zich hevig aan het inspannen was binnen de beperkte mogelijkheden die de leren bestuurdersstoel hem toestond. Ik liep terug naar mijn appartement, en toen ik rond middernacht opnieuw ging kijken, was de auto weg.

8

Het hek van het landgoed van Lafferty stond open en toen ik de oprijlaan op reed, zag ik Reba op de bordestrap zitten, waar ze de kat aan het borstelen was, terwijl het dier met hoge rug heen en weer stapte. Toen ze mij zag, drukte ze een kus op de kop van de kat en legde de borstel neer. Ze liep naar de voordeur en boog zich naar binnen om haar vader of de huishoudster te zeggen dat ze ervandoor ging. Ik glimlachte toen ze met een soort huppeldrafje op me afkwam. Ze was gelukkig, opgetogen, en ik herinner me dat ik dacht: dat effect heeft seks op je, meid. Ze droeg kistjes, een spijkerbroek en een grofgebreide donkerblauwe trui. Ze maakte een onbezonnen, meisjesachtige indruk. Haar vader had gezegd dat ze moeilijk was – 'roekeloos' was het woord dat hij had gebruikt – maar daar had ik tot nog toe niets van gemerkt. Ze bezat een natuurlijke uitbundigheid en ik kon me haar moeilijk dronken of stoned voorstellen. Ze deed het autoportier open en nam glimlachend en buiten adem plaats op de passagiersstoel.

'Hoe heet je kat?'

'Rags. Het is een lieverd. Zeventien jaar oud en hij weegt ongeveer acht kilo. De dierenarts wil dat ik hem op dieet zet, maar daar begin ik niet aan.' Ze legde haar hoofd in de nek. 'Je hebt geen idee wat een goed gevoel het is om weer vrij te zijn. Alsof je uit de dood bent opgestaan.'

Ik trok op en reed de oprijlaan af en het hek door. 'Heb je goed geslapen?'

'Nou en of. Heerlijk. Gevangenismatrassen zijn ongeveer zo dik als tuinstoelkussens, en de lakens zijn ruw. Het kussen was zo plat dat ik het op moest rollen en het als een handdoek onder mijn hoofd moest leggen. Als ik 's avonds in bed stapte, zorgde mijn lichaamswarmte ervoor dat er een vreemd luchtje vrijkwam uit de matras.' Ze trok haar neus op.

'Hoe was het eten?'

'Ach, laat ik zeggen dat het varieerde tussen redelijk en smerig. Gelukkig mochten we een dompelaar in onze cel hebben. Je weet wel, zo'n elektrisch verwarmingselement dat je gebruikt om één enkel kopje thee te maken. We bedachten allerlei dingen die we daarmee konden maken; noedels, soep, gestoofde tomaten in blik. Ik heb nota bene nooit van gestoofde tomaten gehouden tot ik daar terechtkwam. Op sommige dagen stonk het echt in de cellen; aangebrande koffie of bonenprut die aangekoekt was op de bodem van de pan. Ik sloot me vrijwel constant voor alles en iedereen af. Ik trok een onzichtbaar krachtveld op tussen mezelf en de rest van de wereld. Anders zou ik gek zijn geworden.'

'Had je daar vriendinnen?'

'Twee, en dat was wel fijn. Mijn beste vriendin was Misty Raine, met een "e" op het eind. Ze is een stripper – niet echt verrassend met een dergelijke naam – maar je kunt vreselijk met haar lachen. Voordat ze in Californië terechtkwam, woonde ze in Vegas, maar na haar vrijlating is ze naar Reno verhuisd. Ze zegt dat er daar meer te beleven valt dan in Vegas. We hebben nog regelmatig contact. God, ik mis haar.'

'Waar zat ze voor?'

'Ze had een vriend die haar leerde creditcards te stelen en cheques te vervalsen. Ze smeten met geld, logeerden in de duurste hotels en rekenden alles af met een gestolen creditcard. Na een paar dagen ontdeden ze zich daarvan, stalen een andere, en trokken weer verder. Vervolgens breidden ze hun werkterrein uit naar vervalste identiteitsbewijzen. Ze is nogal artistiek aangelegd en ze bleek een kei in het namaken van paspoorten en rijbewijzen en dat soort dingen. Ze verdienden zo veel geld dat ze haar tieten liet verbouwen. Voor ze die vriend kreeg, had ze voor het minimumloon gewerkt voor een schoonmaakbedrijf. Ze zei dat ze met wat ze daar verdiende, nooit een cent over zou houden, ook al zou ze haar hele leven blijven werken.

Mijn andere vriendin, Vivian, had een relatie met een drugsdealer. Je wilt niet weten hoe vaak ik dat verhaal al niet gehoord heb. Hij verdiende duizend dollar per dag en ze leefden als vorsten, tot de politie op zekere dag voor de deur stond. Het was haar eerste misdrijf en ze zegt dat het ook haar laatste is. Ze moet nog zes maanden uitzitten en dan hoop ik dat ze hiernaartoe komt.

Haar vriend heeft al vijf veroordelingen achter de rug en komt voorlopig niet meer op vrije voeten, wat maar goed is ook. Ze is nog altijd gek op die knul.'

'Zo gaat dat met ware liefde.'

'Meen je dat nou?'

'Nee. Dat was ironisch bedoeld,' zei ik. 'Ik neem aan dat je hier in de stad geen vrienden hebt.'

'Alleen Onni, de vrouw die bij ons in het bedrijf werkte. Ik heb haar vanochtend al over de telefoon gesproken, in de hoop dat we vanmiddag konden afspreken, maar ze had het te druk.'

'Is zij niet degene die jouw oude baan overgenomen heeft?'

'Klopt. Daar voelt ze zich schuldig over, maar ik zei dat ze niet zo stom moest doen. Ze werkte oorspronkelijk als receptioniste, maar dit was een kans die ze niet voorbij kon laten gaan. Waarom zou ik haar die kans misgunnen? Ze zei dat zij me vandaag wel rond zou hebben gereden als ze niet had hoeven werken.'

Ik draaide het parkeerterrein van het bureau voor de afgifte van rijvaardigheidsbewijzen op. 'Als je wilt, kun je binnen een boekje ophalen en dat in de auto bestuderen voordat je het examen aflegt.'

'Ach nee, ik rij al jaren, dus hoe moeilijk kan het nou helemaal zijn?'

'Nou ja, je moet het zelf weten. Zelf geef ik er de voorkeur aan de zaken van tevoren nog even door te nemen. Dat is goed tegen de examenvrees.'

'Ik hou wel van een beetje spanning. Dat houdt me alert.'

Ik wachtte in de auto terwijl Reba naar binnen ging. Ze bleef veertig minuten weg, en ik bracht een tijdje door met over de rugleuning hangen in een poging wat orde te brengen in alle troep die altijd achter in de auto ligt. Ik rij meestal rond met een weekendtas met daarin toiletartikelen en een paar schone slipjes, voor het geval zich plotseling de noodzaak voordoet om aan boord van een vliegtuig te stappen. Dan zijn er ook nog diverse kledingstukken die ik soms aantrek om me te vermommen als gemeentebeambte. Ik kan een prima imitatie ten beste geven van een postbode of een meteropnemer van het energiebedrijf. Het is een lonende tactiek om de indruk te wekken dat ik ambtshalve bezig ben als ik bij een voordeur iemands post sta door te nemen. Ik heb ook een paar naslagwerken op de achterbank liggen – eentje op het gebied van rechercheonderzoek op de plaats delict, het Wetboek van Strafrecht van de staat Californië, en een Spaans woordenboek dat ik overgehouden heb aan een cursus die ik jaren geleden heb gevolgd – een leeg frisdrankblikje, een flesopener, een paar oude loopschoenen, een panty met de nodige ladders, en een lichtgewicht jack. Mijn appartement mag dan keurig opgeruimd zijn, wat mijn auto betreft ben ik een sloddervos.

Na verloop van tijd zag ik Reba naar buiten komen. Ze huppelde zo'n beetje over het parkeerterrein terwijl ze met een papiertje zwaaide dat haar voorlopig rijbewijs bleek te zijn. 'Fluitje van een cent,' zei ze terwijl ze instapte.

'Prima gedaan,' zei ik, terwijl ik de motor startte. 'Waar gaan we nu heen?'

'Ik weet dat het pas kwart voor elf is, maar een quarterpounder zou er wel in gaan.'

We plaatsten onze bestelling bij het loket, vonden een plek op de parkeerplaats, en aten in de auto. We hadden twee grote cola's besteld, elk twee quarterpounders, en een grote portie frites, die we in de ketchup doopten en in rap tempo naar binnen werkten. Ik zei: 'Ik heb een vriend gehad die door het eten van deze troep zijn gezondheid weer teruggekregen heeft.'

'Dat verbaast me niets. Pa heeft een eigen kokkin die echt fantastisch is, maar hier kan ze toch niet aan tippen. Ik weet niet hoe ze het voor elkaar krijgen, maar waar je ook bent, een quarterpounder smaakt altijd precies hetzelfde, en dat geldt ook voor al het andere. Big Mac's, frites.'

'Altijd prettig om iets te hebben waar je van op aan kunt,' zei ik.

Na de lunch reden we naar het La Cuesta-winkelcentrum, waar Reba met haar vaders creditcard in de aanslag de ene na de andere winkel binnen liep om kleren te passen. Evenals sommige andere vrouwen die ik gekend heb, scheen ze over een aangeboren gevoel te beschikken voor wat haar goed zou staan. In de meeste winkels plofte ik op de dichtstbijzijnde stoel neer van waaraf ik haar gadesloeg als een goede moeder terwijl zij van het ene kledingrek naar het volgende liep. Soms haalde ze een kledingstuk uit het rek, bekeek het kritisch, en hing het dan weer terug. Soms legde ze het artikel op de andere die ze over haar arm had gedrapeerd. Van tijd tot tijd ging ze de paskamer in om twintig minuten later weer te voorschijn te komen als ze haar keuze gemaakt had. Sommige kledingstukken liet ze in de paskamer achter en de rest legde ze op de toonbank terwijl ze op zoek ging naar andere dingen. In een tijdsbestek van twee uur kocht ze broeken, rokken, jasjes, ondergoed, truitjes, twee jurken, en zes paar schoenen.

Toen we weer in de auto zaten, legde ze haar hoofd tegen de rugleuning en deed haar ogen dicht. 'Vroeger vond ik zo veel dingen vanzelfsprekend. Dat zal me nu niet meer overkomen. Waar gaan we nu heen?'

'Zeg jij het maar. Waar zou je graag naartoe willen?'

'Het strand. Lekker onze schoenen uittrekken en door het zand lopen.'

We reden naar Ludlow Beach, niet ver bij mijn huis vandaan. Boven ons, op de kliffen, bevond zich het Santa Teresa City College. De lucht was grijs zo ver het oog reikte en de wind geselde de golven en joeg fijne waterdruppels naar het strand. We lieten onze schoenen in de afgesloten auto achter, samen met mijn schoudertas en Reba's aankopen. Het grasveld met de picknicktafels was verlaten, afgezien van vier meeuwen die aan het ruziën waren om een dichtgebonden broodzakje dat achtergelaten was op het deksel van een afvalbak. Reba pakte het zakje op, scheurde het cellofaan kapot, en strooide de kruimels op het gras. Uit alle richtingen kwamen plotseling krijsende meeuwen aanvliegen.

We ploeterden door zo'n honderd meter zacht zand tussen het parkeerterrein en de branding. Bij de waterlijn kwamen ijskoude golfjes tot gevaarlijk dicht bij onze blote voeten, maar het zand was vochtig en hard, gemakkelijker om op te lopen. Ik zei: 'Hoe zit dat nou eigenlijk precies met Beck?'

Ze glimlachte even. 'Ik wist niet wat me overkwam toen we elkaar zo onverwacht tegen het lijf liepen.'

'Je meent het. Merkwaardig. Ik had de indruk dat je dat van tevoren bekokstoofd had.'

Ze lachte. 'Nee hoor, geen sprake van. Waarom zou ik dat doen?'

'Reba.' Haar grote bruine ogen keken me onschuldig aan.

'Eerlijk, hij was wel de laatste die ik verwachtte te zien.'

Ik schudde het hoofd. 'Niks eerlijk. Je liegt dat je barst. Daarom wilde je met me van plaats ruilen, zodat je hem kon zien binnenkomen.'

'Dat is niet waar. Ik had geen idee dat hij zou komen. Ik was volkomen verrast.'

'Wacht, wacht, wacht. Laat ik je eerst even iets vertellen. Ik heb een zeer ruime ervaring met het vertellen van leugens en geloof me, ik weet wanneer iemand een loopje neemt met de waarheid. Mijn inwendige leugendetector laat me nooit in de steek. Toen ik jullie twee gisteravond gadesloeg, sloeg de meter als een gek uit. Ik zat er alleen maar voor de vorm bij. Je hebt hem vanuit het reclasseringskantoor gebeld en hem gezegd waar hij je kon vinden.'

Ze zweeg even. 'Misschien wel. Maar ik wist niet zeker of hij zou komen.'

'O, gekómen is hij beslist, te oordelen naar jullie fratsen in de auto.'

Ze keek me vol ongeloof aan. 'Heb je ons bespioneerd?'

'Daar word ik voor betaald. Als je niet wilt dat iemand je ziet, kun je het beter niet langs de openbare weg doen.'

'Nou ja, zeg!'

'Reba, je vader heeft het beste met je voor. Hij wil niet dat je opnieuw in de rottigheid terechtkomt.'

Ze pakte mijn arm vast en keek me smekend aan. 'Vertel het alsjeblieft niet aan pa. Wie zou daar wat mee opschieten?'

'Ik heb nog niet besloten wat ik ga doen. Vertel me eerst maar eens wat er nou eigenlijk precies aan de hand is.'

'Daar wil ik niet over praten.'

'Hé, kom op. Als je wilt dat ik mijn mond houd, kun jij maar beter je mond opendoen.' Ik kon zien dat ze eigenlijk niets liever wilde. Wie kan de verleiding weerstaan om te praten over een man op wie je zó verliefd bent?

'Ik weet niet precies hoe ik het uit moet leggen. Ik heb jarenlang voor hem gewerkt en hij heeft me altijd goed behandeld...'

'Niet de lange versie, liefje, alleen de saillante details. Jullie hebben een verhouding, nietwaar?'

'Het is veel meer dan dat. Ik ben gek op hem en hij is ook gek op mij.'

'Dat van dat gekke geloof ik graag. Hoelang al?'

'Twee jaar. Nou ja, vier als je de twee jaar meetelt die ik vast heb gezeten. We hebben elkaar regelmatig geschreven en gebeld. We waren van plan om elkaar vanavond te ontmoeten, maar er is een AA-bijeenkomst die ik geacht word bij te wonen. Het leek me maar beter om mijn neus daar te laten zien voor het geval Holloway controleert of ik aanwezig ben. Beck belde me bij pa thuis en zei dat hij niet langer kon wachten. Ik dacht aan Rosie's omdat die zaak zo ver buiten het centrum ligt dat ik me niet kon voorstellen dat we daar bekenden zouden tegenkomen. Achteraf gezien had ik inderdaad beter open kaart met je kunnen spelen, maar ik wist niet zeker of je het ermee eens zou zijn en dus heb ik het gewoon gedaan.'

'Waar had je mij voor nodig? Jullie zijn volwassen mensen.

Waarom zijn jullie niet gewoon naar een motel gegaan?'

'Dat durfde ik niet. We waren al zo lang niet meer samen geweest dat ik bang was dat het tussen ons misschien niet meer zou klikken.'

'De timing is me niet helemaal duidelijk. Naaide je hem terwijl je hem tegelijkertijd een poot uitdraaide?'

'Het is geen "naaien". We bedrijven de liefde met elkaar.'

'O, neem me niet kwalijk. Bedreven jullie de liefde terwijl jij zijn zuurverdiende geld achteroverdrukte?'

'Zo zou je het inderdaad kunnen stellen. Ik bedoel, ik wist dat het verkeerd was, maar ik kon er gewoon niets aan doen. Ik voelde me afschuwelijk. Nog steeds trouwens. Hij weet dat ik nooit iets zou doen om hem te kwetsen.'

'En zoveel geld kwijtraken kwetste hem niet? Ik zou me gekwetst voelen tot in het diepst van mijn ziel.'

'Het was niets persoonlijks. Ik heb geld van het bedrijf achterovergedrukt...'

'Waarvan hij de eigenaar is.'

'Dat weet ik wel, maar zo zag ik het niet. Het geld was er gewoon en niemand scheen iets te merken. Ik hield mezelf steeds maar voor dat ik een grote slag zou slaan en het dan allemaal weer terug zou storten. Het was nooit mijn bedoeling om het te houden en ik zou zeker niet stelen.'

'Reba, dat ís stelen. Je steekt andermans geld in je zak zonder dat de betrokkene het weet en zonder zijn toestemming. Als je daarbij een vuurwapen gebruikt, noemen ze het een roofoverval. Hoe dan ook, het is niet het soort gedrag waarmee je je geliefd maakt.'

Ze haalde haar schouders op, duidelijk niet op haar gemak. 'Ik beschouwde het als een lening. Het was maar iets tijdelijks.'

'Hij moet wel een groot hart hebben.'

'Dat is ook zo. Hij wilde me helpen. Hij heeft gedaan wat hij kon. Ik weet dat hij me vergeven heeft. Dat heeft hij me gisteravond nogmaals verzekerd.'

'Oké, ik geloof je op je woord, maar ik blijf het vreemd vinden. Ik bedoel, vergeven is één ding, maar om dan ook nog de relatie gewoon voort te zetten? Hoe rationaliseert hij dat? Voelt hij zich niet gebruikt?'

'Hij begrijpt het. Ik heb een neiging tot zelfdestructie. Dat wil niet zeggen dat hij het vergoelijkt, maar hij rekent het me niet aan.'

'Is het daarom nooit tot een proces gekomen? Vanwege hem?'

'Gedeeltelijk. Toen ik gearresteerd werd, wist ik dat ik de pineut was. Ik was schuldig, punt uit. Ik wilde gewoon mijn straf uitzitten en verder geen gezeur. Een rechtszaak zou gênant voor pa zijn geweest. Ik wilde niet dat hij opnieuw een publieke vernedering zou moeten ondergaan. Ik heb al meer dan genoeg problemen veroorzaakt.'

'Je vader heeft me verteld dat Beck getrouwd is. Komt zijn vrouw niet ergens in het stuk voor?'

'Dat is een verstandshuwelijk. Ze gaan al jaren niet meer met elkaar naar bed.'

'Ach, kom nou toch. Dat zegt elke getrouwde kerel.'

'Dat weet ik ook wel, maar in dit geval is het waar.'

'Doe me een lol. Geloof je echt dat hij haar voor jou zal verlaten? Zo werkt dat niet.'

'Je hebt het helemaal mis,' zei ze. 'Hij heeft het allemaal al geregeld.'

'O, ja? Hoe dan?'

'Dit maakt allemaal deel uit van zijn strategie, maar hij moet het juiste moment afwachten. Als ze achter mijn bestaan komt, kleedt ze hem financieel helemaal uit.'

'Dat zou ik ook doen.'

'Gisteravond vertelde hij me dat het bijna zover is.'

'Dat wat bijna zover is?'

Daar waren de grote smekende ogen weer, plus het beetpakken van mijn arm ten teken van haar oprechtheid. 'Beloof me dat je het aan niemand zult vertellen.'

'Dat kan ik je niet beloven! Stel dat hij van plan is om een bank te beroven?'

'Doe niet zo gek. Hij is momenteel bezig zijn financiën te regelen. Zodra hij zijn activa eenmaal veilig heeft gesteld, brengt hij het onderwerp echtscheiding ter sprake. Tegen die tijd wordt ze gewoon voor een voldongen feit gesteld. Ze zal de feiten onder ogen moeten zien en de realiteit moeten accepteren.'

'Je zou jezelf eens moeten horen! Je zegt dat hij een manier bedacht heeft om zijn vrouw een loer te draaien. Wat is dat voor een vent? Eerst bedriegt hij haar en vervolgens bezwendelt hij haar. O, wacht even. Vergeet dat laatste maar. Ik bedenk net dat jij hem eerst bezwendeld hebt, dus misschien vormen jullie wel het ideale koppel.'

'Jij weet niet eens wat liefde is. Ik durf te wedden dat je nog nooit van je leven verliefd bent geweest.'

'Daar hebben we het nu niet over.'
'Maar het is waar, of niet soms?'
Ik sloeg mijn ogen ten hemel en schudde wanhopig het hoofd. 'Wat ben je toch een uilskuiken.'
'En wat dan nog? We doen er niemand kwaad mee.'
'O, nee? En zijn vrouw dan?'
'Die draait wel bij, zodra de kogel eenmaal door de kerk is.'
'Hebben ze kinderen?'
'Zij wilde nooit kinderen.'
'Dat is dan nog een geluk. Hoor nou eens, meid. Ik kan heus wel met je meevoelen. Ik heb zelf ooit een relatie met een getrouwde man gehad. Toentertijd leefden ze gescheiden van elkaar, maar ze waren evengoed nog getrouwd. En weet je wat me toen duidelijk geworden is? Je hebt geen idee van wat er zich afspeelt tussen een getrouwd stel. Het kan me niet schelen wat hij over hun relatie zegt, je hoort je niet op gewijde grond te begeven. Dat is hetzelfde als over gloeiende kolen lopen. Het maakt niet uit hoeveel vertrouwen je hebt, je zult je voeten verbranden.'
'Jammer dan. Het is hoe dan ook al te laat. Het is net als met dobbelen. Zodra je de stenen losgelaten hebt, kun je alleen nog maar toekijken.'
'Verbreek de relatie dan in elk geval totdat hij vrij man is,' zei ik.
'Dat kan ik niet. Ik hou van hem. Hij betekent alles voor me.'
'O, verdomme, Reba. Ga naar een psychiater en laat je bovenkamer nakijken.'
Ik zag hoe haar gezicht verstrakte. Ze draaide zich om en begon terug te lopen, terwijl ze haar commentaar achterom tot me richtte. 'Je hebt geen idee waar je het over hebt. Je hebt hem welgeteld één keer ontmoet, dus je kunt wat mij betreft de pot op met je opinies. Het gaat je niets aan en pa ook niet.' Ze liep verder in de richting van het parkeerterrein. Ik kon weinig anders doen dan achter haar aan draven.
We spraken nauwelijks tijdens de rit naar het huis van haar vader. Tegen de tijd dat ik haar afzette, ging ik ervan uit dat hiermee een eind gekomen was aan mijn bemoeienis met haar. Ze was uit de gevangenis. Ze was thuis. Ze had haar rijbewijs terug en een kast vol kleren. Wat ze verder gedaan had – neuken met Beck, met name – was niet in strijd met de bepalingen van haar voorwaardelijke invrijheidsstelling, dus dat ging mij verder niets aan.
Ze stapte uit en pakte haar aankopen van de achterbank. 'Ik weet dat je het goed bedoelt en ik waardeer je betrokkenheid,

maar ik heb geboet voor mijn zonden en ik heb nu mijn leven zelf weer in de hand. Als ik verkeerde beslissingen neem, dan is dat mijn probleem. Daar heb jij niets mee te maken.'

'Prima. Het beste ermee,' zei ik.

Ze sloeg het portier dicht. Ze bleef even staan en boog zich voorover naar het opengedraaide raampje. Ik dacht dat ze nog iets wilde zeggen, maar ze bedacht zich. Ik keek haar na tot de voordeur achter haar dichtging en reed toen naar mijn kantoor. Daar tikte ik een factuur voor Nord Lafferty uit, waarop ik hem vijfhonderd dollar per dag in rekening bracht voor de twee dagen die ik gewerkt had. Ik stopte de nota in een envelop die ik dichtplakte en adresseerde. Op weg naar huis reed ik langs het postkantoor, waar ik de envelop in de bus deed.

9

Bij wijze van avondmaaltijd at ik een boterham met een hardgekookt ei, met flink wat zout en lekker veel mayonaise, terwijl ik mezelf vage en onoprechte beloften deed om toch eens wat gezonder te gaan eten, aangezien mijn gebruikelijke dieet jammerlijk tekortschiet op het gebied van groenten, fruit, vezels, granen, en wat al niet meer. Ik was van plan geweest vroeg naar bed te gaan, maar tegen zevenen voelde ik me om de een of andere reden rusteloos. Ik ging dus maar even naar Rosie's, niet zozeer vanwege de beroerde wijn maar meer om er even uit te zijn.

Tot mijn verrassing was de eerste die ik zag Henry's oudere broer Lewis, die in Michigan woont. Hij stond in zijn overhemd achter de bar, de mouwen opgestroopt, en was druk bezig glazen om te spoelen. Ik liep naar de bar en zei: 'Tjonge, dat is een verrassing. Waar kom jij zo ineens vandaan?'

Hij keek op en glimlachte. 'Ik ben vanmiddag met het vliegtuig gearriveerd. William heeft me van de luchthaven afgehaald en me direct aan het werk gezet.'

'Is er een speciale reden voor je komst?'

'Nee hoor. Ik was toe aan verandering van omgeving en ik besloot spontaan om hiernaartoe te komen. Charlie had het druk en Nell had geen zin, dus heb ik een vlucht geboekt en ben ik in mijn eentje gekomen. Reizen doet een mens goed. Ik heb me in tijden niet meer zo energiek gevoeld.'

'Mooi zo. Hoelang blijf je?'

'Tot zondag. Ik logeer bij William en Rosie. Daarom sta ik achter de bar, om mijn kost te verdienen.'

'Weet Henry dat je er bent?'

'Nog niet, maar ik bel hem zodra ik van William even pauze mag nemen.'

Hij spoelde het laatste glas om, zette het op een afdruiprek en droogde toen zijn handen af aan een witte theedoek die hij in zijn broekband had gestoken. Hij legde een cocktailservetje voor me op de bar en kweet zich van zijn taak als barkeeper. 'Wat wil je drinken? Als ik me goed herinner, heb je een voorkeur voor chardonnay.'

'Doe maar een cola. Rosie heeft tegenwoordig een andere wijnhandelaar, als je het zo tenminste mag noemen. De wijn die ze schenkt doet nog het meest aan oplosmiddel denken.'

Hij schonk een cola voor me in en zette het glas voor me neer. Voor een man van 89 was hij een toonbeeld van efficiency, zijn bewegingen kwiek en ontspannen. Als je hem zo bezig zag, zou je denken dat hij al zijn hele leven achter de bar had gestaan.

'Dank je wel.'

'Tot je dienst. Die is voor mijn rekening.'

'Wat aardig van je! Dank je wel.'

Hij liep naar het andere eind van de bar om iemand anders te bedienen. Wat was hier aan de hand? Bij mijn weten was Lewis nog nooit onaangekondigd op komen dagen. Had William hem ertoe aangezet? Dat leek me helemaal geen goed idee. Ik keek achterom naar het handjevol klanten in de zaak. Mijn favoriete zitje was bezet, maar er waren genoeg andere plekken vrij. Ik pakte mijn glas en liep naar een tafeltje in de buurt van de ingang. Telkens als de deur open- en weer dichtging, kwam er een vleugje frisse lucht binnen en verdween er iets van de sigarettenrook die als een lichte nevel in de zaak hing. Maar dan nog wist ik dat ik straks, als ik naar huis ging, naar rook zou ruiken en dat ik mijn kleren een nacht in de douche zou moeten laten hangen om de stank eruit te krijgen. Mijn haar rook ongetwijfeld ook al niet fris meer, hoewel het te kort is om dat zelf te kunnen constateren. Rokers horen deze nuffige klachten aan alsof het verzinsels zijn, alleen maar bedoeld om hen te irriteren en te kwetsen.

Ik zat nog maar net toen de deur opengin en Cheney Phillips binnenkwam. Ik voelde me als een vliegtuigpassagier aan boord van een toestel dat in een gigantische luchtzak terechtkomt. Hij liet zijn blik door de zaak dwalen, kennelijk op zoek naar iemand die nog niet gearriveerd was. Hij zag er keurig uit in de voor hem gebruikelijke combinatie van dure stoffen en fraai kleermakerswerk. Hij had een voorkeur voor klassieke witte overhemden of zijden exemplaren met zachte boord in de tinten crème of gebroken wit. Af en toe ging hij over op ton sur ton, meestal in donkere tinten die hem een lichtelijk sinister uiterlijk gaven. Deze avond droeg hij een kaneelkleurig zijden colbert met daaronder een roestbruine kasjmieren coltrui. Ik stak mijn hand op bij wijze van groet terwijl ik me afvroeg of die trui net zo zacht was als hij eruitzag. Hij liep op zijn gemak naar mijn tafeltje. 'Hé, hoe is het ermee? Mag ik er even bij komen zitten?'

Ik maakte een instemmend gebaar. 'En weer kruisen onze wegen elkaar. Maandenlang heb ik je niet gezien en nu ben ik je in vier dagen tijd al drie keer tegen het lijf gelopen.'

'Niet helemaal bij toeval.' Hij wees naar mijn glas. 'Wat is dat in vredesnaam?'

'Cola. Een frisdrank. Is al jaren op de markt.'

'Je hebt iets sterkers nodig. We moeten praten.' Zonder mijn antwoord af te wachten trok hij Lewis' aandacht en gebaarde dat hij iets wilde bestellen.

Lewis kwam achter de bar vandaan en haastte zich naar ons tafeltje. 'Ja, meneer?'

'Twee wodka-martini's, zonder ijs, graag. Stoli als u dat hebt, anders Absolut. En een schaaltje olijven.' Hij keek mij aan en vroeg: 'Wil je er ijswater bij?'

'Ach, waarom ook niet?' zei ik, altijd de bon-vivant. 'Dit is Lewis Pitts, de broer van mijn huisbaas. Je kent Henry toch, nietwaar?'

'Natuurlijk. Cheney Phillips,' zei hij. Hij kwam overeind en hij en Lewis gaven elkaar een hand terwijl ze enkele beleefdheden uitwisselden. Ik keek naar Cheneys haar, springerige donkerbruine krullen die er net zo zacht uitzagen als de vacht van een poedel. Ik ben niet echt een hondenliefhebber. Honden hebben de neiging hun slechte adem in mijn gezicht te blaffen alvorens tegen me op te springen en hun plompe poten op mijn borst te planten. Ondanks talrijke scherpe commando's gaan de meeste honden gewoon hun eigen gang. Er zijn uitzonderingen. Vorige week was ik in een zeldzaam moment van welwillendheid even blijven staan om een praatje te maken met een vrouw die een hond uitliet van een ras dat ik nog nooit eerder had gezien. Ze stelde me voor aan Chandler, een Portugese waterhond die op commando ging zitten en me ernstig een poot aanbood. De hond was rustig en goed opgevoed, met een vacht die zo golvend en zacht was dat ik maar nauwelijks mijn handen thuis kon houden. Waarom dacht ik daar nu aan? Ik hoorde Lewis zeggen: 'Het komt er zo aan.' De rest van de conversatie had ik gemist, waardoor het was alsof ik halverwege een tv-film wakker werd. Ik was even helemaal de draad kwijt.

Zodra Lewis verdwenen was, wendde ik me tot Cheney. 'Ik neem aan dat je hier met iemand afgesproken hebt?'

Zijn aandacht was gericht op de mensen in de zaak, waarbij zijn blik zich als een bewakingscamera met regelmatige tussenpozen verplaatste. Hij had jarenlang bij de zedenpolitie gewerkt en hij was altijd op zoek naar prostituees en drugsdealers, zoals andere mannen gefixeerd zijn op grote tieten. Hij keek me aan. 'Eigenlijk kwam ik hier op zoek naar jou. Ik ben bij je appartement langsgegaan en toen bleek dat je niet thuis was, nam ik aan dat je hier wel zou zijn.'

'Ik had me niet gerealiseerd dat ik zo voorspelbaar was.'

'Je beste eigenschap,' zei hij. Hij hield zijn blik nog steeds op me gericht en het effect was dat ik me lichtelijk nerveus begon te voelen. Ik keek naar de bar, naar de ingang, als ik hem maar niet aan hoefde kijken. Waar was Lewis? Waarom duurde het zo lang?

Cheney zei: 'Wil je niet weten waarom ik hier ben?'

'Natuurlijk wel.'

'We hebben een gemeenschappelijke interesse.'

'Werkelijk? En wat mag dat dan wel zijn?'

'Reba Lafferty.'

Het antwoord was onverwacht en ik hield nieuwsgierig mijn hoofd schuin. 'Wat is jouw connectie met haar?'

'Dat is de reden dat ik bij Priscilla Holloway langsging. Ik had gehoord dat iemand naar het CIW zou rijden om Reba af te halen en naar huis te brengen. Ik wist pas dat jij dat was toen ik je die dag bij Holloway zag.'

Cheney keek op naar Lewis, die naast het tafeltje stond met onze martini's op een dienblad. Hij zette ze zorgvuldig neer, zonder een druppel te morsen. Het glaswerk was zo koud dat ik ijsschilfertjes langs de buitenkant van het glas kon zien glijden. De wodka, die zo uit de vriezer kwam, zag er olieachtig uit. Ik had al in geen tijden meer een wodka-martini gedronken en ik herinnerde me de scherpe, bijna chemische smaak.

Ik weet nooit precies wat Cheneys gezicht zo aantrekkelijk maakt: brede mond, donkere wenkbrauwen, donkerbruine ogen. Hij heeft grote handen met de knokkels van iemand die regelmatig zijn vuisten gebruikt. Ik nam hem tersluiks op voordat ik mezelf tot de orde riep en bedacht dat ik mezelf eigenlijk een draai om de oren zou moeten geven. Ik had net een preek tegen Reba afgestoken over de dwaasheid van een scharrel met een getrouwde man en nu speelde ik nota bene zelf met die gedachte.

Cheney zei: 'Dank je, Lewis. Kun je het even opschrijven?'

'Natuurlijk. Laat me maar weten als jullie nog iets nodig hebben.'

Zodra hij weer vertrokken was, hief Cheney zijn glas en zei: 'Proost.'

Ik nam een slokje van de wodka-martini. De wodka vormde een kolom van warmte die via mijn ruggenmerg omlaag zakte tot in mijn schoenen. 'Ik hoop dat je me niet gaat vertellen dat ze in de problemen zit.'

'Ik zou zeggen dat ze op het randje balanceert.'

'Hè, nee toch.'

'Hoe goed ken je haar?'

'Maak daar maar verleden tijd van. Ik heb mijn werk gedaan en daarna hebben onze wegen zich gescheiden.'

'Sinds wanneer?'

'Vanmiddag. Wat heeft ze uitgevoerd?'

'Tot dusver nog niets, maar het scheelt niet veel.'

'Hoe bedoel je?'

'Ze heeft een seksuele relatie met Alan Beckwith, de knaap die je hier maandagavond ontmoet hebt.'

'Ik weet wanneer ik hem ontmoet heb, maar wat heb jij daarmee te maken?' Ik hoorde een zweem van vijandigheid in mijn toon kruipen toen de implicatie van zijn woorden tot me doordrong. Kennelijk had iemand mij in de gaten gehouden op dezelfde avond dat ik Reba met Beck in de weer had gezien.

'Wat doe je kribbig.'

'Sorry. Dat was niet de bedoeling.' Ik haalde diep adem. 'Ik begrijp gewoon niet wat jij ermee te maken hebt. En laat me er nou niet naar raden. Daar heb ik een bloedhekel aan.'

Cheney glimlachte. 'Ik sta in contact met een paar mensen die in hem geïnteresseerd zijn. En indirect ook in haar. Je moet wel begrijpen dat dit allemaal uiterst vertrouwelijk is.'

'Ik zwijg als het graf,' zei ik.

'Weet je iets van Beck af?'

'Helemaal niets. Wacht even, dat is niet helemaal waar. Ik weet dat zijn vader eigenaar was van het Clements Hotel, dus ik neem aan dat de man in zijn tijd een invloedrijke figuur was.'

'Reken maar. Alan Beckwith senior is steenrijk geworden met

een aantal franchiseketens, voornamelijk op vastgoedgebied. Junior is ook succesvol, maar hij kan niet in de schaduw van zijn vader staan. Beck heeft nooit helemaal aan de verwachtingen kunnen voldoen. Zijn vader schijnt hem dat nooit te hebben verweten, maar Beck was er zich terdege van bewust. Zijn vader ging naar Harvard, waar hij afstudeerde als de op vier na beste van zijn jaar. De academische carrière van Beck was middelmatig. De onderwijsinstelling die hij bezocht was goed, maar wel van de tweede garnituur. Hij behaalde een graad in de bedrijfskunde, maar qua resultaten zat hij niet eens bij de beste 25 procent. Zo was het nu eenmaal. Zijn prestaties waren bescheiden, vergeleken met die van zijn vader, en ik neem aan dat dat hem steeds meer dwars begon te zitten naarmate hij ouder werd. Hij was zo'n type dat zwoer dat hij op zijn veertigste multimiljonair zou zijn. Op zijn dertigste stagneerde zijn carrière en hij ging wanhopig op zoek naar manieren om alsnog zijn doel te bereiken. Ken je het gezegde "Geld is alleen maar een manier om de score bij te houden"? Nou, Beck nam dat ter harte. Vijf, zes jaar geleden werd zijn voornaamste doel, rijker te worden dan zijn vader. Aangezien hem dat op een eerlijke manier niet lukte, nam hij zijn toevlucht tot clandestiene praktijken. Hij realiseerde zich dat hij heel wat meer kon verdienen als hij zijn diensten aanbood aan mensen die over grote hoeveelheden zwart geld beschikten.'

'Witwasoperaties?'

'Precies. Beck blijkt talent te hebben voor financiële malversaties. Aangezien hij handelt in onroerend goed in het duurdere segment, beschikte hij al over de benodigde infrastructuur. Er zijn genoeg manieren om met geld te knoeien als je onroerend goed koopt en verkoopt, maar het gaat allemaal niet zo vlot en er komt te veel administratieve rompslomp aan te pas. Bij het witwassen van geld is het zaak zo weinig mogelijk administratieve sporen achter te laten en zo veel mogelijk brandmuren op te trekken tussen jou en de oorsprong van het geld. Zijn eerste pogingen waren klunzig, maar hij wordt er steeds beter in. Nu heeft hij een Panamese brievenbusmaatschappij opgericht, genaamd Clements Unlimited. In landen als Panama kun je een hoop geld verstoppen omdat de wetten op het bankgeheim daar heel strikt zijn. In 1941 volgden ze het voorbeeld van de Zwitsers en stapten ze over op rekeningen onder codenummer. Jammer genoeg voor de schurken zijn dergelijke rekeningen niet meer wat ze geweest zijn. Zwitserse banken bieden niet meer hetzelfde beschermingsniveau nadat ze zo onder vuur zijn komen te liggen vanwege het feit dat ze criminelen de hand boven het hoofd hielden. Ze hebben eindelijk de noodzaak onder ogen gezien van samenwerking met het internationale bankwezen en dat heeft geleid tot het ondertekenen van verdragen met een groot aantal andere landen. In feite hebben ze hun medewerking toegezegd als er bewijzen zijn van criminele activiteiten. Panama is daar veel terughoudender in. Ze hebben daar juristen die aan de lopende band vennootschappen oprichten en die verkopen aan klanten die de Belastingdienst te slim af willen zijn.'

'Je hebt het nu over lege vennootschappen, nietwaar?'

Hij knikte. 'Je kunt een nepvennootschap naar je eigen specificaties creëren of je kunt er een kant-en-klaar kopen. Als dat eenmaal in orde is, sluis je via die lege vennootschap geld vanuit de Verenigde Staten naar het financiële belastingparadijs van je keuze. Of je kunt ergens in het buitenland een trustmaatschappij oprichten. Of je doet wat Beck gedaan heeft, namelijk een bestaande bank overnemen en deposito's accepteren.'

'Van wie?'

'Daar informeert hij niet al te diepgravend naar, maar zijn grootste cliënt is een grote drugsdealer uit Los Angeles, die zogenaamd handelt in gebruikt goud. Beck wast ook geld wit voor een groot pornobedrijf en een syndicaat dat in San Diego County een netwerk van prostituees en bordelen runt. De grote jongens in de seksbranche strijken miljoenen in contanten op, maar wat kunnen ze met dat geld doen? Als je het laat rollen, gaan de buren zich afvragen waar al dat geld vandaan komt. En dat geldt ook voor de Belastingdienst en nog een half dozijn andere overheidsinstanties. Er is nooit een tekort aan mensen die oneerlijk verdiend geld willen witwassen. Het mooie, vanuit Becks perspectief, is dat datgene wat hij doet, tot voor kort op zich niet illegaal was.'

'Dat meen je niet.'

'Nou en of. Vorig jaar heeft het Congres een wet aangenomen waarin het witwassen van geld aan banden wordt gelegd. Vóór die tijd zouden dezelfde transacties wellicht aanleiding zijn geweest voor een onderzoek of een vervolging op grond van een of andere verordening, maar het witwassen zelf was niet strafbaar. Sorry dat ik zo lang van stof ben.'

'Hindert niet. Het meeste hiervan is nieuw voor me.'

'Voor mij ook. Volgens mijn informatie werd de grondslag gelegd in 1970 toen de wet op het bankgeheim aangenomen werd. In die wet werden meldingsregels vastgesteld voor financiële instellingen: banken, makelaarskantoren, valutabedrijven, elke organisatie die travellercheques en postwissels en dat soort zaken in omloop brengt. Die zijn verplicht om bepaalde transacties binnen vijftien dagen aan te melden bij het ministerie van Financiën door middel van een zogenaamd Currency Transaction Report – een CTR – voor elke transactie van meer dan tienduizend dollar. Kun je het nog volgen?'

'Zo'n beetje. Hoe weet je dat allemaal?'

'Het meeste heb ik de afgelopen twee maanden opgepikt van mijn vriend bij de Belastingdienst. Hij zegt dat er naast het CTR ook nog een Currency and Monetary Instrument Report bestaat, het CMIR. Dat is voor de mensen die geld in contanten ontvangen of transporteren – het vervoeren, verzenden, verschepen – en opnieuw geldt dat voor elk bedrag hoger dan tienduizend dollar. Er bestaat een apart formulier voor casino's, maar daar hoeven we ons in dit geval niet druk over te maken. Voorzover we weten, onderhoudt Beck geen banden met goksyndicaten, hoewel dat ook een aardige manier is om grote hoeveelheden contanten wit te wassen.

De regering gaat ervan uit dat financiële instellingen de geldstromen controleren. Uiteraard is er niets onwettigs aan het overmaken van grote sommen geld zolang alle benodigde formulieren maar worden ingevuld. Als je je daaraan probeert te onttrekken, stel je je bloot aan zware straffen; aangenomen dat je gepakt wordt, uiteraard. Beck zorgde ervoor dat hij bevriend raakte met een aantal bankmanagers, en een tijdlang kocht hij een van hen om om de andere kant op te kijken. Die bankmanager vulde dan het vereiste CTR in en deponeerde een kopie in het archief, maar in plaats van het origineel naar de Belastingdienst op te sturen, haalde hij het door de papierversnipperaar. Het probleem is dat banken de neiging hebben dit soort medewerkers op gezette tijden over te plaatsen naar een ander filiaal, en Beck raakte zijn medeplichtige kwijt. Dat was ook de oorzaak dat hij de aandacht van de Belastingdienst trok. Een nieuwe manager van de Santa Teresa Savings and Loan Bank viel een patroon van kleine stortingen op waarvan hij vrij zeker was dat ze verband hielden met Beck of Becks maatschappij. Hij deelde grote stortingen op in een serie kleinere transacties, in de hoop de tienduizend-dollarbepaling te omzeilen. Dat is de fundamentele manoeuvre bij elke witwasoperatie. Het wordt structureren, of "smurfen", genoemd. Beck had een complete ploeg smurfen in dienst, die hier in de stad van de ene bank naar de andere gingen – soms van de ene stad naar de andere – waar ze cheques aan toonder of postwissels kochten in kleinere bedragen – tweeduizend, vijfduizend, soms wel negenduizend, maar nooit boven de tienduizend dollar. Al die kleinere bedragen werden vervolgens gestort op één enkele rekening, waarna Beck het totaalbedrag telegrafisch liet overmaken naar een paar banken in het buitenland. Vandaar sluisde hij het in respectabeler vorm weer terug naar zijn cliënten.

Hoe dan ook, terwijl dat alles zich afspeelde, volgde de drugsbestrijdingsdienst, de DEA, de geldstroom van de andere kant, waarbij ze fondsen traceerden van een kartel dat marihuana en cocaïne in Los Angeles importeert. Op een gegeven moment kruisten die twee geldstromen elkaar en ging er een rode vlag omhoog. Ik had die rechercheur van de Belastingdienst een jaar of vier geleden ontmoet op een conferentie in Washington. Kort daarop werd hij toegevoegd aan de vestiging in Los Angeles om de task force te coördineren. Zodra Becks naam opdook, concentreerde de aandacht zich op hem. De rechercheur, Vince Turner, vroeg mij om als plaatselijke verbindingsman te fungeren. Zijn mensen houden zich zo veel mogelijk gedeisd omdat de FBI bezig is de zaak tegen Beck rond te krijgen zonder dat hij er de lucht van krijgt.'

'Nou, succes ermee. In deze stad?'

'Daar zijn we ons terdege van bewust,' zei hij. 'Tot dusver onderscheppen ze zijn post en doorzoeken ze zijn vuilnis, en hij wordt constant in de gaten gehouden. Waar ze nu behoefte aan hebben is een informant, en daar doet Reba Lafferty haar intrede.'

Ik maakte een ongeduldig gebaar. 'Kom nou! Ze is verliefd op de man. Ze zou er niet over piekeren om hem te verlinken.'

'Daar zou ik maar niet zo zeker van zijn...'

'Daar ben ik wél zeker van. Ze is dolverliefd op hem. Daardoor heeft ze zich de afgelopen twee jaar op de been weten te houden. Ze schreven en belden elkaar twee keer per week. Zo heeft ze het overleefd. Dat heeft ze me zelf verteld.'

'Laat me nou even uitpraten,' zei hij. 'Je kent de achtergrond van deze geschiedenis?'

'Natuurlijk. Ze heeft zijn bedrijf over een periode van twee jaar enkele honderdduizenden dollars lichter gemaakt...'

'Terwijl zij en Beck een relatie hadden,' zei hij.

'Dat weet ik. En wat dan nog?'

'Vind je het gezien de omstandigheden niet vreemd dat hij het, zodra ze vrijkomt, weer met haar aanlegt?'

'Eigenlijk wel, ja. Daar heb ik haar ook naar gevraagd. Ze beweert dat hij haar vergeven heeft. Ze zegt dat hij wist dat ze zelfdestructieve neigingen had en dat ze er niets aan kon doen. Of woorden van gelijke strekking.'

Hij schudde het hoofd. 'Daar geloof ik niks van. Vind ik niet echt aannemelijk.'

'Ik zeg ook niet dat het zo gegaan is. Ik vertel je alleen maar wat ze tegen mij heeft gezegd. Ik ben het met je eens. Het valt moeilijk te geloven dat Beck haar de andere wang zou toekeren. Dus hoe zit het nou precies? Ik neem aan dat jij iets weet wat ik niet weet.'

Cheney boog zich voorover en liet zijn stem dalen. Ik boog mijn hoofd dichter naar het zijne en voelde zijn adem tegen mijn wang terwijl hij sprak. 'Zij heeft zich voor hem opgeofferd. Hij liet haar de boekhouding opzetten voor een paar nepbedrijven. Ze factureerde voor niet geleverde goederen en diensten, en schreef vervolgens cheques uit aan crediteuren. Die tekende hij dan en zij verstuurde ze naar een postbus. Later haalde ze ze op en stortte ze het geld op een neprekening. Soms maakte hij het geld telegrafisch over naar het buitenland of ze nam het geld zelf op en speelde het naar hem door.'

'Ik snap het niet. Waarom steelt hij van zichzelf?'

'Hij moet mensen betalen en op deze manier dekt hij zich in. Hij kan geen grote hoeveelheden cash overhevelen zonder verklaring. Als hij ooit een accountantscontrole krijgt, zal de Belastingdienst willen weten waar het geld naartoe is gegaan. Hij dacht het feit dat hij het liet verdwijnen, te kunnen verhullen door het eruit te laten zien als legitieme zakelijke onkosten.'

'Waarom gebruikte hij geen geld van een van zijn buitenlandse rekeningen?'

'Wie zal het zeggen? Tegen die tijd had hij trouwens alweer een paar nieuwe plannetjes bedacht en hij wilde het graag over een andere boeg gooien. Hij wist Reba zo gek te krijgen om de bak in te draaien voor die verdwenen 350.000 dollar en hem konden ze niets maken. Ze beweerde dat ze al het geld vergokt had, en wie kon het tegendeel bewijzen? Het punt is dat ze altijd al een gokprobleem gehad heeft en dat ze regelmatig uitstapjes naar Vegas en Reno maakte, wat hem uiteraard bijzonder goed uitkwam.'

'Maar hoe heeft hij haar zo gek weten te krijgen?'

'Op dezelfde manier waarop kerels vrouwen alles kunnen laten doen. Hij heeft haar het paradijs beloofd.'

'Ik kan gewoon niet geloven dat ze voor hem naar de gevangenis is gegaan. Wat een idioot.'

Cheney haalde zijn schouders op. 'Mijn vriend bij de Belastingdienst zegt dat ze indertijd overwogen hebben om haar te benaderen en haar een deal aan te bieden, maar ze waren toen net begonnen hun zaak tegen Beck op te bouwen en ze vonden het te riskant. Nu bevindt de zaak zich in een kritieke fase; ze hebben een insider nodig en dat is zij.'

'Beck zal ongetwijfeld een boekhouder en accountants in dienst hebben. Waarom niet een van hen?'

'Ook daar wordt aan gewerkt, bij wijze van alternatief plan.'

'Nou, dan mogen ze wel flink doorwerken. Als Reba twee jaar voor Beck in de gevangenis heeft gezeten, waarom zou ze zich dan nu tegen hem keren?'

'Je weet dat hij getrouwd is...'

Ik voelde mijn ongeduld toenemen. 'Natuurlijk. En Reba weet dat ook. Hij zegt dat het een verstandshuwelijk is. Volgens mij is dat een rotsmoes en dat heb ik haar ook gezegd, maar ik had net zo goed tegen een muur kunnen praten.'

'Ze houdt zichzelf gewoon voor de gek. Als je Beck en zijn vrouw samen ziet – haar naam is Tracy, tussen haakjes – is er niets wat erop wijst dat hij geen toegewijd echtgenoot is. Het zou toneelspel van zijn kant kunnen zijn, maar zo ziet het er niet uit.'

'Zo zijn kerels nu eenmaal...'

'Hé, vrouwen zijn net zo, hoor. Percentagegewijs gaan vrouwen waarschijnlijk meer vreemd dan mannen.'

'Moet je ons nou toch eens horen. Het is gewoon treurig. Hoe zijn we zo cynisch geworden?'

Cheney glimlachte. 'Dat brengt ons werk met zich mee.'

'Denk je dat Tracy het weet van Reba?'

'Moeilijk te zeggen. Beck zwemt in het geld en hij behandelt haar als een koningin. Misschien is het vanuit haar standpunt bezien slimmer om de andere kant op te kijken. Of misschien weet ze het en zal het haar een rotzorg zijn.'

'Nou, Reba is ervan overtuigd dat zijn vrouw nergens van weet, en bovendien, als Tracy erachter komt, zal ze zich niet alleen van hem laten scheiden, maar hem ook nog eens het vel over de oren halen.'

'Hoe zou ze dat moeten doen? Hij heeft zijn geld veilig weggezet op bankrekeningen over de hele wereld. En sommige daarvan zijn banken die hij zelf bezit. Ze zou geconfronteerd worden met dezelfde nachtmerrie als wij, namelijk hoe je zijn activa op het spoor kunt komen. Reba is daar tot in detail van op de hoogte. Zij zou ons al die geheime informatie kunnen verschaffen, als we haar aan onze kant weten te krijgen.'

'Voor hetzelfde geld heeft hij alles veranderd terwijl zij in de nor zat.'

'Waarom zou hij dat doen? Hij zou van tactiek kunnen veranderen, maar die rekeningen bestaan al jaren. Het opzetten van een bank in het buitenland is een dure grap. Hij gaat heus niet helemaal opnieuw beginnen tenzij het echt niet anders kan. Daarom maakt de FBI zich zoveel zorgen dat hij de lucht van hun voorgenomen actie krijgt. Ze willen niet dat hij in paniek raakt voordat ze gereed zijn om toe te slaan.'

'Wat willen ze van haar?'

'Harde gegevens, banken, rekeningnummers, waar ze ook maar de hand op kan leggen. Een deel van die informatie hebben ze al, maar ze hebben behoefte aan bevestiging, plus datgene wat zij eventueel allemaal weet dat zij nog niet weten.'

'Maar waarom zou ze dat doen? Jullie hebben haar niets te bieden. Als je haar vraagt om jullie te helpen, gaat ze onmiddellijk naar hem toe.'

Cheney stak een hand in de binnenzak van zijn colbert en haalde een stevige bruine envelop te voorschijn die hij over het tafeltje schoof.

'Wat is dit?'

'Kijk maar.'

Ik maakte de envelop open. Binnenin zat een serie korrelige zwartwitfoto's van Beck, waarschijnlijk gemaakt met een telelens. Op twee van de foto's was het gezicht van degene in zijn gezelschap niet duidelijk, maar het leek dezelfde vrouw te zijn. De foto's waren gemaakt bij vijf verschillende gelegenheden, te oordelen naar de data en tijdstippen die in de rechterbenedenhoek van elke afdruk vermeld stonden. Allemaal waren ze in de loop van de afgelopen maand gemaakt. De laatste foto was een opname van hen beiden terwijl ze een motel dat ik herkende verlieten, aan Upper State Street. Ik schoof de foto's weer in de envelop. 'Wie is die vrouw?'

'Haar naam is Onni. Ze is Reba's beste vriendin. Hij gaat al met haar naar bed vanaf het moment dat Reba in het CIW belandde.'

'Wat een klootzak,' zei ik. 'En ik word verondersteld haar die foto's te laten zien in de hoop haar over te halen hem te verlinken?'

'Inderdaad.'

Ik schoof de envelop met foto's naar hem toe. 'Jullie kunnen een beroep doen op alle overheidsinstanties van de Verenigde Staten. Zoek maar iemand anders om jullie vuile werk op te knappen.'

'Hoor nou eens, ik begrijp best wat je bedoelt, maar dit is echt heel belangrijk. Wat Beck doet is...'

'Ik weet wat hij doet. En kom me nou niet aan met die flauwekul van "witwassen is heel erg slecht". Dat weet ik ook wel. Ik zie niet in waarom ik degene zou moeten zijn die Reba overhaalt om hem de das om te doen.'

'Wij zijn mannen. Wij kennen haar niet zo goed als jij. Bel haar nou gewoon en praat met haar. Jou vertrouwt ze.'

'Dat doet ze helemaal niet. Ze mag me niet eens. Ze werd echt pisnijdig op me toen ik haar de waarheid probeerde te zeggen. En dan zou ik haar nu ineens moeten opbellen? Ze zou meteen doorhebben dat ik iets in mijn schild voerde. Ze mag dan wel een idioot zijn, maar ze is niet op haar achterhoofd gevallen.'

'Wil je er alsjeblíéft over nadenken voordat je een besluit neemt?'

Ik stond op en schoof mijn stoel naar achteren. 'Oké. Ik zal erover nadenken. Maar voorlopig ga ik eerst naar huis om een douche te nemen.'

10

Ik sliep niet goed. Mijn ontmoeting met Cheney Phillips had een sombere stemming teweeggebracht die tot in mijn dromen leek door te dringen. Ik werd dikwijls wakker en staarde dan door het dakraam naar de bewolkte nachthemel. Zijn voorstel had in elk geval tot gevolg gehad dat de aantrekkingskracht die hij op me uitoefende, verminderd was. Reba was van nature kwetsbaar en viel nauwelijks stabiel te noemen, geneigd als ze was om haar koers te wijzigen, gehoor gevend aan haar innerlijke roerselen. Tot dusver leek het redelijk goed met haar te gaan, maar ik wilde liever niet op mijn geweten hebben dat ze in een neerwaartse spiraal terechtkwam nu ze net weer vaste grond onder de voeten had. Ze was nu twee dagen vrij. Wat zou ze doen als ze dit te weten kwam? Ze zou er helemaal kapot van zijn. Aan de andere kant, ze klampte zich helemaal vast aan een schooier, dus wat moest ik nou? Vroeg of laat zou ze de waarheid onder ogen moeten zien. Was het beter om haar die nu te vertellen, nu het misschien nog niet te laat was om tot bezinning te komen?

Om 5.59 uur zette ik mijn wekker uit en trok mijn joggingspullen aan. Ik voerde mijn gebruikelijke ochtendroutine uit: tanden poetsen, water over mijn gezicht plenzen, jammeren over mijn haar, dat alle kanten op stak. Ik bond mijn huissleutel aan mijn schoenveter, trok de voordeur achter me dicht, en begon in een flink tempo in de richting van het fietspad te wandelen dat evenwijdig aan het strand loopt.

Even later zette ik het op een draf, terwijl al mijn spieren protesteerden. Mijn voeten voelden loodzwaar aan, alsof iemand gewichten van vijf kilo aan mijn schoenzolen bevestigd had. De zon was al op en bij wijze van uitzondering was er eens geen sprake van mist. Het beloofde een fraaie dag te worden, helder en zonnig. Boven het geluid van de branding uit hoorde ik het blaffen van een zeeleeuw, waarschijnlijk een of ander oud en grijs mannetje dat zich op een markeerboei had geïnstalleerd. In de hoop mijn depressie van me af te schudden, voerde ik het tempo op, mijn blik gericht op het badhuis dat mijn keerpunt vormde. Tegen de tijd dat ik aan de terugweg begon, voelde ik me nog niet direct luchthartig, maar ook niet meer zo levenloos.

De laatste paar honderd meter legde ik in wandeltempo af bij wijze van *cooling-down*. Toen ik bij mijn appartement aankwam, zag ik Matties auto op Henry's garagepad staan. Joepie! Ik ging naar binnen, nam een douche, kleedde me aan en at een kom cornflakes. Toen ik op weg ging naar mijn kantoor, snoof ik de verleidelijke geur van bacon en eieren op die over de patio kwam aandrijven. Henry's keukendeur stond open en door de hordeur heen hoorde ik gelach en gepraat. Ik glimlachte terwijl ik me voorstelde hoe ze samen aan het ontbijt zaten. Het was heus niet zo dat ik dacht dat ze de nacht samen hadden doorgebracht. Hij is een veel te fatsoenlijk man om haar reputatie op enigerlei wijze in gevaar te brengen, maar een samenkomst vroeg in de ochtend was toch wel een hoopvol teken.

Ik liep de tuin door en klopte op het deurkozijn. Hij keek op en nodigde me uit om binnen te komen, hoewel zijn toon niet zo opgewekt was als ik gehoopt had. Terwijl ik naar binnen stapte, dacht ik bij mezelf 'O, o'. Henry droeg zijn gebruikelijke witte T-shirt, kakikleurige korte broek en slippers. De keuken toonde alle tekenen van een recente maaltijd: vuile koekenpannen en kommen, een verzameling kruiden in de buurt van het fornuis. Serviesgoed en bestek lagen in de gootsteen, en de eetbar was bedekt met toastkruimels. Henry stond aan het aanrecht water te tappen voor een verse pot koffie, terwijl Mattie aan de keukentafel druk zat te praten met William en Lewis.

In een flits drong de situatie tot me door en ik voelde een lichte huivering door me heen trekken. William had dit bekokstoofd. Hij had de pest in gekregen over Henry's houding ten opzichte van Mattie. Lewis werd niet gehinderd door dergelijke scrupules. Ik wist dat William over de telefoon met Lewis had gesproken, maar daar had ik verder nauwelijks bij stilgestaan. Nu had ik visioenen van William die Lewis overreedde om hierheen te komen, in de veronderstelling dat Henry's competitieve gevoelens daardoor aangewakkerd zouden worden. In plaats daarvan reageerde Henry als een puber, teruggetrokken en onzeker toen hij geconfronteerd werd met de bravoure van zijn broer. Misschien kon het William niet schelen welke van zijn broers met Mattie aan de haal ging, zolang het maar een van beiden was.

Voorzover ik op de hoogte was van de familiegeschiedenis, was Lewis – twee jaar ouder dan Henry – op het gebied van de liefde altijd haantje de voorste geweest. Noch Lewis noch Henry was ooit getrouwd, en hoewel ik hen over dat onderwerp niet had uitgehoord, was er één verwijzing die ik me herinnerde. In 1926 had Henry Lewis' vriendin van hem afgepikt. Henry beweerde dat Lewis die belediging nooit helemaal te boven was gekomen. Naar het zich liet aanzien achtte Lewis nu dan eindelijk de tijd gekomen voor een vergeldingsactie. Hij had zich met zorg gekleed, driedelig kostuum, gesteven wit overhemd, zijn schoenen gepoetst, een scherpe vouw in zijn broek. Evenals zijn twee jongere broers had Lewis nog al zijn haar en bijna al zijn tanden en kiezen. Ik zag hem zoals Mattie hem ook moest zien, knap, attent, zonder Henry's gereserveerdheid. De twee broers hadden haar ontmoet tijdens een cruise in de Caribische Zee en Lewis had haar onophoudelijk het hof gemaakt. Hij had zich opgegeven voor Matties aquarelleercursus, en hoewel hij er niet veel van terecht had gebracht, had ze bewondering gehad voor zijn enthousiasme en doorzettingsvermogen. Henry beweerde dat hij alleen maar aan het flirten was, maar Mattie dacht daar anders over. En nu kwam hij plotseling weer in beeld, net nu Henry vorderingen begon te maken.

'Koffie?' vroeg Henry me. Zelfs zijn stem klonk gekwetst, hoewel hij dat zo goed mogelijk probeerde te verbergen.

'Graag, dank je.'

'Mattie? Ik heb verse gezet.'

'Heerlijk,' zei ze, afgeleid door de anekdote die Lewis net aan het vertellen was. Henry luisterde niet. Hij had het verhaal waarschijnlijk al eerder gehoord en kende de afloop. Ik was zozeer op Henry gefixeerd dat ik er zelf ook niet veel van hoorde. Lewis was bij de pointe aangeland en William en Mattie barstten in lachen uit.

Ik ging aan de keukentafel zitten en toen de vrolijkheid wegebde, keek ik Mattie aan. 'Wat zijn de plannen voor vandaag? Gaan jullie samen iets doen?'

'O, nee. Ik kan niet blijven. Ik heb verplichtingen thuis.'

Lewis sloeg met zijn vlakke hand op de tafel. 'Onzin! Er is een expositie in het museum. Ik heb er in de krant over gelezen en ik weet zeker dat je die graag wilt zien.'

'Wat voor expositie?'

'Glasblaaskunst. Buitengewoon. Het is een reizende expositie die je volgens de recensent niet mag missen. Blijf daar dan in elk geval voor. Daarna zouden we een hapje kunnen gaan eten in een Mexicaans restaurant in de passage vlak bij het museum. Er is daar ook een galerie die zeer de moeite waard is. Je zou met de eigenaresse over je werk kunnen praten. Misschien is ze wel bereid om je te vertegenwoordigen.'

William deed ook een duit in het zakje. 'Prima idee. Ga er nou niet meteen weer vandoor. Neem wat tijd voor jezelf.' Hij straalde als een moeder tijdens een balletvoorstelling waar haar kind aan meedoet.

Ik zei: 'Eh, Henry? Kan ik je heel even spreken? Ik heb een probleempje thuis.'

'Wat voor probleem?'

'Het is iets wat ik je moet laten zien. Het is zo gebeurd.'

'Kan het niet een andere keer? Ik kijk er straks wel even naar.'

'Eigenlijk niet,' zei ik, in de hoop dat hij aan mijn toon zou horen dat het menens was.

Het was me niet helemaal duidelijk of zijn reactie gelaten of geïrriteerd was. Hij wendde zich tot Mattie. 'Je vindt het niet erg als ik heel even wegga?'

'Nee hoor. Ik kan de keuken opruimen terwijl je weg bent.'

'Dat is niet nodig,' zei Henry. 'Dat doe ik zelf wel als ik terugkom.'

'Doe maar rustig aan,' zei Lewis op luchtige toon. 'We maken de boel hier keurig aan kant en daarna gaan we een strandwandeling maken. Mattie heeft wat frisse lucht nodig. Het is hier bloedheet.'

Henry wierp Lewis een kille blik toe. 'Als het jou hetzelfde is, maak ik de keuken liever zelf schoon.'

Lewis trok een gezicht. 'Hè, doe toch niet zo moeilijk. Je lijkt wel een oud wijf. Je hoeft echt niet bang te zijn voor je kostbare spulletjes. Ik beloof je dat we alle kruiden in alfabetische volgorde zullen laten staan. Ga jij nou maar. Wij redden ons wel.'

Henry bloosde gegeneerd. Ik gaf hem een arm en liep met hem naar de deur. Ik voelde dat hij zich enerzijds wilde verdedigen en anderzijds maar al te graag aan de kwelling wilde ontsnappen. Ik geloofde niet dat Mattie een spelletje speelde. Haar genegenheid voor beide broers was ongetwijfeld oprecht. Ze was gewoon niet ingesteld op de rivaliteit tussen hen beiden.

De hordeur viel achter ons dicht en we liepen naar mijn appartement. Zodra we binnen waren, keek Henry met norse blik om zich heen, op zoek naar het probleem waarvoor ik hem weggeroepen had. 'Ik hoop niet dat het de leidingen zijn. Ik ben niet in de stemming om onder de vloer te kruipen.'

'Er is helemaal geen probleem. Ik moest je daarvandaan halen. Je moet je nodig even ontspannen. Je moet je niet zo laten opfokken door Lewis.'

Hij keek me met een onbewogen gezicht aan. 'Ik weet niet waar je het over hebt.'

Het was me niet duidelijk of hij werkelijk zo stompzinnig was of dat hij onwetendheid veinsde om het onderwerp uit de weg te gaan. 'Dat weet je best. Lewis is aan het flirten, maar dat doet hij met elke vrouw. Dat heeft niets te betekenen. Jij bent veel charmanter en knapper dan hij. En trouwens, jij bent degene die ze kwam opzoeken. Je kunt hem niet zomaar onder jouw duiven laten schieten.'

'Wat nou duiven schieten?'

'Je weet best wat ik bedoel. Ze neemt gewoon de weg van de minste weerstand. Dat wil niet zeggen dat ze hem leuker vindt dan jou.'

'Daar zou ik maar niet zo zeker van zijn. Mattie kon geen tijd voor me vrijmaken. Maar als hij dan een uitje voorstelt, heeft ze plotseling alle tijd van de wereld.'

'Maar jij had toch net zo goed iets kunnen voorstellen?'

'Dat heb ik ook gedaan. Ik heb voorgesteld dat we samen zouden ontbijten.'

'En daar stemde ze in toe. Het enige wat ik niet begrijp is hoe Lewis en William hier ook terechtgekomen zijn.'

'Een opmerkelijke samenloop van omstandigheden. Die twee maakten hun ochtendwandeling en kwamen "toevallig" net hier langs toen Mattie aan kwam rijden. Ze kwamen even binnen voor een praatje en uiteraard nodigde zij hen uit om samen met ons te ontbijten. En nu is ze van plan de rest van de dag met hém door te brengen.'

'Dat heeft ze niet gezegd. Wat is er met je aan de hand? Oké, Lewis kwam met een plan. En wat dan nog? Bedenk een beter plan en laat je niet de kaas van het brood eten.'

'Het is Matties eigen beslissing. Lewis is opdringerig en probeert voortdurend haar aandacht te trekken. Hij gedraagt zich alsof hij een jongetje van acht is.'

'Tja, daar heb je gelijk in,' zei ik. 'Hij probeert jou de loef af te steken.'

'Precies. En het is gewoon stuitend, volwassen mannen die om haar bakkeleien als honden om een kluif. Een heer dringt zich niet op en respecteert het recht van een dame om zelf te kiezen.'

'Mattie kiest niet. Ze probeert alleen maar aardig te zijn.'

'Prima. Ze kan net zo aardig zijn als ze maar wil. Het zij verre van mij om me daarmee te bemoeien.'

'Hè, kom op, Henry. Waarom doe je nou zo?'

'Zo ben ik nu eenmaal.'

'Koppig en trots.'

'Ik vertik het om mijn karakter te verloochenen.'

'Je hoeft je karakter ook niet te verloochenen. Je hoeft alleen je houding maar te veranderen.'

'Daar begin ik niet aan. Als ze zich zo gemakkelijk laat inpalmen door zijn geflirt, zoals jij het zo treffend typeert, dan heb ik haar misschien wel verkeerd beoordeeld. Ik verkeerde in de veronderstelling dat ze een verstandige en integere vrouw was. Hij is ijdel en oppervlakkig en als ze zich daartoe aangetrokken voelt, nou, het zij zo.'

'Zeg, doe nou eens niet zo verongelijkt. Zo reageer je alleen maar om de strijd niet te hoeven aangaan. Je denkt dat je het, als je het op een confrontatie aan laat komen, tegen hem af zult leggen, maar dat is gewoon niet waar.'

'Je weet helemaal niet wat ik denk.'

'Oké. Je hebt gelijk. Waarom vertel je me dat dan niet?'

'Dat doet helemaal niet terzake. Mattie heeft haar voorkeuren en ik heb de mijne.'

'Voorkeuren?'

'Inderdaad. Ik geef er de voorkeur aan, geaccepteerd te worden om wie ik ben. Ik wens anderen niet voor te schrijven hoe ze zich moeten gedragen en ik laat me ook door anderen niet voorschrijven hoe ik me dien te gedragen.'

'Wat heeft dat met Lewis te maken?'

'Zij vindt hem onderhoudend. Ik niet. En bovendien vind ik zijn plotselinge verschijning uitermate verdacht.'

'O, ja?' zei ik. Ik voelde er weinig voor mijn eigen vermoedens met betrekking tot William uit te spreken tenzij Henry ze eerst onder woorden bracht.

Henry vervolgde: 'Ik geloof dat ze Lewis over de telefoon gesproken heeft en dat dat de reden is waarom hij het vliegtuig hiernaartoe genomen heeft.'

'Hoe kom je daar zo bij?'

'Hij leek niet in het minst verbaasd haar hier aan te treffen, wat inhoudt dat hij het van tevoren wist. En hoe had hij dat kunnen weten, tenzij zij het hem zelf heeft verteld?'

'Hij zou het van iemand anders gehoord kunnen hebben.'

'Van wie dan wel?'

'Rosie.'

'Waarom zou Rosie met Lewis praten? Ze praat nauwelijks met mij.'

'William dan. Hij zou het terloops vermeld kunnen hebben.'

'Ik zie dat je het beslist voor haar op wilt nemen.'

'Ik probeer je alleen maar wat realiteitszin bij te brengen. Niemand smeedt complotten achter je rug. Nou ja, Lewis misschien, maar Mattie niet. Je weet wel beter.'

'Je suggereert dat ik paranoïde ben, maar dit heb ik me toch niet verbeeld. Het was Matties bedoeling om samen met mij te ontbijten en dan rechtstreeks naar huis te rijden. Lewis kwam ter plekke met een voorstel voor een uitje en nu stelt ze haar terugreis uit. Ja of nee?'

'Nee.'

'Ja.'

'Laten we nou niet gaan bekvechten. Ik geloof niet dat er iets aan de hand is, maar jij wel, dus laten we er maar over ophouden. Mijn enige punt... nou ja, ik weet niet eens wat mijn enige punt is. Mijn enige punt is dat je het niet zomaar op moet geven. En verder zeg ik er niets meer over.'

'Mooi zo. Als je me nu wilt excuseren, ik moet terug naar mijn keuken en mijn oudewijvenmanieren.'

Ik reed naar mijn kantoor en installeerde me achter mijn bureau. Voorwaar, het was rustgevender om over misdaad na te denken dan over menselijke wezens die verliefd waren. Ik was bezig Henry te bewegen tot datgene wat ik Reba juist uit het hoofd probeerde te praten, en geen van beiden wilde naar me luisteren. Maar ja, waarom zouden ze ook? Ik heb van elke relatie die ik ooit gehad heb, een puinhoop gemaakt, dus zoveel is mijn advies nou ook weer niet waard.

Ik deed het raam open in de hoop wat frisse lucht binnen te laten. De thermometer buiten op het raamkozijn gaf 23 graden aan. Voor mijn gevoel was het warmer. Ik ging weer zitten, leunde achterover in mijn draaistoel en legde mijn voeten op het bureau. Met een ontevreden gevoel nam ik mijn omgeving in me op. De ramen waren zo vuil dat ik nauwelijks naar buiten kon kijken. De vensterbank was smerig. Mijn nepplant zat onder het stof. Mijn bureau lag vol troep en de vuilnisbak zat propvol. Er stonden nog steeds onuitgepakte dozen sinds ik hier mijn intrek genomen had en dat was alweer vijf maanden geleden. Wat was ik toch een slons.

Ik kwam overeind en liep mijn keukentje in, waar ik uit het gootsteenkastje een emmer, een spons, en een flacon met een geel goedje dat eruitzag als chemisch afval, te voorschijn haalde. De rest van de ochtend hield ik me bezig met afstoffen, boenen, stofzuigen, poetsen en het uitpakken en opbergen van dingen. Tegen twaalven, toen ik verhit en moe en zweterig was, was mijn stemming er wat op vooruitgegaan. Maar dat duurde niet lang.

Er werd op de deur geklopt. Ik deed open en er stond een koerier op de stoep met een envelop in zijn hand. Ik tekende voor ontvangst en maakte hem open. Hij bevatte een cheque van Nord Lafferty ten bedrage van 1250 dollar ter voldoening van de rekening die ik hem de vorige dag had gestuurd. Volgens het begeleidende handgeschreven briefje had hij een bonus van 250 dollar toegevoegd omdat ik me zo goed van mijn taak gekweten had.

Daar was ik nog niet zo zeker van. In psychologisch opzicht voelde ik me door die bonus aan hem verplicht en prompt begon mijn geweten, dat ik gedacht had te sussen door al het schoonmaakwerk dat ik verricht had, weer te knagen. Opnieuw werd ik geconfronteerd met mijn dilemma. Moest ik Reba vertellen wat er aan de hand was of niet? En moest ik haar vader op de hoogte stellen? Ik had hem beloofd dat ik het hem zou laten weten als er sprake van was dat ze weer in de fout dreigde te gaan. Dat was, voorzover ik wist, nog niet het geval geweest, maar hoe zou ze reageren als ik haar over Beck en Onni vertelde? Waarschijnlijk zou ze volledig instorten. En als ik het haar niet vertelde en ze kwam er op de een of andere manier toch achter – wat niet bepaald denkbeeldig was in een stadje van deze omvang – dan zou dat de zaak er niet veel beter op maken. Ze had me gesmeekt om haar vader niet over Beck te vertellen, maar Reba was niet degene die ervoor zorgde dat ik mijn rekeningen kon betalen. Getuige deze cheque.

Ik probeerde een doorslaggevend principe te bedenken dat hier van toepassing zou kunnen zijn, een morele code die me bij mijn beslissing zou kunnen leiden. Ik kon er niet één bedenken. Vervolgens vroeg ik me af of ik überhaupt morele codes of principes had, wat mijn stemming er niet bepaald beter op maakte.

De telefoon ging. Ik nam op en zei: 'Wat?' Het kwam er lomper uit dan de bedoeling was geweest.

Cheney lachte. 'Je klinkt gestrest.'

'Nou, dat ben ik ook. Besef je wel in wat voor lastige situatie je me hebt gebracht?'

'Het spijt me. Ik begrijp dat het moeilijk voor je is. Wil je erover praten?'

'Waarover? Hoe we dat arme kind voor ons karretje hopen te spannen door haar te vertellen dat hij het met een ander heeft aangelegd?'

'Ik heb je verteld dat hij niet deugt.'

'Maar het deugt wel om haar op die manier voor het blok te zetten?'

'Als jij een andere suggestie hebt, houd ik me aanbevolen. God weet dat we liever geen zwaar geschut in stelling brengen, tenzij het echt niet anders kan. Die meid is al riskant genoeg.'

'Zeg dat wel. Het valt me op dat je het woord "we" gebruikt, dus ik neem aan dat je samenwerkt met de Belastingdienst.'

'We hebben het over een onderzoek naar zware criminaliteit. Ik ben politieman.'

'Nou, ik niet.'

'Zou je tenminste met mijn vriend bij de Belastingdienst willen praten?'

'Zodat die me nog wat meer onder druk kan zetten? Daar zit ik nou echt op te wachten. Ik heb het er al moeilijk genoeg mee.'

'Hoor eens, ik ben vlak bij je in de buurt. Zullen we gaan lunchen? Hij is op weg hiernaartoe vanuit Los Angeles en hij zei dat hij naar ons toe zou komen. Hij zal je niet onder druk zetten. Dat beloof ik je. Luister alleen maar naar wat hij te zeggen heeft.'

'Waarom zou ik?'

'Ken je een zaak die Jay's heet? Warme pastramisandwiches en de beste martini's in de hele stad.'

'Ik wil helemaal niet drinken tijdens de lunch.'

'Ik ook niet, maar we kunnen toch wel samen een hapje eten?'

Ik zei: 'Wacht even. Er staat iemand voor de deur. Ik leg je even neer. Ik ben zo terug.'

'Goed hoor. Ik wacht wel.'

Ik legde de hoorn op mijn bureau. Ik stond op en liep naar de andere kamer. Wat mankeerde me? Want ik wilde hem wel degelijk graag weer zien. En dat had niets te maken met Reba Lafferty. Dat onderwerp was niet meer dan een dekmantel voor een andere vorm van verwarring waarmee ik worstelde. Ik liep naar het badkamertje en staarde naar mezelf in de spiegel, notitie nemend van het feit dat ik er verre van florissant uitzag. Dit was belachelijk. Ik liep terug naar mijn bureau en pakte de telefoon op. 'Over tien minuten ben ik daar.'

'Doe niet zo gek. Ik kom je wel oppikken. Waarom zouden we met twee auto's gaan als het ook met één kan? Dat is beter voor het milieu.'

'Zeg, doe me een lol.'

Ik sloot het kantoor af en wachtte buiten op hem. Het had geen zin me druk te maken over mijn groezelige spijkerbroek of mijn afgetrapte tennisschoenen. Mijn handen roken naar bleekmiddel en in mijn coltrui zat nauwelijks meer model. Eigenlijk zou ik een complete transformatie moeten ondergaan, maar ik dacht niet dat ik dat binnen de komende drie à vier minuten voor elkaar zou kunnen krijgen. Ach, wat deed het er ook toe. Dit was zakelijk. Wat zou het voor verschil maken als ik er zo fris als een hoentje uitzag, compleet met panty en hoge hakken? Een dringender probleem was Cheneys contactpersoon bij de Belastingdienst. Ik zag nu al tegen die ontmoeting op. Hij zou me niet onder druk zetten, had Cheney gezegd. Hij kon me nog meer vertellen. De man zou me waarschijnlijk helemaal onder tafel praten.

Cheney kwam de hoek om rijden in een sportieve kleine rode Mercedes-cabriolet. Hij stopte aan het trottoir, leunde opzij en deed het portier aan de passagierskant open. Ik stapte in. 'Ik dacht dat je een Mazda reed,' zei ik. Het kwam er op lichtelijk beschuldigende toon uit.

'Die heb ik thuisgelaten. Ik heb ook nog een zes jaar oude Ford-pick-up die ik gebruik voor observatiedoeleinden. Dit karretje heb ik vorige week in Los Angeles in ontvangst genomen.'

'Leuk wagentje.'

Zijn rijstijl beviel me wel. Hij reed niet te hard, geen uitsloverij, geen roekeloze manoeuvres. Vanuit mijn ooghoeken zag ik de matte glans van zijn roodzijden windjack – in het geheel niet glimmend of ordinair – wit overhemd, katoenen broek, chique Italiaanse schoenen die waarschijnlijk meer hadden gekost dan wat ik maandelijks aan huur betaalde. Zelfs in een open auto rook zijn aftershave naar specerijen, de geur van bloesempjes van een nachtbloeiende heester. Dit was gewoon zielig. Ik wilde me opzij buigen en aan zijn wangen ruiken. Hij keek me glimlachend aan, alsof hij wist wat er in mijn hoofd omging. Dat was geen goed teken.

11

Santa Teresa staat niet bekend om zijn clubcircuit of zijn wilde nachtleven. De meeste restaurants sluiten hun deuren spoedig nadat de laatste bestellingen zijn geserveerd. De bars zijn open tot twee uur 's nachts, maar de meeste beschikken niet over een dansvloer of livemuziek. Jay's Cocktail Lounge, in het centrum, is een van de weinige gelegenheden die over beide beschikt. Bovendien wordt er van halftwaalf tot twee uur 's middags een lunch geserveerd aan een beperkte clientèle die prijs stelt op de rust en privacy voor discrete zakelijke besprekingen en al even discrete romantische ontmoetingen. De wanden zijn bekleed met grijs suède, en op de vloer ligt een dik grijs tapijt dat je het gevoel geeft dat je over een matras loopt. Zelfs overdag is het er zo donker dat je bij de ingang even moet blijven staan totdat je ogen zich hebben aangepast. De zitjes zijn ruim en gerieflijk, bekleed met zwart leer, en alle omgevingsgeluid wordt vrijwel volledig gedempt. Cheney zei tegen de gastvrouw: 'Phillips, drie personen.'

Hij had kennelijk gereserveerd.

Ik zei: 'God, jij bent ook niet zo'n beetje verwaand. Waarom was je er zo zeker van dat ik ja zou zeggen?'

'Ik heb nog nooit meegemaakt dat jij nee zei tegen een maaltijd, zeker niet als iemand anders betaalt.'

'Tja, daar heb je ook weer gelijk in.'

'Tussen haakjes, Vince belde net dat hij wat vertraging heeft opgelopen. Hij zei dat we maar alvast moesten bestellen.'

Gedurende het eerste gedeelte van de maaltijd hadden we het over zaken die geen verband hielden met Reba Lafferty. We dronken kleine slokjes ijsthee en namen kleine hapjes van onze sandwiches, wat voor mij heel ongebruikelijk is als het om voedsel gaat. Ik ben gewend snel en hardop kreunend te eten, maar Cheney scheen het prettig te vinden om er rustig de tijd voor te nemen. We praatten over zijn carrière en de mijne, de bezuinigingen waarmee het politiekorps geconfronteerd werd en de effecten daarvan. We hadden een paar gezamenlijke kennissen bij de politie, onder wie Jonah Robb, de getrouwde man met wie ik een 'relatie' had gehad tijdens een van zijn frequente tijdelijke scheidingen van zijn vrouw Camilla.

Ik zei: 'Hoe is het tegenwoordig met Jonah? Is zijn huwelijk nog aan of is het weer uit?' Ik liet de laatste ijsblokjes in mijn lege glas tinkelen en meteen verscheen de ober om me bij te schenken.

Cheney zei: 'Uit, volgens de laatste berichten. Ze hebben een baby gekregen, een jongetje. Of liever gezegd, Camilla heeft een baby gekregen. Volgens de geruchten is het kind niet van hem.'

'Ja, maar evengoed is hij dol op die baby,' zei ik. 'Ik kwam hem een paar maanden geleden toevallig tegen en hij liep zowat naast zijn schoenen van trots.'

'Hoe gaat het met hun twee dochters? Je moet altijd maar afwachten wat voor effect zoiets op hen heeft.'

'Daar schijnt Camilla niet mee te zitten. Ik wou dat ze gewoon weer bij elkaar kwamen en nou eens ophielden met die onzin. Hoe vaak zijn ze nou al niet uit elkaar gegaan?'

Cheney schudde het hoofd.

Ik keek hem aan. 'En jij? Hoe staat het met jouw huwelijksleven?'

'Dat is voorbij.'

'Voorbij?'

'Ken je het woord "voorbij"? Het betekent hetzelfde als "afgelopen".'

'Het spijt me dat te horen. Sinds wanneer?'

'Half mei. Gênant om het toe te moeten geven, maar we zijn maar vijf weken getrouwd geweest, één week korter dan we elkaar kenden voordat we trouwden.'

'Waar is ze nu?'

'Ze is weer terug naar Los Angeles.'

'Dat was snel.'

'Het is net als met een pleister. Hoe sneller je hem lostrekt, hoe minder pijn het doet.'

'Heb je er iets van opgestoken?'

'Ik betwijfel het. Ik was het zat om me dood te voelen. In ons werk zijn we gewend om risico's te nemen, maar niet zozeer hier,' zei hij, terwijl hij zijn hand op zijn hart legde. 'Liefde is toch ook een kwestie van risico nemen?'

Ik keek naar mijn bord, dat bezaaid lag met chipskruimels. Ik stak mijn wijsvinger in mijn mond, verzamelde een hoeveelheid kruimels en likte mijn vinger af. 'Ik heb daar helaas niet zoveel verstand van. Vandaag de dag schijn ik alleen nog maar mensen tegen te komen die ongelukkig in de liefde zijn, onder wie Reba Lafferty.'

Hij boog zich voorover, zijn ellebogen op het tafeltje, terwijl hij zijn glas bij de rand vasthield. 'Laten we het eens over haar hebben.'

'Wat valt er over haar te zeggen? Ze is kwetsbaar. Het lijkt me niet goed om haar zo onder druk te zetten.'

Er verscheen een geïrriteerde uitdrukking op zijn gezicht. 'Kwetsbaar, laat me niet lachen. Ze is zelf een relatie met hem aangegaan. Hij blijkt in meer dan één opzicht een smeerlap te zijn. Iemand moet haar vertellen wat er allemaal aan de hand is.'

'Je doet dit niet omwille van haar. Je doet het voor jezelf.'

'Wat doet dat ertoe? Het moet haar worden verteld. Of vind je soms van niet?'

'En als die onthulling haar nu eens over het randje duwt?'

Zijn blik verplaatste zich naar een punt net boven mijn schouder. Ik keek achterom en zag een man van wie ik veronderstelde dat het Vince Turner was op ons aflopen. Cheney kwam overeind en de twee mannen gaven elkaar een hand.

Vince Turner was een stevig gebouwde man van in de veertig met een rond gezicht, kalend, en met een kakikleurige regenjas aan. De metalen pootjes van zijn bril waren zodanig verbogen dat die enigszins scheef op zijn neus stond. Hij had een bruinleren schooltas in zijn hand die hem op de middelbare school het etiket 'stuud' zou hebben bezorgd. Nu bestempelden de sleetse handgreep en de gespen op de twee buitenvakken hem als zelfbewust.

Cheney stelde ons aan elkaar voor. Turner trok zijn regenjas uit en gooide die over de rugleuning van het bankje voordat hij ging zitten. Zijn pak was van een onbestemde kleur bruin, en de achterkant van zijn colbert was gekreukt. Zijn broek zat bij het kruis ook al vol kreukels omdat hij er te lang in gezeten had. Hij trok zijn stropdas los en stak de uiteinden in het borstzakje van zijn overhemd, misschien om te voorkomen dat ze straks in zijn eten zouden hangen.

'Heb je al gegeten?' vroeg Cheney.

'Ik heb onderweg in de auto een hamburger gegeten, maar ik zou wel een borrel lusten.'

Cheney wenkte de ober, die even later met een menukaart in zijn hand aan kwam lopen.

Turner wuifde de kaart weg. 'Maker's on the rocks. Een dubbele.'

'Wilt u verder nog iets?'

'Nee, bedankt.'

Zodra de ober weggelopen was, pakte Turner zijn in een servet gewikkelde bestek op. Aan zijn rechterhand droeg hij een massief gouden ring met een granaatsteen, maar ik kon met geen mogelijkheid de inscriptie rond de steen ontcijferen. Zijn gezicht glom van de transpiratie, maar zijn lichte ogen stonden koud. Hij legde zijn mes, lepel en twee vorken precies op gelijke hoogte en keek toen op zijn horloge. 'Ik weet niet hoeveel inspecteur Phillips u over mij verteld heeft. Het is nu kwart over een. Om tien voor drie zit ik aan boord van een vlucht naar Los Angeles en vandaar naar Washington, waar ik een bijeenkomst heb met een groep rechercheurs van de Belastingdienst en de DEA. Dat betekent dat we ongeveer een uur de tijd hebben, dus ik zal meteen ter zake komen. Als u vragen of opmerkingen hebt, steek dan gerust uw hand op. Zo niet, dan praat ik door tot ik aan het eind van mijn verhaal ben gekomen. Akkoord?' Hij verschikte nog iets aan zijn bestek.

'Prima,' zei ik. Ik vond het gemakkelijker om naar zijn handen te kijken dan om hem in de ogen te kijken.

'Ik ben 46. Sinds 1972 werk ik voor de recherche-afdeling van de Belastingdienst. De eerste opdracht die ik kreeg was als assistent van de man die Braniff Airlines aanklaagde vanwege het wegmoffelen van illegale campagnebijdragen. Braniff had, evenals American Airlines, indertijd incidenteel overheidssteun nodig en begon geld door te sluizen naar het herverkiezingscomité van Nixon via de persoon van Maurice Stans. Herinner je je hem nog?'

Hij keek me aan en ik knikte.

'Nadat ik de nodige ervaring had opgedaan met Watergate, ontwikkelde ik een voorkeur voor financiële malversaties. Ik heb geen vrouw of kinderen. Ik leef voor mijn werk.' Hij wierp een blik op zijn colbert en plukte een onzichtbaar pluisje van zijn revers. 'Een jaar geleden, mei 1986, heeft het Congres, in een zeldzame opwelling van gezond verstand, wet 99-570 aangenomen, de wet waarin het witwassen van geld aan banden wordt gelegd. Die wet heeft ons het instrument in handen gegeven waarmee we de overtreders van de wet op het bankgeheim keihard aan kunnen pakken. De bankwereld voelt de effecten al. Heel lang hebben banken in dit land de meldingsplicht als een futiliteit beschouwd, maar daar is inmiddels verandering in gekomen. Veel overtredingen die vroeger als vergrijp werden beschouwd, zijn nu gepromoveerd tot misdrijven waar langdurige gevangenisstraffen en torenhoge boetes op staan. De Crocker National Bank heeft een boete van 2.250.000 dollar gekregen; de Bank of America 4.750.000 dollar; en Texas Commerce Bancshares 1.900.000 dollar. Je kunt je niet voorstellen hoeveel voldoening het me heeft geschonken deze knapen in het gareel te dwingen. En het eind is nog lang niet in zicht.'

Hij zweeg en keek op met een glimlach die zijn gezicht deed oplichten. Zijn lichtblauwe ogen sprankelden plotseling met een onweerstaanbare vrolijkheid. Ik geloof dat ik op dat moment van standpunt veranderde. Ik zou doen wat ik kon voor Reba, maar als ze het met deze knaap aan de stok kreeg, zat ze dieper in de puree dan ze besefte.

De ober bracht de Maker's Mark, die de kleur had van sterke ijsthee. Vince Turner sloeg in één teug de helft van zijn borrel achterover en zette toen het glas zorgvuldig voor zich neer. Hij vouwde zijn handen en keek mij aan. 'Wat ons bij de heer Beckwith brengt. Ik heb het afgelopen jaar een uitgebreid dossier over hem opgebouwd. Zoals u ongetwijfeld weet, valt er op zijn levensstijl ogenschijnlijk niets aan te merken en geniet hij een solide sociale reputatie, die hij voornamelijk te danken heeft aan de positie die wijlen zijn vader in de gemeenschap innam. Hij wordt vrij algemeen beschouwd als een eerlijk, gezagsgetrouw burger die er niet over zou piekeren zich in te laten met drugshandel, pornografie, of prostitutie.

Maar dat doet hij wel degelijk. Hij neemt de winsten van deze illegale activiteiten in ontvangst, verdoezelt de herkomst, en sluist het geld weer terug in het circuit als legale verdiensten. Gedurende de afgelopen vijf jaar heeft hij grote geldbedragen witgewassen voor een zekere Salustio Castillo, een groothandelaar in juwelen in Los Angeles die ook in gebruikt goud en zilver handelt. Dat bedrijf is alleen maar een dekmantel voor zijn werkelijke activiteiten, het importeren van cocaïne vanuit Zuid-Amerika. Castillo heeft een groot landgoed in Montebello gekocht via de onroerendgoedmaatschappij van Beckwith. Beckwith is bij die transactie opgetreden als tussenpersoon, zo hebben de beide heren elkaar leren kennen. Castillo had iemand nodig met de professionele reputatie van Beckwith. Zijn bedrijf houdt zich bezig met diverse activiteiten en er gaat zo veel geld in om dat de fondsen die Castillo zo graag onder wilde brengen, gemakkelijk weggemoffeld kunnen worden. Beckwith zag de mogelijkheden en zegde zijn medewerking toe.

Aanvankelijk paste hij de gebruikelijke witwastechnieken toe: het structureren oftewel in kleinere bedragen opsplitsen van transacties, het consolideren van de stortingen en het telegrafisch overboeken van geld naar het buitenland. Tegen de tijd dat het geld via zijn bedrijfsboekhouding weer terugkwam bij Castillo, was de herkomst ervan ogenschijnlijk legaal. Na een halfjaar kreeg Beckwith er genoeg van om zijn smurfen te moeten betalen, of misschien was hij het wel zat om de talloze rekeningen die hij verspreid over heel Santa Teresa County geopend had, bij te moeten houden. Hij begon grote stortingen te doen, twee- en driehonderdduizend dollar per keer, zogenaamd opbrengsten van onroerendgoedtransacties. Ditmaal was hij een toonbeeld van meegaandheid en zorgde hij ervoor dat alle vereiste CTR's ingediend werden. In werkelijkheid ging hij ervan uit dat de Belastingdienst zulke gigantische hoeveelheden CTR's te verwerken krijgt dat de kans dat die van hem ertussenuit gepikt zouden worden om aan een nadere controle onderworpen te worden, verwaarloosbaar was. Algauw sluisde hij een miljoen dollar per week door, waarbij hij één procent inhield als honorarium.

Ten slotte bereikten de stortingen een niveau waar de risico's zwaarder begonnen te wegen dan de voordelen van het zakendoen zo dicht bij huis. Beckwith werd nerveus, maakte geen gebruik meer van de lokale banken en wiste de administratieve sporen uit. Hij kocht een Panamese bank en een onbeperkte banklicentie op Antigua, waarbij hij de vereiste één miljoen Amerikaanse dollars fourneerde als gestort kapitaal. Hij investeerde nog eens vijfhonderdduizend dollar in een tweede internationale banklicentie op de Nederlandse Antillen, die momenteel geen belastingverdrag met de Verenigde Staten hebben.'

Ik stak mijn hand op. 'Anderhalf miljoen dollar? Is hem dat echt zoveel waard?'

'Zeker weten. Bij zijn buitenlandse banken kan hij stortingen doen. Hij kan zijn eigen referenties schrijven, kredietbrieven aan zichzelf verstrekken, en dat alles in volledige privacy en met nauwelijks enige bemoeienis van de kant van de gastlanden. Hij hoeft er niet eens persoonlijk aanwezig te zijn om de zaken te runnen.

En bedenk ook dat mensen al snel onder de indruk zijn als ze horen dat je eigenaar van een bank bent.'

Ik zei: 'Dat zal vast wel.' Cheney wierp me een vluchtige blik toe, terwijl hij waarschijnlijk, net als ik, dacht aan de banken waarvan zijn vader de eigenaar was.

Vince Turner zweeg even en keek van Cheney naar mij.

Ik zei: 'Sorry. Ga verder.'

Hij haalde zijn schouders op en vervolgde zijn verhaal alsof het van tevoren opgenomen was. 'Amerikaanse staatsburgers zijn wettelijk verplicht om alle buitenlandse bankrekeningen te vermelden op hun jaarlijkse belastingaangifte, maar deze lieden laten zich daar niets aan gelegen liggen. Onder auspiciën van de banken die hij gekocht had, stichtte Beckwith een internationale handelmaatschappij in Panama, waarvan de aandelen berustten bij een Panamese particuliere stichting, waardoor hij zowel de Amerikaanse als de Panamese belastingen kon ontduiken. Toen die lege vennootschap eenmaal gesticht was, begon hij fysiek deviezen vanuit Amerika naar zijn buitenlandse belastingparadijsjes te transporteren. Als je contanten verplaatst, stelt de douane een CMIR – een Currency and Monetary Instrument Report – verplicht, maar Beckwith heeft het niet zo begrepen op het invullen van die hinderlijke overheidsformuliertjes. Geen formulieren betekent geen overtredingen, althans volgens zijn kromme manier van denken. Nadat de deviezen op een van zijn buitenlandse banken zijn gestort, worden ze naar Castillo teruggesluisd in de vorm van zakelijke leningen met een looptijd van twintig jaar.

Uiteraard brengt het transporteren van deviezen problemen van een andere aard met zich mee. Bankbiljetten nemen niet alleen veel ruimte in beslag, maar wegen ook meer dan je zou denken. De buitenlandse markten geven de voorkeur aan de kleinere coupures, biljetten van twintig en vijftig dollar. Een miljoen dollar in biljetten van twintig dollar weegt bijna 57 kilo. Probeer dat maar eens mee te sjouwen op een luchthaven. Geen probleem voor onze man. De altijd vindingrijke heer Beckwith heeft een Learjet geleasd en nu vliegt hij zo'n beetje om de maand koffers vol contanten naar Panama. De Panamese valuta is de Amerikaanse dollar, dus hij hoeft zich niet eens zorgen te maken over de wisselkoers. Tussen de vliegreisjes door maakt hij met zijn vrouw regelmatig luxe cruises, waarbij hij het geld transporteert in een hutkoffer die meereist in hun luxehut.'

Turner sloeg de rest van zijn bourbon achterover en wenkte de ober. 'Heeft iemand u ooit verteld hoeveel geld er elk jaar wereldwijd wordt witgewassen?'

Ik schudde het hoofd.

'Een-komma-vijf biljoen dollar – dat is een één, een vijf, en elf nullen – alleen om u een idee te geven. In de Verenigde Staten ligt dat bedrag ergens in de buurt van de vijftig miljard, maar we hebben het over inkomsten die nooit belast worden, dus u begrijpt hoe ernstig de zaak is.'

Cheney deed zijn mond open. 'Wat kun je haar vertellen over het onderzoek tot op heden?'

'In grote lijnen? Vier jaar geleden hebben de Belastingdienst, de DEA, de FBI, de douane, en de ministeries van Justitie en Financiën een task force samengesteld om een onderzoek in te stellen naar handelaren in goud en edele metalen in Los Angeles, Detroit en Miami, die we er allemaal van verdenken geld wit te wassen voor een Colombiaans drugskartel. Tot op heden zijn ze erin geslaagd zestien miljoen dollar te traceren. Alan Beckwith is verantwoordelijk voor het doorsluizen van een aanzienlijk deel van dat bedrag.

Het is een moeizaam karwei. We zijn nog steeds bezig de details uit te werken en zo veel mogelijk concreet bewijsmateriaal te verzamelen voordat we in actie komen. Het punt is dat we hem niet moeten alarmeren voordat we alles rond hebben. Een arrondissementsrechter in Los Angeles en nog een in Miami hebben kortgeleden toestemming gegeven om zijn telefoongesprekken af te luisteren en het huisvuil afkomstig uit zijn woning en kantoorpand mee te nemen. Momenteel zijn er mensen van ons bezig zijn vuilniszakken door te spitten. Ze hebben facturen gevonden met fictieve adressen voor niet-bestaande bedrijven, diverse handgeschreven briefjes, geïnde cheques, afgedankte schrijfmachinecartridges en telmachinelint. Beckwith doet legale zaken met financiële instellingen op diverse gebieden, en hij is zeer bedreven in het vermengen van de winsten uit illegale activiteiten met zijn gewone dagelijkse transacties. Waar hij zich kennelijk niet van bewust is, is dat financiële instellingen verplicht zijn handtekeningenkaarten, rekeningafschriften en kopieën van cheques ten bedrage van meer dan honderd dollar te bewaren. De banken houden bovendien een logboek bij van alle telegrafische overboekingen. Al die informatie is gecodeerd, maar het is mogelijk om met behulp van de volgnummers de bank waar het geld vandaan komt, de bank waar het geld naartoe gaat en de data en tijdstippen waarop het geld verstuurd is, te achterhalen. Momenteel hebben we nog geen toegang tot de betreffende gegevens, maar we zijn druk bezig met het benodigde papierwerk om die van de banken op te eisen.'

De ober zette Turners tweede borrel voor hem neer. Er viel een stilte die duurde tot hij weer buiten gehoorsafstand was. Turner nam een klein slokje van zijn bourbon.

'Wat willen jullie van Reba? Jullie willen haar toch zeker niet vragen om zomaar even alle relevante dossiers achterover te drukken?'

'Natuurlijk niet. In feite kunnen we haar helemaal niet vragen iets onwettigs te doen omdat we zelf ook die vrijheid niet hebben. En zelfs als ze de dossiers zou stelen zonder onze voorkennis of goedkeuring, zouden we er niet eens een vluchtige blik op kunnen werpen zonder onze zaak in gevaar te brengen. Waar we wel om kunnen vragen, is een gedetailleerde beschrijving van zijn boekhouding – de aard van de dossiers die hij er op na houdt en waar die zich bevinden – wat ons in de gelegenheid zou stellen om bevelschriften tot huiszoeking naar financiële documenten voor te bereiden. Ik weet dat u haar in bescherming wilt nemen, maar we hebben haar medewerking nodig.'

'Is er niet iemand anders? Zijn boekhouder bijvoorbeeld?'

'De boekhouder is een zekere Marty Blumberg. We hebben wel aan hem gedacht. Het probleem is dat hij zozeer bij de hele operatie betrokken is dat hij er wel eens in paniek vandoor zou kunnen gaan, of erger nog, Beckwith zou kunnen waarschuwen. Nu ze niet meer voor hem werkt, bevindt Reba zich niet langer in de vuurlinie en zou ze mogelijk meer genegen zijn met ons mee te werken. Heeft inspecteur Phillips u de foto's laten zien?'

'Ja, dat wel, maar ik ben er niet zo zeker van of jullie daar iets mee op zullen opschieten. Als ze erachter komt dat hij in de problemen zit, weet ze vermoedelijk niet hoe snel ze hem alles over moet brieven wat jullie haar verteld hebben.'

'Dat risico zit er inderdaad in. Hebt u misschien een suggestie hoe we dat zouden kunnen voorkomen?'

'Nee. Wat mij betreft staat het gelijk aan het tot ontploffing brengen van een kernwapen. Je riskeert zelf net zoveel verwoesting als je hoopt aan te richten.'

Turner schoof wat heen en weer met het bestek dat voor hem op het tafeltje lag. 'Ik begrijp wat u bedoelt. Helaas hebben we niet veel tijd tot onze beschikking. Beckwith heeft een griezelig overlevingsinstinct. We zijn uitermate discreet te werk gegaan, maar volgens onze inlichtingen zou hij best eens kunnen vermoeden dat er iets aan de hand is. Hij is in versneld tempo bezig zijn fondsen te consolideren, wat we nogal verontrustend vinden.'

'Dat heeft Reba me verteld, maar ze is ervan overtuigd dat hij dat voor haar doet. Hij zegt dat hij, zodra hij zijn activa veilig heeft gesteld, zijn vrouw verlaat en dat ze er dan samen vandoor gaan. Dat heeft ze althans zo opgevat. Wie zal het zeggen?'

'Het lijdt geen twijfel dat hij voorbereidingen treft om ervandoor te gaan. Nog een week en hij zou zowel het geld als zichzelf in veiligheid gebracht kunnen hebben.'

'Is het geld van hem of van Salustio Castillo?'

'Voornamelijk van hemzelf. Als hij slim is, blijft hij met zijn vingers van Salustio's geld af. De laatste die Castillo dwarsboomde, eindigde als een betonnen mummie in een vuilniscontainer.'

Toen het duidelijk was dat Vince was uitgesproken, zei Cheney: 'Oké, wie praat er met Reba? Jij, ik of zij?'

Er viel een stilte terwijl we alledrie naar het tafelblad staarden. Ten slotte stak ik mijn hand op. 'Ik denk dat ik meer kans maak dan een van jullie.'

'Prima. Geef ons een paar dagen de tijd. Zodra ik terug ben uit Washington, regel ik een bijeenkomst met ons FBI-contact en Justitie. De douane zal er ook wel bij willen zijn. Zodra we besloten hebben hoe we de zaak verder aan zullen pakken, nodigen we jou uit voor een briefing, waarschijnlijk begin volgende week. Daarna hopen we dan met haar te kunnen praten.'

Tegen tweeën zette Cheney me af bij mijn kantoor. Het begon alweer flink warm te worden, en dat terwijl de weersvoorspelling van vanochtend een bescheiden 23 graden in het vooruitzicht had gesteld. Vince Turner had een taxi gebeld om hem naar de luchthaven te brengen zodat hij zijn vlucht nog kon halen. Ik had gehoopt dat Cheney het fatsoen zou kunnen opbrengen om me af te zetten zonder nog over Reba Lafferty of Beck te beginnen, maar terwijl ik uit de auto stapte, hield hij een bruine envelop omhoog. 'Ik heb kopieën voor je laten maken.'

'Wat moet ik daarmee?'

'Zie maar. Ik vond dat jij ook een stel moest hebben.'

'Hartelijk dank.' Ik pakte de envelop aan.

'Bel me als je me nodig hebt.'

'Dat zal ik zeker doen.'

Ik wachtte tot hij de hoek om was en het geluid van zijn kleine rode Mercedes wegstierf in de verte. Ik ging mijn kantoor binnen, waar een bedompte atmosfeer heerste. Ik deponeerde mijn schoudertas op de cliëntenstoel en ging met de envelop aan mijn bureau zitten. Eerst wuifde ik me met de envelop wat koelte toe en daarna maakte ik hem open. De foto's waren zoals ik ze me herinnerde: Beck en Onni bij het verlaten van diverse motels, hij met zijn arm om haar heen, samen hand in hand, Onni met haar hoofd op zijn schouder en haar arm om zijn middel, heup tegen heup naast elkaar voortstappend. Arme Reba. Er stond haar een ruw ontwaken te wachten. Ik trok mijn bureaula open en legde de envelop erin. Ik wilde niet eens denken aan de onaangename taak haar het nieuws te moeten vertellen. In de hoop mezelf wat afleiding te bezorgen, deed ik iets wat ik al in geen tijden meer gedaan had. Ik liep van mijn kantoor naar het centrum van Santa Teresa, stapte een bioscoop binnen en bekeek twee opeenvolgende films, een ervan zelfs twee keer. Op die manier slaagde ik erin om me tegelijkertijd zowel aan de warmte als aan de realiteit te onttrekken.

12

Toen ik bij mijn appartement aankwam, zag ik dat Matties auto er niet meer stond en dat Henry's keuken donker was. Ik wist niet goed wat ik daarvan moest denken. Het liep tegen de 30 graden, zeer ongebruikelijk voor dit tijdstip. Het was nog steeds licht buiten en de trottoirs zinderden van de warmte. De atmosfeer was drukkend en de vochtigheidsgraad bedroeg waarschijnlijk rond de 95 procent. Je zou denken dat het zou gaan regenen, maar het was half juli en we zouden nog tot eind november met droogte te kampen hebben, als het weer überhaupt al om zou slaan. Het was smoorheet in mijn appartement. Ik ging op het opstapje bij mijn voordeur zitten en wuifde mezelf koelte toe met de opgevouwen krant. Hoewel de meeste huizen in zuidelijk Californië over een sprinklerinstallatie beschikken, zijn er maar weinig voorzien van airconditioning. Voordat ik naar bed ging, zou ik een ventilator uit de kast te voorschijn moeten halen en die op de vide installeren.

Op dit soort avonden laten kleine kinderen nachthemdjes en pyjama's voor wat ze zijn en slapen ze in hun onderbroek. Mijn tante Gin bezwoer altijd dat ik minder last van de warmte zou hebben als ik me helemaal om zou draaien op het bed, met mijn voeten op het hoofdkussen en mijn hoofd aan het voeteneind. Ze was opmerkelijk tolerant, deze vrouw die me opvoedde en die zelf nooit kinderen had gehad. Op die zeldzame Californische avonden dat het te warm was om te slapen, zei ze tegen me dat ik de hele nacht op mocht blijven, ook al moest ik de volgende dag naar school. Dan lagen we allebei te lezen in onze eigen slaapkamer, terwijl het in de stacaravan zo stil was dat ik haar de bladzijden van haar boek kon horen omslaan. Ik herinnerde me nog steeds het opwindende gevoel dat we de regels aan onze laars lapten. Ik wist dat "echte" ouders dergelijk losbandig gedrag waarschijnlijk niet zouden tolereren, maar ik beschouwde het als een kleine compensatie voor het feit dat ik een wees was. Uiteraard viel ik op een gegeven moment in slaap. Dan sloop tante Gin op haar tenen naar binnen, pakte het boek voorzichtig uit mijn handen, en deed het licht uit. Als ik dan later wakker werd, was het donker in de slaapkamer en lag het laken over me heen. Merkwaardig, die herinneringen die blijven voortleven lang nadat iemand gestorven is.

Op een gegeven moment, net toen de straatlantaarns aanfloepten, hoorde ik de telefoon overgaan. Ik hees mezelf overeind, haastte me naar binnen en griste de hoorn van de haak. 'Hallo?'

'Met Cheney.'

'Hé, hallo. Jou had ik niet verwacht. Wat is er aan de hand?'

Er was zo veel lawaai op de achtergrond dat ik een hand tegen mijn oor moest houden om hem te kunnen verstaan. 'Wat?'

'Heb je al gegeten?'

Ik had in de bioscoop een portie popcorn gegeten, maar volgens mij telde dat niet mee. 'Niet echt.'

'Mooi. Ik kom je over twee minuten oppikken en dan gaan we ergens een hapje eten.'

'Waar ben je?'

'Rosie's. Ik nam aan dat jij daar ook wel zou zijn, maar ik had het weer eens mis.'

'Misschien ben ik wel minder voorspelbaar dan je dacht.'

'Dat betwijfel ik. Heb je een zomerjurk?'

'Eh, nee, maar ik heb wel een rok.'

'Trek die dan maar aan. Ik heb je nou wel vaak genoeg in spijkerbroek gezien.'

Hij hing op en ik stond naar de hoorn in mijn hand te staren. Wat een merkwaardige wending. Dat etentje leek net een afspraakje, tenzij hij iets van Vince Turner had gehoord met betrekking tot de briefing die voor volgende week op het programma stond. En waarom zou ik een rok moeten dragen om dergelijke informatie in ontvangst te nemen?

Ik beklom op mijn gemak de wenteltrap, terwijl ik probeerde te bedenken wat ik behalve de rok nog meer zou aantrekken. Ik ging op de rand van het bed zitten, schopte mijn tennisschoenen uit en trok mijn zweterige kleren uit. Ik nam een douche en wikkelde mezelf in een badhanddoek. Toen ik mijn kastdeur opendeed, hing daar inderdaad mijn kakikleurige katoenen rok. Ik haalde hem van het hangertje en sloeg de kreukels eruit. Ik trok schoon ondergoed aan en vervolgens de rok, die tot net boven mijn knieën kwam. Ik liep naar de ladekast waar ik uit een stapeltje shirts een rode tanktop koos die ik over mijn hoofd trok en in mijn rok stopte. Ik trok een paar sandalen aan, liep naar de badkamer en poetste mijn tanden.

Ik stond voor de wasbak en bekeek mezelf in de spiegel. Waarom voelde ik me gedwongen om elke keer dat Cheney belde om te zeggen dat hij me op kwam halen, in de spiegel te staren? Ik hield mijn handen onder de kraan en probeerde mijn haar te fatsoeneren. Oogmake-up? Nee. Lipstick? Beter van niet. Dat zou te veel van het goede zijn als het inderdaad een zakelijke kwestie betrof. Ik boog me wat voorover. Nou, goed dan, alleen een heel klein beetje kleur. Dat kon geen kwaad. Ik hield het op wat poeder, een beetje oogschaduw, mascara, en koraalrode lipstick die ik opbracht en vervolgens weer wegveegde, waardoor er een lichtroze kleur op mijn lippen achterbleef. Zie je nou wel? Dit is de negatieve kant van relaties met mannen, je wordt een narcist, geobsedeerd door 'schoonheids'-kwesties die je normaal gesproken totaal niet interesseren.

Ik deed het licht uit, liep de trap af en pakte mijn schoudertas. Ik liet een lamp branden in de woonkamer, trok de deur achter me dicht en liep naar de straat. Cheneys kleine rode Mercedes stond al met stationair draaiende motor aan het trottoir. Hij boog zich opzij en maakte het portier voor me open. De man was een modeplaat. Hij had zich weer verkleed: donkere Italiaanse instappers, een antracietkleurige zijden pantalon, en een wit linnen overhemd met de mouwen opgerold. Hij nam me van top tot teen op. 'Je ziet er goed uit.'

'Dank je. Jij ook.'

Hij glimlachte flauwtjes. 'Blij dat we het daar in elk geval over eens zijn.'

Bij de hoek sloeg hij rechts af, in de richting van Cabana Boulevard, waar hij links afsloeg. We reden met de kap open, zodat mijn haar alle kanten op wapperde, maar de lucht was in elk geval koel. Ik nam aan dat we op weg waren naar het Caliente Café, een populaire stamkroeg voor politiemensen: sigarettenrook, bierlucht, het constante geratel en gegier van mixers die ijsblokjes door margarita's mengen, smakelijke zogenaamd Mexicaanse gerechten, en nauwelijks enige aankleding, tenzij je de zes mottige Mexicaanse sombrero's meetelt die aan de wand gespijkerd zijn.

Ter hoogte van het vogelreservaat reden we, in plaats van links af te slaan zoals ik verwacht had, rechtdoor onder de snelweg door. We bevonden ons inmiddels in Montebello. De weg versmalde zich van vier gescheiden rijstroken naar twee, met aan weerszijden elegante kleding- en juwelierswinkels, makelaarskantoren, en het gebruikelijke assortiment middenstandsbedrijven, waaronder schoonheidssalons, een winkel in tennisartikelen en een prijzige galerie. Tegen die tijd was het volkomen donker en de meeste zaken baadden in het licht ondanks het feit dat ze gesloten waren. De bomen waren volgehangen met strengen gloeilampjes, zodat stammen en takken fonkelden alsof ze bedekt waren met ijs.

We volgden de secundaire weg tot in St. Isadore, waar Cheney links afsloeg. We reden door een wijk die het 'hagendistrict' werd genoemd, waar de heggen drie tot zes meter hoog groeiden en de woningen aan het oog onttrokken. Tot op dit moment had ik, hoezeer ik me ook inspande, nog geen woord kunnen bedenken om tegen hem te zeggen, en dus had ik mijn mond gehouden. Cheney scheen daar geen probleem mee te hebben, en ik had goede hoop dat hij net zo'n hekel had aan dom geklets als ik. Anderzijds konden we toch ook moeilijk de hele avond onze mond blijven houden. Dat zou te gek voor woorden zijn, om het zo maar eens te zeggen.

We reden over donkere kronkelweggetjes tot we het St. Isadore Hotel in zicht kregen. Ooit was het een rustieke bedrijvige boerderij, daterend uit het eind van de negentiende eeuw, maar tegenwoordig is het een exclusief vakantieoord met luxe huisjes die verspreid liggen over een terrein van ruim vijf hectare met bloemperken, heesters, groene eiken en sinaasappelbomen. Voor het luttele bedrag van vijftig dollar per mormel kregen honden de beschikking over een hondenbed, mineraalwater, een handgeschilderde waterbak met hun eigen naam erop, en op verzoek huisdieren-'roomservice'. Ik had er bij gelegenheid wel eens gegeten, maar nooit als betalende gast.

Cheney stopte voor het hoofdgebouw en stapte uit. Een parkeerbediende stapte naar voren en hield het portier voor me open, waarna hij de auto wegreed. We lieten het chique restaurant op de eerste verdieping links liggen en liepen naar de Harrow and Seraph, een op de begane grond gelegen bar met een laag plafond. De deur stond open. Cheney deed een stap opzij om me voor te laten gaan en liep achter me aan naar binnen.

De witte stenen muren waren koel. Er stonden nog geen twintig tafeltjes, veel ervan leeg op dit tijdstip. Langs de achterwand bevond zich een kleine bar. Links was een stenen schouw met open haard die gelukkig 's zomers niet brandde. Aan de rechterkant stonden gestoffeerde bankjes en de rest van de tafeltjes stond verspreid over de rest van de ruimte. De verlichting was stemmig maar niet zo gedempt dat je een zaklantaarn nodig had om de menukaart te kunnen lezen. Cheney leidde me naar een bankje dat voorzien was van dikke kussens. Hij nam tegenover me plaats, leek zich toen te bedenken, stond weer op en kwam naast me zitten terwijl hij zei: 'Er wordt niet over het werk gepraat. Ik zit hier buiten werktijd en dat geldt ook voor jou.'

'Ik dacht dat je het over Reba wilde hebben.'

'Nee. Daar wil ik geen woord over horen.'

Ik werd slechts in bescheiden mate afgeleid door de warmte van zijn dijbeen vlak naast het mijne. Dat heb je nou eenmaal als je katoen draagt, het geleidt lichaamswarmte. De ober kwam aan lopen en Cheney bestelde twee wodka-martini's, zonder ijs, met een schaaltje olijven erbij. Zodra de ober weg was, zei Cheney: 'Maak je nou maar geen zorgen. We gaan niet de hele avond zitten drinken. Dit is alleen maar om wat te ontdooien.'

Ik lachte. 'Dat is een hele geruststelling. De gedachte was inderdaad even bij me opgekomen.' Ik liet mijn blik vluchtig over zijn mond, kin en schouders dwalen. Hij had een prachtig gebit, wit en regelmatig en daar had ik een zwak voor. Zijn onderarmen waren donker behaard.

Hij nam me op, zijn rechterelleboog op het tafeltje, zijn kin rustend in zijn handpalm. 'Je hebt mijn vraag nooit beantwoord.'

'Welke vraag?'

'Tijdens de lunch. Ik vroeg je naar Dietz.'

'Ah. Tja, eens kijken of ik daar eerlijk over kan zijn. Hij heeft de neiging plotseling uit het zicht te verdwijnen. De laatste keer dat ik hem zag was vorig jaar maart. Ik heb geen idee waar hij sindsdien uithangt. Hij heeft het niet zo op verklaringen. Ik denk dat je wat hem betreft van een soort graag of niet-relatie zou kunnen spreken. Ik heb berichten ingesproken op zijn antwoordapparaat, maar hij belt nooit terug. Het is mogelijk dat hij me gedumpt heeft, maar hoe zou ik dat moeten weten?'

'Zou je het erg vinden als dat het geval was?'

'Ik denk het niet. Ik zou me misschien beledigd voelen, maar ik zou er wel overheen komen. Ik vind het tamelijk onbeschoft om me zo in het ongewisse te laten, maar zo is het leven nu eenmaal.'

'Ik dacht dat je gek op die kerel was.'
'Dat was ik ook, maar ik wist wat voor vlees ik in de kuip had.'
'O, ja?'
'Iemand die emotioneel op drift was. Het punt is dat ik hem toch wilde hebben, dus op de een of andere manier moet me dat wel goed uitgekomen zijn. Nu liggen de zaken anders. Ik kan niet meer terug naar de oude situatie. Dat is voorgoed verleden tijd.'
Hij leek even over mijn woorden na te denken. 'Je bent één keer getrouwd geweest?'
Ik stak twee vingers op. 'Allebei geëindigd in een echtscheiding.'
'Vertel eens wat over die mannen.'
'De eerste was een politieman.'
'Mickey Magruder. Daar heb ik over gehoord. Ben jij bij hem weggegaan of heeft hij jou laten zitten?'
'Ik ben degene die weggegaan is. Ik heb hem verkeerd beoordeeld. Ik ging bij hem weg omdat ik dacht dat hij zich ergens schuldig aan had gemaakt. Later bleek dat niet het geval te zijn. Daar voel ik me nog steeds beroerd over.'
'Hoe dat zo?'
'Ik heb niet de gelegenheid gehad om hem, voordat hij stierf, te zeggen dat het me speet. Dat had ik hem graag nog duidelijk willen maken. Echtgenoot nummer twee was musicus, een pianist, zeer getalenteerd. Maar ook chronisch ontrouw en een pathologische leugenaar met een engelengezicht. Het was een klap toen hij me liet zitten. Ik was 24 en ik had het waarschijnlijk moeten zien aankomen. Later kwam ik erachter dat hij altijd al meer in mannen was geïnteresseerd dan in mij.'
'Hoe komt het dan dat ik je nooit met andere mannen zie? Ben je op ze uitgekeken?'
Ik had bijna een bijdehante opmerking gemaakt, maar ik kon me nog net op tijd inhouden. In plaats daarvan zei ik: 'Ik heb op jou gewacht, Cheney. Ik dacht dat je dat wel wist.'
Hij keek me aan, onzeker of ik hem voor de gek hield. Ik beantwoordde zijn blik, onzeker hoe hij op mijn woorden zou reageren. Ik had geen idee hoe het verder zou gaan. Er waren zoveel verkeerde reacties, zoveel domme dingen die hij zou kunnen zeggen. Ik dacht: verknoei dit nou niet... toe, verknoei het niet... wat het ook is...
Twee dingen waarmee mannen absoluut niet bij me aan hoeven te komen:

(1) Me vertellen dat ik mooi ben, wat alleen maar vleierij is en helemaal nergens op slaat.

(2) Me in de ogen kijken en over 'vertrouwen' praten omdat ze weten dat ik 'gekwetst' ben.

Wat Cheney deed was het volgende: hij legde zijn arm op de rugleuning van het bankje en nam een lok van mijn haar tussen zijn vingers. Die bestudeerde hij aandachtig, met een ernstige uitdrukking op zijn gezicht. In de fractie van een seconde voordat hij zijn mond opendeed, hoorde ik een gedempt geluidje, als van gasbranders die aanfloepen als er een lucifer bij gehouden wordt. Een warm gevoel kroop langs mijn rug omhoog en nam alle spanning in mijn nek weg. Hij zei: 'Ik zal je haar wel eens fatsoenlijk knippen. Wist je dat ik dat kon?'

Ik merkte dat ik naar zijn mond zat te staren. 'Nee. Dat wist ik niet. Wat kun je nog meer?'

Hij glimlachte. 'Dansen. Dans jij?'

'Niet zo goed.'

'Dat maakt niet uit. Ik leer het je wel. Je zult met sprongen vooruitgaan.'

'Dat zou ik leuk vinden. Wat nog meer?'

'Ik werk aan mijn conditie. Ik boks en doe aan gewichtheffen.'

'Kook je ook?'

'Nee, jij wel?'

'Sandwiches met pindakaas en augurk.'

'Sandwiches tellen niet mee, tenzij het tosti's zijn.'

Ik zei: 'Nog meer talenten waarvan ik niet op de hoogte ben?'

Hij streek met de rug van zijn hand over mijn wang. 'Ik ben heel goed in spellen. In de vijfde klas van de lagere school was ik tweede in de spelwedstrijd van mijn school.'

Ik voelde hoe er in mijn keel een soort geneurie ontstond, hetzelfde merkwaardige mechanisme dat poezen doet spinnen. 'Waar ging je in de fout?'

'"Eleemosynary". Dat betekent "van of voor liefdadigheid of aalmoezen". De juiste spelling is e-l-e-e-m-o-s-y-n-a-r-y. Ik vergat de derde "e".'

'Maar nu vergeet je die niet meer. Dus je hebt ervan geleerd.'

'Inderdaad. En jij? Beschik jij over talenten die het vermelden waard zijn?'

'Ik kan teksten ondersteboven lezen. Als ik met iemand praat die een document op zijn bureau heeft liggen, kan ik elk woord lezen terwijl ik een praatje met hem maak.'

'Heel goed. Wat nog meer?'

'Weet je dat spelletje nog dat we op de lagere school speelden? Iemands moeder komt met een dienblad met daarop 25 voorwerpen die afgedekt zijn met een handdoek. Ze tilt de handdoek op en de kinderen bekijken de voorwerpen gedurende een halve minuut voordat ze de handdoek weer op zijn plaats legt. Ik kan alle voorwerpen opnoemen zonder er ook maar één te missen, afgezien soms van de wattenstaafjes. Daarmee ga ik nog wel eens in de fout.'

'Ik ben niet zo goed in gezelschapsspelletjes.'

'Ik ook niet, behalve in dat ene dan. Daar heb ik heel wat prijzen mee gewonnen.'

De ober bracht onze drankjes. Het gevoel van verbondenheid tussen ons vervaagde, maar zodra de ober weg was, voelde ik het weer terugkomen. Hij legde zijn hand in mijn nek. Ik boog me naar hem over en hield mijn hoofd schuin tot mijn lippen vlak bij zijn oor waren. 'We gaan een hoop problemen krijgen, niet?'

'Meer dan je weet,' mompelde hij terug. 'Weet je waarom ik je hierheen heb gebracht?'

'Geen flauw idee,' zei ik.

'De macaroni met kaas.'

'Ga je me bemoederen?'

'Verleiden.'

'Tot dusver doe je het uitstekend.'

'Dat is nog niks,' zei hij met een glimlach. Toen kuste hij me, maar slechts één keer en niet lang.

Toen ik weer kon praten, zei ik: 'Je bent een man met een grote mate van zelfbeheersing.'

'Dat had ik je waarschijnlijk al veel eerder moeten vertellen.'

'Ik hou wel van aangename verrassingen,' zei ik.

'Dat is de enige soort die je van mij kunt verwachten.'

De ober kwam naar ons tafeltje en haalde zijn blocnote te voorschijn. We schoven een stukje van elkaar af en glimlachten allebei beleefd, alsof Cheney zijn dij onder het tafelkleed niet tegen de mijne aan gedrukt hield. Ik had nog geen slok van mijn borrel gedronken, maar ik voelde me al helemaal doezelig door de warmte die zich door mijn ledematen verspreidde. Ik keek naar de andere gasten, maar niemand scheen erg te hebben in de geladen deeltjes die tussen ons oversprongen.

Cheney bestelde voor ons allebei een salade en zei tegen de ober dat we genoeg hadden aan één portie macaroni met kaas, die kennelijk geserveerd werd in een fors formaat ovenschaal.

Ik vond het allang best. Hij had me helemaal uit mijn evenwicht gebracht, weg van mijn gebruikelijke twistzieke en eigengereide zelf. Ik was al helemaal aan hem verslingerd. Ik voelde hoe mijn remmingen wegvielen en hoe mijn begeerte de barricade slechtte die ik opgetrokken had om me de Mongoolse horden van het lijf te houden. Wie maakte zich daar nog druk over? Laat ze maar over de muren klauteren.

Zodra de ober vertrok, legde Cheney zijn hand met de palm omhoog op het tafeltje en verstrengelde mijn vingers met de zijne, terwijl hij zijn blik over de andere gasten liet dwalen. Ik voelde dat hij er op dit moment met zijn gedachten niet bij was, maar ik wist dat dat maar tijdelijk zou zijn. Ik bestudeerde zijn profiel, het bruine krulhaar dat ik zou kunnen aanraken als ik dat wilde. Ik kon een ader in zijn keel zien kloppen. Hij draaide zich om en keek me aan. Zijn ogen gleden van de mijne naar mijn mond. Hij boog zich naar me over en kuste me. Terwijl de eerste kus nog voorzichtig was geweest, was deze kus zonder meer veelbelovend.

Ik begon bijna hardop te neuriën. ‘Moet er per se gegeten worden?’

‘Eten als voorspel.’

‘Ik ben uitgehongerd.’

‘Ik zal je niet teleurstellen.’

‘Dat weet ik.’

Ik weet niet precies hoe we de maaltijd doorkwamen. We aten een koude, knapperige salade met een pikante vinaigrette. Hij voerde me macaroni met kaas, warm en zacht, doorspekt met prosciutto, en vervolgens kuste hij de zoute smaak van mijn lippen. Hoe waren we hier terechtgekomen? Ik dacht aan alle keren dat ik hem gezien had, gesprekken die we hadden gevoerd. Ik had nog nooit een echte glimp van deze man opgevangen, maar hier was hij dan.

Hij betaalde de rekening. Terwijl we op de auto wachtten, trok hij me tegen zich aan met zijn handen op mijn billen. Ik wilde in hem klimmen, tegen hem op klauteren als een aap tegen een palmboom. De parkeerbediende wendde zijn blik af en deed zijn best om zijn gezicht in de plooi te houden terwijl hij het portier voor me openhield. Cheney gaf hem een fooi, trok zijn portier dicht en reed weg. Terwijl we door het donker reden, wreef ik met een hand over zijn dij.

Tegen de tijd dat we een garagepad op reden, wist ik niet eens precies waar we waren. Zijn huis, kennelijk. Als verdoofd keek ik toe hoe hij uitstapte en om de auto heen liep. Hij trok me naar buiten en draaide me om zodat ik tegen hem aan hing, met mijn rug tegen zijn borst, terwijl zijn lippen over mijn nek gleden. Hij schoof het schouderbandje van mijn tanktop opzij en kuste mijn schouder, waarna hij er even heel zachtjes in beet. Hij zei: 'Laten we het rustig aan doen, oké? We hebben alle tijd van de wereld. Of moet je soms nog ergens heen?'

'Nee.'

'Mooi zo. Zullen we dan maar naar boven gaan?'

'Oké.' Ik stak mijn arm naar achteren, liet mijn vingers door zijn haar glijden en greep het toen beet terwijl ik mijn gezicht naar het zijne draaide. 'Je bent toch niet zo zeker van jezelf dat je de lakens hebt verschoond voordat je vanavond het huis uit ging?'

'Nee hoor. Dat zou ik je niet aandoen. Ik heb nieuwe gekocht.'

13

’s Ochtends om kwart voor zes bracht Cheney me naar huis. Hij zou doorgaan naar de sportschool en op tijd op zijn werk zijn voor een briefing die gepland stond voor zeven uur. Ik was van plan om direct in bed te kruipen. Bij het ochtendgloren, toen de lucht van zalm- tot zuurstokroze verkleurde, hadden we ons eindelijk van elkaar losgemaakt. Binnen een minuut had ik mijn kleren aangeschoten, waarna ik toegekeken had terwijl hij zich aankleedde. Hij was gespierder dan ik me voorgesteld had, zijn lichaam glad en goed geproportioneerd. Goede borstspieren, goede biceps, goede buikspieren. Toen ik met Mickey trouwde, was ik 21 en hij 37, een verschil van zestien jaar. Daniel was meer van mijn eigen leeftijd geweest, maar zacht, met een jongensachtig lijf, tenger en met een smalle borst. Dietz was net als Mickey zestien jaar ouder dan ik geweest, een overeenkomst waar ik nog niet eerder bij stil had gestaan. Iets om later nog eens over na te denken. Ik had me nooit zo beziggehouden met mannenlichamen, maar ik had dan ook nog nooit een exemplaar als dat van Cheney leren kennen. Hij was werkelijk prachtig gebouwd; huid zo glad als fijn leer, strak gespannen over een keihard frame.

Nadat we voor mijn appartement gestopt waren, kusten we elkaar nog een keer voordat ik uitstapte en hem nakeek terwijl hij wegreed. Bij elke andere man zou ik misschien nu al aan het tobben zijn geslagen over al die stomme dingen waar vrouwen zich zorgen over maken: zou hij bellen, zou ik hem nog eens terugzien, had hij ook maar iets gemeend van wat hij gezegd had? In het geval van Cheney had ik daar totaal geen last van. Wat dit ook was en wat er verder ook zou gebeuren, ik vond het allemaal prima. Als de hele relatie uiteindelijk niet méér zou beslaan dan de uren die we zojuist samen hadden doorgebracht, nou, dan bofte ik toch zeker dat ik een dergelijke ervaring mee had mogen maken?

Ik sliep tot tien uur, sloeg het joggen over, lummelde wat rond in huis, en vertrok uiteindelijk tegen twaalven naar mijn kantoor waar ik meteen maar een lunchpauze inlaste. Ik stond net op het punt om mijn boterham met kaas en augurk uit te pakken toen ik iemand de buitendeur hoorde opendoen en weer dicht hoorde smijten. Reba stond in de deuropening, haar gezicht vertrokken van woede, een bruine envelop in haar hand. 'Heb jij die genomen?'

De schrik sloeg me om het hart bij het zien van de envelop, want ik had precies zo'n zelfde exemplaar in mijn bureaula liggen.

Ze boog zich over mijn bureau heen en doorkliefde de lucht vlak voor mijn gezicht met de envelop, waarvan de hoek maar net mijn oog miste. 'Nou?'

'Wat, nou? Ik heb geen idee waar je het over hebt.' Dit was liegen van wereldklasse, ik op mijn best, tegen de situatie opgewassen, onversaagd in het heetst van de strijd.

Ze maakte de envelop open, graaide de foto's eruit en smeet ze voor me neer. Ze boog zich weer voorover, ditmaal met beide handen op mijn bureau leunend. 'Een of andere gluiperd belde aan en wilde me spreken. Ik dacht dat het een reclasseringsambtenaar was die op huisbezoek kwam, dus ik neem hem mee naar de woonkamer en bied hem een stoel aan om gezellig een praatje te maken, een en al opgewektheid om te laten zien wat een brave burger ik ben. Voor ik het weet overhandigt hij me deze en begint een ongelooflijk lulverhaal af te steken. Dat is Beck, tussen haakjes, voor het geval de afdrukken te korrelig zijn.'

Ik pakte de zwartwitafdrukken op en deed of ik ze aandachtig bestudeerde terwijl ik zat te bedenken hoe ik dit het beste aan kon pakken. Ik legde de foto's weer op het bureau en keek naar haar op. 'Dus hij pikt een of andere prostituee op. Wat had je dan verwacht?'

'Prostituee, laat me niet lachen.' Ze pakte een van de foto's bij de rand beet en priemde met haar wijsvinger woest naar de vrouw op de foto. 'Weet je wie dat is?'

Ik schudde het hoofd terwijl het hart me in de keel bonsde. Natuurlijk wist ik het. Ik wilde het alleen niet tegenover haar toegeven.

'Dat is Onni. Mijn beste vriendin.'

'Ah.'

Ze trok een gezicht. 'Het zal me een rotzorg zijn of hij genéúkt heeft, maar met háár?'

'Tja, je zou toch denken dat hij het fatsoen had kunnen opbrengen om het met zijn vrouw te doen in plaats van met je beste vriendin.'

'Precies. Ik verwachtte echt niet van hem dat hij celibatair zou blijven. Dat ben ik zelf beslist ook niet geweest.'

Oei, wat bedoelde ze daar nou weer mee? Met wie had ze wát gedaan? Je zou toch denken dat de opties in de gevangenis beperkt waren.

'Weet je wat nog het ergste is? Ik word verondersteld met Onni te gaan eten. Vanavond. Zie je het al voor je? Ik honderduit babbelend, blij met haar gezelschap nadat ik haar zo lang gemist heb. En al die tijd zou zij zich inwendig rot zitten te lachen. De vuile teef. Ze weet dat ik van hem hou. Dat wéét ze!' Plotseling vertrok haar gezicht en ze ging zitten. 'Verdorie, wat moet ik nou?' zei ze, en toen begon ze te huilen.

Na een tijdje werd het snikken minder en ik zei: 'Gaat het een beetje?'

'Nee, het gaat helemaal niet. Wat denk je nou? Ik geloof dat ik gek aan het worden ben. Dit kon ik nou nog net gebruiken.'

Als een zielknijper pakte ik het doosje tissues dat op de hoek van mijn bureau stond en schoof het naar haar toe. Ze pakte er een en snoot haar neus. 'Ach, verdomme. Ik was het niet van plan, maar ik kan er ook niets aan doen.' Ze deed haar tasje open, haalde een onaangebroken pakje sigaretten te voorschijn, maakte het open en tikte er een sigaret uit. Ze pakte haar gouden Dunhill-aansteker en boog zich naar het vlammetje over met een uitdrukking van vervoering op haar gezicht. Ze inhaleerde, zoog de rook haar longen binnen alsof het lachgas was, en liet die in een zachte stroom weer ontsnappen. Ze leunde achterover en deed haar ogen dicht. Het was alsof je naar iemand keek die zichzelf een shot heroïne gaf. Ik kon de nicotine zijn kalmerende werk zien doen. Ze deed haar ogen weer open. 'Dat is een stuk beter. Heerlijk. Ik hoop dat je een asbak hebt.'

'Gooi de as maar gewoon op de grond. De vloerbedekking lijkt toch nergens op.'

Ze voelde zich waarschijnlijk licht in het hoofd, maar de verontwaardiging was in elk geval verdwenen en had plaatsgemaakt voor een geforceerde kalmte. Er verscheen een flauw, spottend glimlachje op haar gezicht. 'Toen ik het pakje kocht,

had ik kunnen weten dat ik er binnen een dag aan zou beginnen.'
'Zolang je maar niet drinkt.'
'Maak je maar geen zorgen. Eén ondeugd tegelijk.' Ze nam weer een trek van haar sigaret, terwijl de spanning wegtrok uit haar gezicht. 'Ik heb al een jaar niet meer gerookt. Verdomme, het ging net zo goed.'
Ik was nog steeds bezig me voorzichtig een weg te banen door iets wat aanvoelde als een mijnenveld, terwijl ik me afvroeg of ik haar de waarheid kon vertellen zonder dat mijn eigen positie onder vuur zou komen te liggen.
'Het beroerde is dat ik het weer zo lekker vind,' zei ze.
Het onderwerp Beck deed kennelijk niet meer ter zake nu ze eenmaal haar sigaretten had. 'Dus wat nu?' vroeg ik.
'Ik zou het bij god niet weten.'
'Misschien kunnen we samen iets bedenken.'
'Hè, ja. Wat valt er te bedenken? Hij heeft me gewoon in de maling genomen,' zei ze.
'Ik weet niet goed wat ik moet denken van die man die je op kwam zoeken. Ik snap het niet. Wie was hij?'
Ze haalde haar schouders op. 'Hij zei dat hij van de FBI was.'
'Je meent het. De FBI?'
'Dat beweerde hij, op zo'n superieur toontje. Zodra ik de eerste foto zag, zei ik tegen hem dat hij moest maken dat hij wegkwam, maar hij wilde me het hele verhaal vertellen, alsof ik te stom was om het te kunnen begrijpen. Ik heb de telefoon gepakt en hem gezegd dat ik de politie zou bellen als hij niet binnen vijf seconden verdwenen zou zijn. Dat hielp.'
'Heeft hij je zijn legitimatiebewijs laten zien? Een penning, een visitekaartje of iets dergelijks?'
'Hij hield een penning voor mijn neus toen ik de deur voor hem opendeed, maar daar heb ik verder geen aandacht aan besteed. Ik dacht dat hij een reclasseringsambtenaar was, die hebben namelijk ook een penning, en dus heb ik er verder niet naar gekeken. Ik dacht dat ik hem wel binnen moest laten. Toen hij die envelop te voorschijn haalde, ging ik ervan uit dat er formulieren ingevuld moesten worden, dat hij een rapport moest opstellen of zo. Tegen de tijd dat ik besefte waar hij voor kwam, was ik zo nijdig dat het me totaal niet meer interesseerde wie hij was.'
'Wat ga je nu doen?'
'Ik ga in elk geval mijn eetafspraak afzeggen. Ik zou nog niet

met Onni aan tafel gaan zitten met een pistool tegen mijn slaap gedrukt.'

'Vind je niet dat Beck degene is op wie je kwaad zou moeten zijn? Je hebt voor die kerel in de gevangenis gezeten en dan flikt hij je dít.'

'Ik heb niet voor hem in de gevangenis gezeten. Wie heeft je dat wijs gemaakt?'

'Wat doet dat ertoe? Dat is het verhaal dat de ronde doet.'

'Nou, het klopt niet.'

'Kom op, Reba. Vertel het me nou maar gewoon. Ik ben de enige vriendin die je hebt. Oké, je bent stapel op die man en jij hebt de schuld op je genomen. Je zou niet de eerste zijn. Misschien heeft hij je wel gemanipuleerd.'

'Hij heeft me helemaal niet gemanipuleerd. Ik wist wat ik deed.'

'Dat kan ik me nauwelijks voorstellen.'

'O, nee? Eerst vraag je me om eerlijk te zijn en vervolgens ga je over me zitten oordelen? Doe me nou een lol, zeg.'

Ik stak een hand op. 'Oké. Je hebt gelijk. Neem me niet kwalijk. Zo bedoelde ik het niet.'

Ze staarde me aan terwijl ze probeerde in te schatten in hoeverre ik het meende. Ik moet een oprechte indruk hebben gemaakt, want ze zei: 'Oké.'

'Je wilt dus zeggen dat je helemaal geen geld van hem verduisterd hebt?'

'Natuurlijk niet. Ik heb geld van mezelf, althans, dat had ik indertijd.'

'In dat geval begrijp ik niet hoe je in de gevangenis terecht bent gekomen.'

'Tijdens een accountantscontrole kwamen er onregelmatigheden aan het licht en hij móést op de een of andere manier het ontbrekende bedrag verantwoorden. Hij dacht dat ik er met een lichte straf af zou komen. Een voorwaardelijke veroordeling met een proeftijd of zo, iets dergelijks.'

'Dat lijkt me nogal optimistisch gedacht. Je had al eens eerder gezeten wegens het knoeien met een cheque. Vanuit het standpunt van de rechter gezien was dit gewoon weer hetzelfde.'

'Tja, ik neem aan dat het daar misschien inderdaad naar uitzag. Beck deed wat hij kon om de klap te verzachten. Hij vertelde de officier van justitie dat hij geen aanklacht wilde indienen, maar het zal wel net zoiets zijn als een geval van huiselijk geweld, als je eenmaal bekend bent, kun je geen kant meer op.

Er was nou eenmaal 350.000 dollar verdwenen waar hij geen verklaring voor kon geven.'

'Wat is er met het geld gebeurd?'

'Niets. Hij had het weggesluisd naar een buitenlandse rekening zodat zijn vrouw er niet aan kon komen. Hoe kon hij nou weten dat de rechter zo'n keiharde zou zijn? Vier jaar! Grote hemel. Hij was nog meer geschokt dan ik.'

'Je meent het.'

'Ik meen het inderdaad. Hij voelde zich ellendig. Hij kreeg zowat slaande ruzie met de openbaar aanklager. Dat leidde natuurlijk nergens toe. Daarna schreef hij een brief aan de rechter waarin hij hem verzocht om clementie. Nou, mooi niet dus. Hij beloofde dat hij zijn advocaat in beroep zou laten gaan...'

'In beroep gaan? Waar heb je het over? Beck was helemaal niet in een positie om in beroep te gaan. Zo werkt de wet niet.'

'O. Nou ja, misschien heb ik dat niet helemaal goed begrepen. Zoiets was het in elk geval. Hij zei dat het zijn verantwoordelijkheid was en dat hij de schuld op zich zou nemen, maar tegen die tijd was het daar al te laat voor. Hij had meer te verliezen dan ik. Ik hield mezelf voor dat hij, zolang hij op vrije voeten was, zich kon bezighouden met het in veiligheid brengen van de rest van het geld. En trouwens, hij nam alle risico's. Als iemand ervoor op moest draaien, dan kon ik dat beter doen dan hij.'

'Dus het was jouw idee,' zei ik, terwijl ik mijn best deed om de scepsis uit mijn stem te houden.

'Ja. Ik bedoel, ik kan me niet meer precies herinneren wie er het eerst over begon, maar ik was degene die erop aandrong.'

'Reba – ik wil geen kritiek op je leveren, dus word nou niet meteen nijdig – maar het heeft er de schijn van dat hij je erin heeft geluisd. Vind je zelf ook niet?'

Ze staarde me verbijsterd aan. 'Denk je dat hij dat echt zou doen?'

'Hij heeft dít gedaan,' zei ik, terwijl ik naar de foto's wees. 'Jij bent degene die het de afgelopen 22 maanden dag na dag zwaar te verduren heeft gehad. En ondertussen neukt Beck er hier lustig op los. Zit dat je niet dwars? Mij zit het wél dwars.'

'Natuurlijk zit het me dwars, maar het is niet bepaald nieuws. Hij is nou eenmaal een rokkenjager. Dat heb ik altijd al van hem geweten. Het heeft niets te betekenen. Zo is hij nou eenmaal. De reden dat ik pissig op haar ben, is dat ze meer loyaliteit of integriteit of wat dan ook aan den dag had moeten leggen.'

'Je weet niet eens wanneer het begonnen is. Misschien hadden ze al een verhouding toen die vermeende verduistering aan het licht kwam.'

'Hartelijk dank. Dat is nog eens een opbeurende gedachte. Zodra ik haar gewurgd heb, zal ik haar data en tijdstippen laten verifiëren.'

'Ik hoop dat dat een hyperbool is.'

'Wat dat dan ook moge zijn,' zei ze. 'Wat ik niet kan begrijpen, is wat de FBI hiermee te maken heeft. Waarom maakt die gozer al die foto's van Beck? En waarom komt hij daarmee naar mij toe? Als hij problemen wilde veroorzaken, waarom liet hij ze dan niet aan Tracy zien?'

'Dat kan ik je wel vertellen,' zei ik, in stilte de klunzige FBI-agent vervloekend die ons in de wielen had gereden. Even aarzelde ik. Ik kon nog terug. Het was alsof je op de tienmeterplank naar het water diep onder je stond te kijken. Als je gaat springen, doe het dan meteen. Hoe langer je het uitstelt, hoe moeilijker het wordt. 'De FBI is geïnteresseerd in Becks relatie met Salustio Castillo.'

Ze keek me onderzoekend aan. 'Hoe weet jij dat?'

'Reba, je hebt voor de man gewerkt. Daar moet je van op de hoogte zijn.'

Ze gooide het gesprek over een andere boeg. 'Zit pa hier soms achter?'

'Doe niet zo belachelijk. Ik heb hem niet meer gesproken sinds hij me ingehuurd heeft. Bovendien is hij een rechtschapen man. Hij zou nooit zijn toevlucht nemen tot compromitterende foto's. Daar heeft hij veel te veel klasse voor.'

Ze nam weer een diepe haal van haar sigaret en blies de rook recht omhoog. 'Waar heb je dat verhaal dan vandaan?'

'Via een vriend bij de politie.'

'En de FBI is erbij betrokken?'

'En ook de Belastingdienst. Plus de douane, plus de DEA, plus de ministeries van Justitie en Financiën, voorzover ik weet. Inspecteur Phillips is de plaatselijke contactpersoon, als je met hem wilt praten.'

'Ik snap het niet. Waarom ik? Wat willen ze van me?'

'Ze hebben hulp nodig. Ze bereiden een zaak tegen hem voor en ze hebben behoefte aan inside-information.'

'Hij besodemietert mij en dus draai ik hem een loer?'

'Waarom niet?'

'Wat heb je nog meer gehoord?'

'Over Beck? Niets wat je nog niet weet. Hij neemt zwart geld in ontvangst en wast het via zijn bedrijf wit. Hij houdt een bepaald percentage in en vervolgens maakt hij het witgewassen geld weer over naar de criminelen voor wie hij werkt. Zo is het toch?'

Ze zweeg.

Ik zei: 'Jij moet er van het begin af aan bij betrokken zijn geweest. Je hield je met de administratie bezig, bankdeposito's, dat soort dingen, toch?'

'Dat was voornamelijk het werk van de boekhouder, maar oké, ik deed ook wel eens wat.'

'De FBI kan dergelijke informatie heel goed gebruiken als je bereid bent om mee te werken.'

Ze zweeg terwijl haar blik de stofdeeltjes volgde die door de lucht zweefden. 'Ik zal erover nadenken.'

Ik zei: 'Als je dan toch bezig bent, denk dan ook eens hierover na. Onni heeft jouw oude baan, wat inhoudt dat ze net zoveel van zijn zaken af weet als jij, alleen is haar informatie van recentere datum. Als hij van plan is met de noorderzon te vertrekken, wie denk je dan dat hij meeneemt? Anders gezegd, wie denk je dat hij achterlaat? Onni? Dat betwijfel ik. Niet als ze in de positie verkeert om hem te verlinken.'

'In die positie verkeer ik toevallig ook,' zei ze, alsof ze op dat gebied niet voor Onni wilde onderdoen. Ze hield de peuk van haar sigaret omhoog. 'Ik moet hem uitmaken.'

'Geef maar hier.'

Ik stak mijn hand uit en pakte de peuk van haar aan met net zoveel enthousiasme als ik zou voelen voor een net met zout bestrooide slak. Ik liep ermee door de gang naar mijn armoedige wc met de permanente roestvlekken. Ik liet de peuk in de toiletpot vallen en trok door. Ik voelde de spanning tussen mijn schouderbladen. Ik had geen idee of mijn overredingskracht het gewenste resultaat zou opleveren. In elk geval hoopte ik dat ze haar fantasie over Beck zou opgeven.

Toen ik het kantoor weer binnen ging, stond ze voor het raam. Ik ging aan mijn bureau zitten. Door het licht dat door het raam naar binnen viel, zag ik haar vrijwel uitsluitend in silhouet. Ik pakte een potlood en krabbelde wat op mijn vloeiblad. 'Hoe denk je erover?'

Ze draaide zich naar me om en glimlachte flauwtjes. 'Voorlopig denk ik even helemaal niets.'

En daar lieten we het bij.

Ik zei tegen haar dat ze rustig de tijd moest nemen om de situatie te overdenken voordat ze een besluit nam. Vince Turner mocht dan misschien haast hebben, maar wat hij vroeg was niet gering, en het was belangrijk dat ze zeker van haar zaak was. Als ze eenmaal akkoord was gegaan, kon hij het zich niet permitteren dat ze zich alsnog zou bedenken. Ik keek haar na door het raam. Ze stapte in haar auto, stak weer een sigaret op, en reed toen weg. Toen ze uit het zicht verdwenen was, belde ik Cheney en bracht hem op de hoogte van de gebeurtenissen, met inbegrip van de FBI-agent die het hele plan in gevaar had gebracht.

Hij zei: 'Shit.'

'Dat was ook mijn reactie.'

'Verdomme. En we weten niet wie die kloothommel is?'

'Nee, en we hebben ook geen signalement van hem. Ik had wel kunnen aandringen op wat meer details, maar ik had het te druk met doen alsof ik niet alles al van tevoren wist.'

'Trapte ze erin?'

'Volgens mij wel. In grote lijnen. Hoe dan ook, ik dacht dat jij Vince wel zou willen bellen om hem te laten weten waar we aan toe zijn.'

'En waar zijn we dan wel aan toe?'

'Dat weet ik niet precies. Reba heeft tijd nodig. Ze heeft heel wat om over na te denken.'

'Volgens mij was ze niet heel erg verrast.'

'Ik denk dat ze altijd al meer geweten heeft dan ze doet voorkomen. Nu de zaak op straat ligt, moeten we maar afwachten wat ze ermee doet.'

'Ik word er nerveus van.'

'Ik ook. Laat me weten wat Vince te zeggen heeft.'

'Doe ik. Tot gauw.'

'Okidoki,' zei ik.

14

Om vijf uur sloot ik mijn kantoor af en liep naar mijn auto. Ik reed via de lange route naar huis zodat ik bij mijn favoriete benzinestation kon tanken. Terwijl ik door State Street reed, zag ik een bekende gestalte. Het was William, in driedelig kostuum en met een donkere gleufhoed op zijn hoofd, die met kwieke pas in de richting van Cabana Boulevard liep, zwaaiend met zijn zwarte rotan wandelstok. Ik minderde vaart, claxonneerde, en stopte langs de stoeprand. Ik boog me opzij en draaide het raampje aan de passagierskant omlaag. 'Wil je een lift?'

William tikte tegen zijn hoed. 'Dank je. Heel graag.'

Hij deed het portier open en stapte in, waarbij zijn lange benen ongemakkelijk omhoogstaken in de beperkte ruimte voorin. Hij klemde zijn wandelstok tussen zijn knieën. 'Je kunt je stoel achteruit schuiven, zodat je wat meer ruimte hebt. De hendel zit dáár,' zei ik.

'Ik zit prima zo. Het is niet ver.'

Ik keek achterom en wachtte even tot ik weer in kon voegen. 'Ik had niet verwacht je hier aan te treffen, en dan ook nog eens op je paasbest. Hoe kom je hier zo terecht?'

'Ik heb een rouwbijeenkomst op Wynington-Blake bijgewoond. Na afloop heb ik een kopje thee gedronken met het enig overgebleven lid van de familie. Een bijzonder sympathieke man.'

'O, neem me niet kwalijk. Ik wist niet dat er iemand overleden was. Als ik dat geweten had, zou ik niet zo opgewekt hebben gedaan.'

'Dat geeft niet. Het was Francis Bunch. Drieëntachtig jaar oud.'

'Jeetje, dat is nog jong.'

'Precies. Hij was maandag zijn gazon aan het maaien toen hij een hersenbloeding kreeg. Zijn achterneef Norbert is de enige die nog over is van de familie. Op een gegeven moment waren er 26 volle neven en nu is iedereen overleden.'

'Dat is een hard gelag.'

'Zeg dat wel. Francis was een gezonde kerel, veteraan, heeft nog in de Tweede Wereldoorlog gevochten. Hij was een gepensioneerd pijpfitter en baptist. Zijn ouders, zijn vrouw met wie hij 62 jaar getrouwd was geweest – Mae was haar naam – zeven kinderen, en zijn broer James gingen hem voor in de dood. Norbert zei dat Francis het heerlijk vond om in zijn tuin te werken, dus hij is gegaan op de manier die hij gewild zou hebben, alleen misschien niet zo voortijdig.'

Ik sloeg de hoek om en reed Cabana Boulevard op, volgde die tot aan Castle en sloeg daar rechts af. 'Hoelang kende je hem al?'

William keek verbaasd. 'Ik kende hem helemaal niet. Ik had zijn overlijdensbericht in de krant gelezen. Aangezien er al zoveel van zijn familieleden overleden waren, vond ik dat er toch íémand moest zijn om zijn deelneming te betuigen. Norbert stelde het gebaar zeer op prijs. We hebben een lang en prettig gesprek met elkaar gevoerd.'

'Ik dacht dat je niet meer naar begrafenissen ging.'

'Dat is ook zo... over het algemeen... maar het kan geen kwaad om af en toe een dienst bij te wonen.'

Ik sloeg rechts af mijn straat in en reed langs Rosie's. Ik parkeerde op een plek halverwege het restaurant en mijn appartement, zette de motor af en wendde me tot William. 'Voordat je gaat, er is iets wat ik me afvraag. Heb jij toevallig Lewis in Michigan gebeld en hem overgehaald om hierheen te komen?'

'O, daar was niet veel overredingskracht voor nodig. Zodra ik over Mattie begon, zat hij al bijna in het vliegtuig. Ik heb het zo weten in te kleden dat hij geloofde dat het zijn eigen idee was. Zoals ik tegen Rosie zei: "Dit is precies wat Henry nodig heeft."'

'William, ik kan gewoon niet geloven dat je dat gedaan hebt!'

'Ik zelf ook niet. In een moment van inspiratie kwam het idee zomaar bij me op. Ik dacht: Henry is te zelfvoldaan. Hij heeft een prikkel nodig en dit zou wel eens het gewenste resultaat kunnen opleveren.'

'Ik zei niet dat ik het een goed plan vond. Ik vind het een heel slecht idee.'

Hij fronste het voorhoofd, enigszins van zijn stuk gebracht. 'Waarom zeg je dat? Hij en Lewis zijn jaloers op elkaar. Het verbaast me dat je je daarvan niet bewust bent.'

'Natuurlijk ben ik me daarvan bewust. Ik zou hersendood moeten zijn als dat me niet opgevallen was. Het probleem is dat Henry's reactie precies het tegenovergestelde is van wat je hoopte te bereiken. Hij maakt haar niet het hof. Hij trekt zich juist terug.'

'Henry is uitgekookt. Hij heeft altijd nog wel een kaart achter de hand.'

'Dat betwijfel ik. Hij zegt dat hij het vertikt om de strijd aan te gaan. Dat vindt hij beneden zijn waardigheid, en dus trekt hij zich terug uit het strijdperk.'

'Laat je niet voor de gek houden door die manoeuvre. Ik heb dat al ik weet niet hoe vaak meegemaakt. Hij en Lewis laten hun oog vallen op dezelfde schone maagd en dan begint het steekspel. In feite pakt het nog beter uit dan ik gehoopt had. Lewis heeft Mattie over weten te halen om nog een dag langer te blijven. Je had de blik op Henry's gezicht moeten zien. Dat was een klap die hard aankwam, maar daar komt hij wel weer overheen. Het kan misschien wat voeten in de aarde hebben, maar uiteindelijk trekt hij aan het langste eind.'

'Heb je met hem gepraat?'

'Niet meer sinds gisteren. Hoezo?'

'Toen ik gisteravond thuiskwam, stond haar auto er niet meer en er brandde geen licht in zijn huis.'

'Hij is niet bij Rosie's geweest. Dat weet ik in elk geval zeker. Weet je, Lewis heeft Mattie uitgenodigd om met hem naar het museum te gaan en daarna een hapje te gaan eten.'

'William, daar zat ik zelf bij.'

'Dan moet je haar reactie hebben gezien. Ze vond het een enig idee, en dat ontging Henry uiteraard niet. Waarschijnlijk heeft hij voor gisteravond iets speciaals voor hen samen bedacht.'

'Dat denk ik niet. Toen ik Henry sprak, was hij onvermurwbaar.'

William wuifde mijn bedenking weg. 'Uiteindelijk draait hij wel weer bij. Hij zal nooit toestaan dat Lewis hem de loef afsteekt.'

'Ik hoop dat je gelijk hebt,' zei ik weifelend.

We stapten uit en namen op straat afscheid van elkaar. Ik had nog wel meer op mijn hart, maar het leek me verstandiger het onderwerp te laten rusten. Hij leek zo zeker van zichzelf. Misschien zou Henry inderdaad terugvechten en zou Williams bemoeizucht voor het beslissende zetje zorgen. Fluitend en zwaaiend met zijn wandelstok ging hij op weg naar Rosie's. Toen ik naar mijn appartement liep, raapte ik Henry's krant op die nog op het tuinpad lag.

Ik ging de hoek om. Henry's achterdeur stond open. Ik aarzelde even, stak toen de patio over en klopte op de hordeur. 'Henry?'

'Ik ben hier. Kom verder.'

Er brandde geen licht en hoewel het buiten nog klaarlichte dag was, gaf dat de keuken een somber aanzien. Hij zat in zijn schommelstoel met het gebruikelijke glas whisky in zijn hand. De keuken zag er onberispelijk uit, alle apparatuur glom, de werkbladen glansden. De oven was uit en er stonden geen potten en pannen op het fornuis. Ik rook geen etenslucht. Dit was niets voor hem. Geen enkel teken van zijn dagelijkse bakproject, geen voorbereidingen voor het avondeten.

'Ik heb je krant meegebracht.'

'Dank je.'

Ik legde hem op de keukentafel. 'Mag ik erbij komen zitten?'

'Ga je gang. Er staat een halve fles wijn in de koelkast als je daar zin in hebt.'

Ik pakte een wijnglas uit de kast en haalde de aangebroken fles chardonnay uit de deur van de koelkast. Ik schonk mezelf een half glas in en wierp toen een blik op Henry. Hij had zich niet bewogen. 'Is alles goed met je?'

'Prima.'

'Ah. Gelukkig maar, want ik vind het hier een beetje somber. Zal ik het licht aandoen?'

'Doe maar.'

Ik deed het plafondlicht aan, maar dat leek nauwelijks uit te maken. Het licht scheen net zo mat en somber als Henry's houding. Ik zette mijn wijnglas op tafel en ging zitten. 'Wat is er gisteravond gebeurd? Ik zag dat Matties auto er niet meer stond en dat jij niet thuis was. Zijn jullie samen ergens naartoe geweest?'

'Ze is naar San Francisco vertrokken. Ik ben een eindje gaan wandelen.'

'Hoe laat is ze vertrokken?'

'Daar heb ik niet zo op gelet. Twee minuten over halfvijf,' zei hij.

'Nogal laat met een rit van zes uur voor de boeg. Als ze onderweg nog ergens gegeten heeft, was ze waarschijnlijk pas rond middernacht thuis.'

Stilte van Henry.

'Ik neem aan dat ze hier geluncht heeft. Ben je met ze mee geweest naar het museum?'

'Ik heb eigenlijk niet zo'n zin om hierover te praten. Er valt gewoon niets over te zeggen. Laten we er maar over ophouden.'

'Oké, ook goed,' zei ik. 'Eet je vanavond bij Rosie? Dat was ik zelf eigenlijk ook van plan.'

'Met de kans om Lewis tegen het lijf te lopen? Ik dacht het niet.'

'We zouden ergens anders heen kunnen gaan. Emile's-at-the-Beach is altijd erg gezellig.'

De gekwetstheid in de blik waarmee hij me aankeek, was bijna meer dan ik kon verdragen. 'Ze heeft het uitgemaakt.'

'Is het werkelijk?'

'Ze zei dat ik onmogelijk was. Ze zei dat ze genoeg had van de manier waarop ik me gedroeg.'

'Was daar een speciale aanleiding voor?'

'Nee. Het kwam als een donderslag bij heldere hemel.'

'Misschien had ze een rotdag achter de rug.'

'Niet zo beroerd als ik.'

Ik keek naar de vloer terwijl ik een golf van teleurstelling over me heen voelde spoelen. Ik had die twee zo graag samen gelukkig zien worden. Ik zei: 'Weet je waar ik van baal? Ik wil graag geloven dat ons prettige dingen kunnen overkomen. Niet elke dag, misschien, maar wel zo af en toe.'

'Ik ook,' zei hij. Hij stond op en liep de keuken uit.

Ik wachtte even en toen het duidelijk was dat hij niet meer terugkwam, goot ik mijn glas leeg in de gootsteen, spoelde het om, en liet mezelf uit. Ik was in staat om William de nek om te draaien en als ik dan toch bezig was, zou ik met alle plezier ook Lewis onder handen hebben genomen. Met verdriet van mezelf zou ik beter overweg hebben gekund dan met dat van Henry. Mijn sombere gemoedstoestand hield waarschijnlijk gedeeltelijk verband met mijn gebrek aan slaap, maar zo voelde het niet aan. Het voelde aan als een diepe en permanente toestand, een duisternis die als slib opgewoeld werd uit de diepte. Henry was een fantastische man en Mattie had perfect voor hem geleken. Waarschijnlijk had hij zich inderdaad onmogelijk gedragen, maar dat gold in zekere zin ook voor haar. Het zou toch niet zo moeilijk zijn geweest om in de gegeven situatie wat meer gevoeligheid aan den dag te leggen. Tenzij ze om te beginnen al niet zoveel om hem gegeven had, dacht ik. In dat geval zou ze het voor gezien houden zodra het wat lastiger werd. Als iemand die zelf ook dergelijke neigingen had, kon ik met haar meevoelen. Het leven was al moeilijk genoeg zonder je andermans humeurigheid te hoeven laten welgevallen.

Ik ging mijn appartement binnen en controleerde mijn antwoordapparaat. Ik had gehoopt dat Cheney een boodschap ingesproken zou hebben, maar het lichtje knipperde niet dus dat was niet het geval. Ondanks mijn eerdere zelfvertrouwen voelde ik er niet veel voor om thuis te blijven zitten wachten of hij misschien zou bellen. Het was etenstijd, maar ik had net zo weinig zin als Henry om naar Rosie's te gaan. William zou ongetwijfeld komen informeren naar het laatste nieuws met betrekking tot de geliefden. Voor het geval hij nog niet op de hoogte was van de breuk tussen hen, wilde ik niet degene zijn die de boodschap overbracht. En als hij het van Lewis had gehoord, wilde ik niet horen hoe hij de rol die hij gespeeld had, bagatelliseerde. Ik vermoedde dat een flink eind joggen me wel een beetje zou opmonteren, maar gezien mijn huidige gemoedstoestand zou ik minimaal naar Cottonwood moeten lopen, heen en terug zo'n 32 kilometer.

Dit was een van die momenten waarop je een vriendin nodig hebt. Als je in de put zit, dan doe je dat – je beste vriendin bellen – dat heb ik me althans laten vertellen. Je babbelt. Je lacht. Je vertelt haar je droevige verhaal, zij voelt met je mee, en vervolgens ga je samen winkelen zoals normale mensen doen. Maar ik had geen vriendin, een gemis dat me nauwelijks opgevallen was totdat Cheney ten tonele verscheen. Dus nu moest ik niet alleen het feit onder ogen zien dat ik hem niet had, maar haar had ik ook niet, wie ze ook wezen mocht.

Een stemmetje zei: ah, maar je hebt Reba toch.

Daar dacht ik even over na. Als ik een lijstje maakte van wenselijke eigenschappen in een vriendin, zou 'veroordeeld wegens een misdrijf' daar niet op voorkomen. Anderzijds zou ik in hetzelfde schuitje hebben gezeten als ik ooit betrapt was bij sommige van de dingen die ik heb uitgespookt.

Ik pakte de telefoon en toetste het nummer van de Lafferty's in. Toen Reba opnam, zei ik: 'Reba, je spreekt met Kinsey. Ik zou je iets willen vragen. Hoe goed ben je in het geven van advies op kledinggebied?'

Reba haalde me op in haar auto, een twee jaar oude zwarte BMW, die ze gekocht had vlak voordat ze naar het CIW was gestuurd. 'De officier van justitie wilde niets liever dan de auto in beslag nemen op grond van de veronderstelling dat ik hem gekocht had met gestolen geld. Nou, dat kon hij dus mooi vergeten. Ik had hem van mijn vader gekregen voor mijn dertigste verjaardag.'

'Wat heb je tegen Onni gezegd toen je jullie etentje afzegde?'

'Ik heb gezegd dat er iets tussen was gekomen en dat we het naar een andere avond moesten verplaatsen.'

'En dat vond ze niet erg?'

'Natuurlijk niet. Waarschijnlijk had ze sowieso al geen zin in dat etentje. Ik stortte altijd mijn hart bij haar uit over Beck. Er was niemand anders met wie ik over hem kon praten. Beck heeft dit gezegd, Beck heeft dat gezegd. Als ons seksleven ter sprake kwam, gaf ik haar bij wijze van spreken een gedetailleerd verslag.'

'Dat was niet zo slim van je. Je hebt hem te veel opgehemeld.'

'Daar zou je wel eens gelijk in kunnen hebben. Ze was altijd al jaloers op me. Zodra ze haar kans schoon ziet, pikt ze mijn baan in en vervolgens de liefde van mijn leven, althans, dat dacht ik indertijd. Ik haat vrouwen die dat soort dingen doen.'

'Wat is ze voor iemand?'

'Daar mag je zelf over oordelen, zolang je het maar met me eens bent. Ik weet waar ze uithangt. Als je geïnteresseerd bent, kunnen we daar later langsgaan en dan stel ik jullie aan elkaar voor.'

'Waar gaan we dan langs?'

'Bubbles in Montebello.'

'Die tent is al twee jaar dicht.'

'Nee hoor. De zaak is in andere handen overgegaan. De naam is hetzelfde gebleven, maar ze zijn alweer een maand open onder het nieuwe management.'

'Waar gaan we nu heen?'

'Het winkelcentrum.'

Passages, het onlangs geopende winkelcentrum in het hartje van Santa Teresa, was ontworpen als een oud Spaans stadje. De architectuur omvatte een pittoreske verzameling smalle panden van wisselende hoogte, bogen, loggia's, binnenplaatsen, fonteinen, en zijstraatjes, en het hele complex was voorzien van rode dakpannen. Gelijkvloers bevonden zich restaurants, kledingwinkels, galeries, juwelierszaken, en andere detaillisten. Aan de ene kant van de brede centrale esplanade bevond zich een filiaal van Macy's en aan de andere kant een vestiging van Nordstrom's, en verder werd een prominente plaats ingenomen door een grote boekwinkel. Overal waren peperboompjes en bloeiende heesters geplant. In de hogere panden, die van drie en vier verdiepingen, was kantoorruimte verhuurd aan advocaten, accountants, ingenieurs, en wie zich nog meer de duizelingwekkende huren kon veroorloven.

Door Santa Teresa's verzet tegen nieuwbouw had het jaren geduurd voordat het project zijn beslag kreeg. De stadsplanningscommissie, bouw- en woningtoezicht, de gemeenteraad, plus nog een aantal andere instanties die allemaal met elkaar overhoop lagen, moesten gesust en gerustgesteld worden. Groepen verontruste burgers protesteerden tegen de sloop van vijftig of zestig jaar oude gebouwen, hoewel de meeste nauwelijks de moeite waard waren. Veel ervan stonden al op de nominatie voor verplichte ingrijpende verbouwingen in verband met het aardbevingsgevaar, die de eigenaars meer gekost zouden hebben dan ze waard waren. Milieueffectrapporten moesten bestudeerd en goedgekeurd worden. Talrijke middenstanders moesten het veld ruimen, met slechts één uitzondering, een swingende kleine bar, Dale's, die nog altijd dapper standhield als een sleepboot in een haven vol plezierjachten.

We aten in een Italiaans restaurant in een van de smallere straten die de verbinding vormen tussen de centrale esplanade en State Street aan de ene kant en Chapel Street aan de andere. Het was nog steeds warm en we aten buiten op de patio. Bij het invallen van de duisternis deden strijklichten muren en vegetatie oplichten in tinten die nog levendiger waren dan overdag. Als je je ogen tot spleetjes kneep, kon je bijna geloven dat je je in het buitenland bevond.

Terwijl we op onze salade zaten te wachten, zei ik: 'Ik stel het heel erg op prijs dat je me wilt helpen met die kleren.'

'Geen punt. Het is overduidelijk dat je hulp nodig hebt.'

'Ik weet niet of ik het woord "overduidelijk" nou wel zo gelukkig gekozen vind.'

'Laat dat maar aan mij over.'

Even later, terwijl ze spaghetti om haar vork draaide, zei ze: 'Weet je dat dit Becks project is?'

'Wat?'

'Dit winkelcentrum.'

'Heeft hij Passages gebouwd?'

'Ja zeker. Niet in zijn eentje, maar in compagnonschap met een knaap in Dallas, ook een projectontwikkelaar. Beck heeft zijn kantoor verplaatst naar de rand van het centrum, vlak bij Macy's. De derde verdieping beslaat het hele blok tussen State en Chapel.'

'Ik realiseerde me niet dat het gebouw zo groot was.'

'Omdat je niet de moeite hebt genomen om omhoog te kijken. Als je dat wel had gedaan, zou je gezien hebben dat er zich hier en daar boven de esplanade overdekte loopbruggen bevinden. In het regenseizoen zou je je van het ene gebouw naar het andere kunnen begeven zonder nat te worden.'

'Jij hebt een beter oog voor dat soort zaken dan ik. Dat was mij niet opgevallen.'

'Ik ben in het voordeel. Het winkelcentrum is jarenlang in staat van ontwikkeling geweest, dus ik heb de plannen in vrijwel elk stadium gezien. Beck betrok zijn nieuwe kantoorruimte een paar maanden nadat ik naar het CIW verhuisde, dus die heb ik nog nooit gezien. Het schijnt fantastisch te zijn geworden.'

Ik nam een slokje wijn en at de aubergine met parmezaanse kaas op terwijl ik toekeek hoe Reba haar marinarasaus opdepte met een stuk brood. Ik zei: 'Weet je al wat je gaat doen met betrekking tot Beck?'

Ze stak het brood in haar mond en glimlachte terwijl ze kauwde. 'Jij bent toch zo'n slimme speurneus. Probeer dat zelf maar te bedenken. Laten we ondertussen maar eens wat kleren voor je gaan kopen, dan rijden we daarna naar Montebello.'

15

We winkelden totdat de winkels om negen uur dichtgingen. Reba leverde doorlopend commentaar terwijl ik kledingstukken paste. Bij wijze van opvoedkundige maatregel liet ze me mijn eigen beslissingen nemen zonder haar mening te geven. Aanvankelijk probeerde ik haar reactie te peilen terwijl ik een kledingstuk van het rek pakte, maar ze keek toe met hetzelfde onbewogen gezicht dat ze ook aan de pokertafel moest hebben getoond. Zonder noemenswaardige richtlijnen koos ik twee jurken, een broekpak, en drie katoenen rokken. 'Oké,' zei ik.

Ze trok haar wenkbrauwen een paar millimeter op. 'Dat is alles?'

'Is het niet genoeg?'

'Vind je dat groene geval, dat broekpak, mooi?'

'Eigenlijk wel, ja. Het is donker en je ziet er geen vlekken op.'

'Okééé,' zei ze, op een toon die te kennen gaf dat je kinderen blunders moet laten maken zodat ze ervan kunnen leren.

Ze liep achter me aan tot bij de rij paskamertjes achter in de zaak. Ze keek geduldig toe terwijl ik het ene deurtje na het andere opendeed, op zoek naar een hokje dat niet in gebruik was. Toen ik eindelijk een leeg hokje vond, maakte ze aanstalten om achter me aan naar binnen te gaan.

'Een ogenblikje. Ga je met me mee naar bínnen?'

'Als er nou iets niet past? Je kunt niet in je ondergoed naar buiten komen wandelen.'

'Dat was ik ook niet van plan. Ik was van plan om binnen dingen aan te passen en dan een besluit te nemen.'

'Besluiten nemen is mijn taak. Jij past kleren aan en dan leg ik je wel uit wat er niet aan deugt.'

Ze nam plaats op een houten stoel in een ruimte van krap twee bij twee meter met aan drie kanten spiegels die van de vloer tot aan het plafond reikten. De tl-verlichting garandeerde dat je huid er vaalbleek uitzag en dat elk lichamelijk onvolkomenheidje in bas-reliëf verscheen.

Ik trok mijn schoenen uit en begon me uit te kleden met hetzelfde enthousiasme dat ik voel voor een inwendig onderzoek. 'Jij hebt kennelijk minder last van preutsheid dan ik,' merkte ik op.

'Zeg, doe me een lol. Dat heb ik in de gevangenis wel afgeleerd. De douchehokjes waren ongeveer een kwart zo groot als dit hier, met gordijntjes die zo krap waren dat je hoofd en je voeten zichtbaar bleven. Dat was om te voorkomen dat de gevangenen stiekem seks met elkaar zouden hebben. Ze moesten eens weten. En verder kon je enige vorm van privacy gerust vergeten. Het was eenvoudiger om net als iedereen in je blootje rond te stappen.'

Tijdens deze onthullingen probeerde ik op min of meer elegante wijze uit mijn spijkerbroek te stappen, maar mijn voet bleef haken en ik viel bijna om. Reba deed net of ze het niet merkte. Ik zei: 'Vond je dat niet erg?'

'In het begin wel, maar na een poosje dacht ik, ach, het zal me ook een zorg zijn. Met al die blote vrouwen heb je algauw alle mogelijke lichaamsvormen gezien: klein, groot, dun, dik, kleine tieten, dikke kont, of grote tieten en nauwelijks een kont. Littekens, moedervlekken, tatoeages, aangeboren afwijkingen. In wezen zien we er allemaal zo'n beetje hetzelfde uit.'

Ik trok mijn T-shirt over mijn hoofd.

'O, kogelgaten!' zei ze, terwijl ze bijna in haar handen klapte.

'Zeg, doe me een lol!'

'Nou ja, ik vind ze schattig. Net een soort kuiltjes.'

Ik haalde de eerste van twee katoenen jurkjes van de hanger en trok het aan. Ik bekeek mezelf in de spiegel. Ik zag er zo'n beetje hetzelfde uit als altijd, niet slecht, maar ook weer niet om over naar huis te schrijven. 'Wat vind jij?'

'Wat vind jíj?'

'Kom op, Reba. Vertel me nou maar gewoon wat er niet aan deugt.'

'Alles. Om te beginnen de kleur. Jij moet heldere tinten dragen, rood, misschien marineblauw, maar niet dat afschuwelijke geel. Daar krijgt je huid een oranje tint van.'

'Ik dacht dat dat door de tl-verlichting kwam.'

'En moet je zien hoe ruim hij valt. Je hebt mooie benen en prachtige borsten. Ik bedoel, ze zijn dan wel niet erg groot, maar ze zijn parmantig, dus waarom zou je ze bedekken met iets wat eruitziet als een kussensloop?'

'Ik draag niet graag al te strakke kleren.'

'Kleren worden geacht te passen, liefje. Die jurk is een maat te groot en hij ziet er, als ik het mag zeggen, zo matroneachtig uit. Pas die blauwe katoenen jurk ook maar aan, maar ik kan je nu al vertellen dat die ook niks voor jou is. Jij bent geen type voor Hawaiiaanse palmen en papegaaien.'

'Als je hem nu al afschuwelijk vindt, waarom zou ik hem dan nog aanpassen?'

'Omdat je het anders nóóit leert.'

Dat wist ik dan ook weer. Bazige vrouwen en ik kunnen het prima met elkaar vinden omdat ik in wezen een masochist ben. Ik liet de blauwe katoenen jurk voor wat hij was en nam ook niet de moeite om het groene broekpak aan te passen, omdat ik wist dat ze ook op dat punt gelijk zou hebben. Ze bracht de afgekeurde kledingstukken weg terwijl ze de hangers op armlengte hield alsof er een paar dode ratten aan hingen. Terwijl ik in het paskamertje wachtte, zocht zij in de rekken. Ze kwam terug met zes kledingstukken, die ze een voor een liet zien, daarbij de illusie wekkend dat ze mij liet kiezen. Ik wees één jurk en één rok af, maar al het andere dat ze uitgezocht had, bleek me uitstekend te staan, al zeg ik het zelf.

'Ik begrijp gewoon niet hoe je dit soort dingen weet,' zei ik terwijl ik me weer aankleedde. Daar kan ik niet over uit, dat andere vrouwen op de een of andere manier een bepaalde flair hebben voor dingen waar ik totaal geen kijk op heb. Het was net als met bepaalde rekensommen op de middelbare school. Zodra ik met een dergelijke opgave geconfronteerd werd, had ik het gevoel alsof ik op het punt stond een black-out te krijgen.

'Uiteindelijk krijg je de slag wel te pakken. Het is echt niet zo moeilijk. In het CIW was ik zo'n beetje de dienstdoende mode-expert. Haar, make-up, kleding, de hele handel. Ik had wel een cursus kunnen geven.' Ze keek op haar horloge. 'Kom, laten we een beetje opschieten. Tijd om de bloemetjes buiten te gaan zetten.'

We reden met flinke snelheid in zuidelijke richting over de 101 met Reba achter het stuur.

Ik zei: 'Ik weet niet of dit nou wel zo verstandig is. Waarom wil je naar een gelegenheid waar iedereen drinkt?'

'Ik ga er niet heen om te drinken. Ik heb al 23 maanden en 14,5 dag geen drank meer aangeraakt.'

'Waarom zou je jezelf dan aan de verleiding blootstellen?'

'Dat heb ik je toch verteld. Omdat Onni daar is. Ze gaat elke donderdagavond op de versiertoer.' Ik deed mijn mond open om te protesteren, maar ze wierp me een blik toe. 'Je bent niet mijn moeder, oké? Ik beloof je dat ik mijn vertrouwenspersoon bij de AA zal bellen zodra ik thuis ben. Althans, dat zou ik doen als ik die had, wat niet het geval is.'

Bubbles was een wijn- en champagnebar die ooit goede zaken had gedaan in samenwerking met het Edgewater Hotel en een exclusieve pianobar genaamd Spirits. Die drie gelegenheden bevonden zich op korte afstand van elkaar en vormden een driehoek die indertijd bij iedere rijke, begeerlijke single in trek was. Alledrie legden ze veel nadruk op sfeer: glitter en glamour, livemuziek, kleine dansvloertjes, en stemmige verlichting. De prijzige drankjes werden geserveerd in buitenmodel glazen, en voedsel werd min of meer beschouwd als iets wat ervoor moest zorgen dat je zonder ongelukken thuiskwam.

Halverwege de jaren zeventig werd Bubbles om onbekende redenen een magneet voor escortservices, dure callgirls en 'modellen' uit Los Angeles, die naar Montebello kwamen op zoek naar klandizie. Uiteindelijk begon cocaïne een overheersende rol te spelen en na verloop van tijd werd de zaak door de politie gesloten. Ik was er wel eens geweest omdat mijn tweede echtgenoot Daniel jazzpianist was en bij toerbeurt in de drie nachtgelegenheden speelde. In het begin van onze relatie realiseerde ik me dat ik hem, als ik niet met hem meeging, misschien pas de volgende dag bij het ontbijt weer zou zien. Hij beweerde dat hij met de jongens aan het 'improviseren' was, wat inderdaad het geval bleek te zijn, zowel in letterlijke als in figuurlijke zin.

We stopten links van de ingang. Reba overhandigde haar autosleutels aan de parkeerbediende en we gingen naar binnen. Keurig geklede mannen verdrongen zich rond de bar en lieten hun blik keurend over onze borsten en billen gaan toen we langsliepen. Reba speurde de tafeltjes af terwijl ik haar op de voet volgde. Bubbles was niet veranderd. De verlichting was voornamelijk afkomstig van grote aquariums die langs de wanden stonden opgesteld en de afscheiding vormden tussen de verschillende zitjes. In de grootste ruimte bevond zich een bar met een U-vormige rij afgescheiden zitjes en enkele verspreid staande tafeltjes voor twee personen. In een tweede ruimte, toegankelijk via een breed booggewelf, speelde een jazzcombo – piano, saxofoon, en bas – op een breed podium boven een dansvloer met het formaat van een trampoline. De muziek was relaxed, intrigerende melodieën uit de jaren veertig die nog dagenlang door je hoofd bleven spelen. Dit was geen gelegenheid waar geschreeuwd werd of waar luid gelach het gemompel van beschaafde conversatie verstoorde. Niemand werd dronken en viel achterover tegen andere gasten aan. Vrouwen huilden niet en smeten geen drankjes in het gezicht van hun partner. Niemand kotste er in de elegante toiletten met hun marmeren vloeren en mandjes met miniatuur badstof handdoekjes. Er werd gerookt, maar het ventilatiesysteem was zeer geavanceerd en een ploegje afruimers haalde zo'n beetje om de vijf minuten vuile asbakken weg en verving ze door schone exemplaren.

Reba stak een hand uit en hield me tegen. Als een jachthond bleef ze roerloos staan met haar blik strak gericht op Onni, die in haar eentje aan een tafeltje zat en een sigaret rookte met een air van vermoedelijk gespeelde onverschilligheid. De aanwezigheid van twee halfvolle champagneflûtes en een fles in een koelemmer naast het tafeltje suggereerde een metgezel die zich even verwijderd had. De 'echte' Onni vertoonde slechts een oppervlakkige gelijkenis met de Onni die ik op de korrelige zwartwitfoto's had gezien. Ze was lang en slank, met een langwerpig mager gezicht, een brede neus, dunne lippen, en kleine ogen vrijwel zonder wimpers. Haar sluike donkere haar viel tot op haar schouders met de zijdeachtige glans die je in shampooreclames ziet. Zilveren oorringen bungelden aan haar oorlelletjes en beroerden met elke hoofdbeweging vluchtig haar hals. Het jasje van haar zwarte mantelpakje had ze van haar schouders laten glijden, en eronder droeg ze een witte zijden tanktop die meer op een hemdje leek dan op een blouse. Objectief beschouwd was ze niet bepaald mooi, maar ze was erin geslaagd haar sterke punten ten volle te benadrukken. Ze had zich zorgvuldig opgemaakt en haar borsten leken hard als croquetballen die op onverklaarbare wijze terechtgekomen waren onder het schrale vlees van haar borst. Niettemin presenteerde ze zichzelf alsof ze mooi was en dat was de overheersende indruk die ze maakte.

Reba stapte met geveinsde uitbundigheid op haar af. 'Onni! Wat fantastisch. Ik hoopte al dat ik je hier zou treffen.'

'Hallo, Reba.' Onni's manier van doen was koeltjes, maar dat leek Reba niet te merken terwijl ze zich op een stoel liet zakken.

Ik ging ook zitten, me er ten volle van bewust dat Onni helemaal niet blij was ons te zien. Naast haar leek Reba kinderlijk, geanimeerd, klein en tenger, met haar donkere verwarde haar, de grote donkere ogen, de volmaakte neus, en de perfect gevormde kin, waar die van Onni enigszins terugweek. Waar het Reba aan ontbrak, was dat air van gereserveerdheid dat onder mensen die tot de hogere middenklasse pretenderen te behoren, doorgaat voor beschaving.

Reba zei: 'Dit is mijn vriendin Kinsey over wie ik je verteld heb.' Ze liet haar blik rusten op de twee champagneflûtes alsof ze die nu pas voor het eerst zag. 'Ik hoop niet dat we iets moois verstoren. Een spannend afspraakje?'

'Nee hoor. Beck en ik hebben overgewerkt en hij stelde voor om hier een slaapmutsje te gaan halen. Ik denk niet dat we nog lang blijven.'

'Is Beck hier? Wat leuk. Ik zie hem nergens.'

'Hij is even met een vriend aan het praten. Ik vond het jammer dat je ons etentje afzegde. Toen je zei dat er iets tussengekomen was, nam ik aan dat het om een AA-bijeenkomst ging.'

'Daar heb ik er al een van bijgewoond. Ik hoef er maar één per week te doen.' Reba pakte een sigaret van Onni en stak hem tussen haar lippen. 'Heb je ook een vuurtje?'

'Natuurlijk.' Onni stak haar hand in een klein tasje en haalde er een doosje lucifers uit te voorschijn. Reba pakte het doosje aan, streek een lucifer af en schermde het vlammetje af met haar hand. Ze inhaleerde gretig en gaf het doosje terug met een sluw glimlachje dat Onni scheen te ontgaan. Ik kende Reba inmiddels goed genoeg om de ijzige woede te kunnen zien die in haar ogen fonkelde. Ze trok de asbak naar zich toe, plantte toen een elleboog op het tafeltje en liet haar kin in haar handpalm rusten. 'Vertel eens, hoe staat het leven? Je had gezegd dat je zou schrijven, maar ik heb nooit meer iets van je gehoord.'

'Ik heb wel degelijk geschreven. Ik heb je een kaart gestuurd. Heb je die niet gekregen?'

Reba nam een trek van haar sigaret, nog steeds glimlachend. 'Dat is waar ook. Een met konijntjes erop, als ik me goed herinner. Eén miezerige kaart in 22 maanden. Je hebt je wel uitgesloofd, zeg.'

'Het spijt me als dat je dwarszit, maar ik had het druk. Toen je wegging, was de administratie een rommeltje. Het heeft me maanden gekost om alles weer op orde te krijgen.'

'Tja, ach, wat zal ik zeggen. Ze voeren je zomaar af naar de gevangenis zonder je de gelegenheid te geven even bij je werkplek langs te gaan om je bureau op te ruimen. Ik ben ervan overtuigd dat je de situatie prima in de hand hebt.'

'Uiteindelijk wel. Maar beslist niet dankzij jou.' Onni's blik verplaatste zich naar een punt achter Reba.

Reba keek achterom en zag Beck vanaf de bar naderbij komen. Hij kreeg haar in het oog en gedurende een fractie van een seconde stokte zijn voorwaartse beweging, alsof er een paar filmbeeldjes ontbraken aan een scène. Reba's gezicht klaarde op. Ze kwam overeind en liep op hem af. Toen ze bij hem kwam, sloeg ze haar armen om zijn nek alsof ze hem op de mond wilde kussen.

Hij maakte zich zachtjes los uit haar omhelzing. 'Ho, ho, ho, schoonheid. Denk je er even aan dat dit een openbare gelegenheid is?'

'Dat weet ik, maar ik heb je gemist.'

'Ik heb jou ook gemist, maar stel je nou eens voor dat een van Tracy's vriendinnen hier is.' Hij leidde haar terug naar haar stoel, terwijl hij mij ondertussen een glimlach toewierp. 'Leuk om je weer eens te zien.'

'Insgelijks,' zei ik, hoewel ik het helemaal niet leuk vond. Het hoeft nauwelijks verbazing te wekken dat ik mijn mening over hem drastisch veranderd had. Toen ik hem bij Rosie's had ontmoet, had ik hem knap gevonden: lange ledematen, soepel bewegend, met dat vage glimlachje. Zelfs zijn ogen, die in mijn herinnering chocoladebruin waren, leken nu donker als vulkanische steen. Nu ik hem in het gezelschap van Onni zag, voelde ik aan welke eigenschap ze met elkaar gemeen hadden. Ze waren allebei opportunisten.

Van hen drieën nam Reba momenteel de machtspositie in. Onni was op de hoogte van de intieme details van Reba's relatie met Beck, maar noch Beck noch Onni was zich ervan bewust dat Reba inmiddels op de hoogte was van hun verhouding. Om de situatie nog gecompliceerder te maken, was ik er redelijk zeker van dat Onni niet wist dat Beck en Reba hun seksuele relatie weer hadden opgepakt. Ik voelde een huivering van spanning langs mijn ruggengraat trekken terwijl ik me afvroeg hoe Reba van plan was haar kaarten uit te spelen.

Beck nam plaats op de ene stoel die nog vrij was en liet zich onderuitzakken, waarbij hij zijn benen voor zich uitstrekte alsof hij recht had op meer ruimte dan wij. Onni's aandacht was gericht op haar champagneflûte. Beck nipte van zijn champagne, terwijl hij over de rand van zijn glas naar Reba keek. De blonde accenten in zijn haar moesten het werk van een goede kapper zijn. Het nonchalante effect was beslist geen toeval. 'Hoe gaat het nou met je?' vroeg hij.

Reba zei: 'Niet slecht. Ik zat er eigenlijk over te denken om weer aan het werk te gaan.'

Er verscheen een uitdrukking van ongeloof op Onni's gezicht, alsof Reba een wind gelaten had in aanwezigheid van Elizabeth II.

Reba lette niet op haar en richtte zich tot Beck. 'Ja, ik had het erover met mijn reclasseringsambtenaar en die was er helemaal vóór, zolang mijn "toekomstige werkgever" maar op de hoogte was van mijn verleden,' zei ze, terwijl ze met haar vingers de aanhalingstekens aangaf. 'Dus ik dacht, wie beter dan jij?'

Met een uitgestreken gezicht zei hij: 'Reeb, ik zou je graag helpen, maar het lijkt me niet verstandig.'

'Dit is belachelijk,' snauwde Onni. 'Je hebt hem bestolen, en niet zo'n beetje ook.'

Reba keek haar aan. 'Onni, neem me niet kwalijk, maar je begrijpt het niet. Beck vertrouwt me. Hij weet dat ik alles voor hem zou doen.' Ze keek Beck weer aan. 'Toch?'

Beck ging wat meer overeind zitten en zei op vriendelijke toon: 'Het is geen kwestie van vertrouwen. Het probleem is dat we momenteel geen vacature hebben.'

'Maar je zou toch een vacature kunnen creëren? Ik weet nog dat je dat voor Abner ook hebt gedaan.'

'Dat was een andere situatie. Marty was overbelast en had assistentie nodig. In dat geval had ik geen keus.'

'Maar in mijn geval heb je die wél, bedoel je? Je zou me wel kunnen helpen, maar dat wil je niet?'

Hij stak zijn arm uit en pakte een van haar vingers waar hij even aan schudde. 'Hé, liefje, ik sta aan jouw kant, hoor.'

Reba nam hem aandachtig op, het magere, knappe gezicht, de hand die de hare aanraakte. 'Je zei dat je voor me zou zorgen. Dat ben je aan me verplicht.'

'Hé, wat je maar wilt.'

'Behalve een baan.'

Onni snoof en sloeg haar ogen ten hemel. 'Je moet maar durven! Waar haal je verdomme het lef vandaan om daar ook maar over te begínnen na wat je gedaan hebt?'

Beck zei: 'Hou je gemak, Onni. Dit is iets tussen haar en mij.'

'O, neem me vooral niet kwalijk, hoor! Ik vind alleen dat iemand deze jongedame eens goed de waarheid zou moeten zeggen. Ze heeft het bedrijf bijna naar de kloten geholpen en waarom? Alleen maar om alles weer te kunnen vergokken aan de pokertafel. Mijn hemel!'

Ik verwachtte half en half dat Beck haar een draai om de oren zou geven, maar hij concentreerde zich op Reba's gezicht. Hij pakte haar hand en legde haar wijsvinger tegen zijn lip. Het effect was erotisch, een zeer intense privé-communicatie die tussen hen plaatsvond. 'Laat die baan nou maar. Neem wat tijd voor jezelf. Ga iets leuks doen, bijvoorbeeld in dat kuuroord in Floral Beach. Ik kan Ed het laten regelen. Je hebt een rottijd achter de rug, dat begrijp ik, maar praten over werk lijkt me wat voorbarig.'

'Ik moet iets met mijn leven doen,' zei ze, haar blik strak op hem gericht.

'Dat snap ik best, liefje. Ik zeg alleen maar dat je het rustig aan moet doen. Ik wil niet dat je je halsoverkop in iets stort waar je later misschien spijt van krijgt.'

Reba glimlachte. 'Bijvoorbeeld door weer voor jou te gaan werken?'

'Bijvoorbeeld door in de stress te raken, overstuur, als daar geen enkele reden voor is. Je moet het een beetje rustig aan doen. Terugschakelen en je ontspannen zolang je de kans hebt.'

Onni mompelde iets. Ze trok haar jasje aan en streek haar revers glad. Ze pakte haar sigaretten en stopte die in haar tasje, kwam toen overeind en zei: 'Welterusten, mensen. Ik ga ervandoor.' Haar manier van doen leek zakelijk, tenzij je wist wat er aan de hand was.

'Als je vijf minuutjes geduld hebt, breng ik je naar huis,' zei Beck tegen haar.

Onni's glimlach was broos. 'Nee, dank je. Ik ga liever lopen.'

'Op die hakken kom je niet ver.'

'Dat is niet jouw probleem. Ik red me wel.'

'Hou nou op met die onzin, Onni. Laat Jack een taxi voor je bellen. Ik reken straks wel met hem af.'

'Maak je maar geen zorgen. Ik ben een grote meid. Ik denk dat het me wel lukt om zelf een taxi te bellen. Veel plezier in Panama, trouwens. En nog bedankt voor het drankje. Het was een geweldige avond, klojo die je bent.'

Reba draaide haar hoofd om en keek Onni na terwijl ze wegliep. 'Wat is er met haar aan de hand?'

'Let maar niet op haar. Ze begint zich te vervelen zodra het gesprek over iets anders gaat dan over haarzelf,' zei Beck.

Reba zei: 'Hoe zit het met Panama? Wanneer ga je erheen?'

'Het is maar een kort tripje. Een dag of twee.'

'Waarom neem je me niet mee? Als een soort minivakantie. Jij zou zaken kunnen doen terwijl ik bij het zwembad lig te zonnen. Dat zou heerlijk zijn.'

'Liefje, dat gaat echt niet. Ik ben vrijwel constant aan het vergaderen. Je zou je een ongeluk vervelen.'

'Nee, hoor. Ik kan mezelf prima vermaken. Toe nou, Beck. We hebben nog nauwelijks tijd voor onszelf gehad. We zouden het vreselijk naar onze zin kunnen hebben. Alsjeblieft?'

Hij glimlachte. 'Gek die je bent. Ik zou je best je zin willen geven als ik dacht dat je reclasseringsambtenaar ermee akkoord zou gaan. Geloof mij nou maar, als je de staat al niet eens mag verlaten, krijg je al helemaal geen toestemming om de Verenigde Staten te verlaten.'

Reba trok een gezicht. 'O, shit. Je hebt gelijk. Dat was ik helemaal vergeten. Ik heb niet eens een paspoort. Dat is in juni verlopen.'

'Nou, laat het dan vernieuwen, dan neem ik je mee naar Panama zodra je van al die regels en voorschriften af bent.' Hij wierp een snelle blik op zijn horloge. 'Ik moet ervandoor. De limo komt me over een uur oppikken om me naar de luchthaven te rijden.'

'Vlieg je vanavond al? Waarom heb je me dat niet verteld?'

Beck maakte een wegwuifgebaar. 'Ik vlieg daar zo vaak heen dat het de moeite van het vermelden nauwelijks waard is. Hoe dan ook, ik bel je zodra ik weer terug ben.'

'Kan ik niet met je meerijden in de limo en met de chauffeur mee terugrijden nadat hij je heeft afgezet?'

'Het is een verhuurbedrijf uit Los Angeles. De chauffeur komt uit Santa Monica. Zodra hij me bij de luchthaven heeft afgezet, rijdt hij weer terug naar huis.'

'Hè, verdorie! Ik had wat tijd met je willen doorbrengen.'

'Dat had ik ook graag gewild. Nou ja, dat houden we nog even te goed. Maar nu wordt het tijd om naar huis te gaan. Het is al laat.'

16

Gedrieën stapten we de kille avondlucht in, net als eerder die week toen we bij Rosie's vandaan kwamen. Ik hield me een beetje op een afstand door belangstelling te veinzen voor de verlichte etalage van de naast de bar gelegen winkel. Beck en Reba voerden op gedempte toon een gesprek, hun hoofden dicht bij elkaar als een stel samenzweerders. Reba leek haar ogen niet van hem af te kunnen houden. Haar gezicht en profil zag er kinderlijk en vol vertrouwen uit. De onthulling over Becks relatie met Onni had kennelijk nauwelijks invloed gehad op haar gevoelens voor hem. Het zag ernaar uit dat Cheney en Vince op zoek zouden moeten gaan naar een andere bron voor vertrouwelijke informatie. Ik hoopte maar dat ze haar mond zou houden en niet de hele opzet zou verraden.

Een parkeerbediende reed Reba's BMW voor. Beck gaf de man een fooi en draaide zich om toen een andere parkeerbediende zijn auto achter die van haar neerzette. Nadat Reba in haar auto was gestapt, haalde ze een lipstick te voorschijn en werkte met behulp van de achteruitkijkspiegel haar lippen bij. Toen ze Beck achter zich zag, zwaaide ze naar hem en wierp hem een kushandje toe. Ze trok op en sloeg rechts af Coastal Road op. Toen ik achteromkeek, zag ik Beck optrekken en links afslaan in de richting van West Glen Road. Zodra hij uit het zicht verdwenen was, remde Reba af, keerde op de weg en ging achter hem aan.

'Wat krijgen we nou?' zei ik.

'Ik wil je zijn huis laten zien.'

'Wat interesseert mij dat nou? Op dit tijdstip? Het is donker.'

'Het duurt niet lang. Het is op West Glen, ongeveer anderhalve kilometer verderop.'

'Het is jouw auto, dus je kunt doen wat je wilt, maar voor mij hoeft het niet.'

Ik kon niet goed hoogte van haar stemming krijgen. Aanvankelijk had ik gedacht dat ze alleen maar met Beck flirtte om Onni op stang te jagen. Ik verwachtte dat we onze wederzijdse bevindingen met betrekking tot Onni's reactie zouden vergelijken, vooral toen ze zo gepikeerd vertrok. Maar in dat stadium van de avond was Beck op zijn allercharmantst en ze had zich weer helemaal door hem laten inpalmen. Ik vond het verontrustend hoe vlot hij dat voor elkaar had gekregen. Net toen ik dacht dat ze onze kant gekozen had, had Beck haar weer in zijn ban gekregen.

Bij West Glen sloegen we rechts af. Becks wagen was niet te zien, omdat er zich tussen onze auto en die van hem enkele bochten in de weg bevonden. Zelfs als hij onze koplampen zag, zou hij daar waarschijnlijk nauwelijks acht op slaan. We bereikten het rechte stuk van de weg en zagen hem ongeveer vierhonderd meter voor ons uit. Zijn remlichten gloeiden op toen hij afremde en rechts afsloeg. Zijn auto verdween uit het zicht. Reba gaf gas en verkleinde de afstand tussen beide auto's, en toen minderde ook zij vaart. Ze tuurde langs me heen door het raampje aan de passagierskant terwijl we langs een landgoed reden waarvan de oprijlaan met een hek was afgesloten. Ik ving een glimp op van een indrukwekkende villa die sprookjesachtig verlicht was.

Vijftig meter voorbij de ingang van zijn landgoed stopte ze in de berm. Ze deed de koplampen uit, zette de motor af en stapte uit. Voordat ze het portier zachtjes dicht duwde, zei ze: 'Kom je mee of niet?'

'Goed hoor. Om elf uur 's avonds kan ik best een wandelingetje gebruiken.' Ik stapte uit en duwde net zo zachtjes als zij mijn portier dicht. Als dit een of andere geheimzinnige missie was, konden we hem maar beter niet van onze aanwezigheid op de hoogte stellen. We liepen samen terug langs de donkere weg. Na een halfuur in een rokerige bar te hebben doorgebracht, moeten we geroken hebben als twee sigarettenpeuken die een luchtje aan het scheppen zijn. Dit gedeelte van Montebello was in het donker gehuld, zonder straatlantaarns, zonder trottoirs, en zonder voorbijrijdende auto's. We werden vergezeld door het getjirp van krekels en de geur van eucalyptusbomen. Reba bleef staan bij het begin van Becks oprijlaan.

Door een ijzeren hek werd ik vergast op het volledige panoramische uitzicht. De met klimop begroeide voorgevel zag er statig als een klooster uit, met een mansardedak en een serie verlichte vensters. Ik schatte het totale oppervlak van het landgoed op zo'n anderhalve hectare. Aan de ene kant bevond zich een tennisbaan en aan de andere een zwembad. Reba liep naar de rechterkant van het hek en wrong zich door een smalle opening tussen de heg en de stenen pilaar door. Ik volgde haar, me een weg banend door een tourniquet van takken die me bijna het hemd van het lijf scheurden. Reba vervolgde haar weg met een air van kalme vertrouwdheid terwijl ze afboog over het gazon. Ik nam aan dat ze die wandeling al vele malen eerder had gemaakt. Ze scheen zich geen zorgen te maken over de eventuele aanwezigheid van op beweging reagerende schijnwerpers en agressieve waakhonden. Ik maakte me zorgen dat het automatische sprinklersysteem (compleet met tenenbrekende sproeikoppen) plotseling tot leven zou komen en ons zou doorweken met een kunstmatige stortbui.

Dichter bij het huis werd de oprijlaan overspannen door een inrijpoort die tevens diende als overdekt looppad dat bewoners en gasten beschutting bood als ze van en naar hun auto liepen. Reba nam een positie in tussen een paar rechthoekig gesnoeide buxussen ter hoogte van de inrijpoort die samen een soort prieeltje vormden ongeveer ter grootte van een telefooncel, ruim genoeg om ons in schuil te houden. Een brede strook schaduw onttrok ons aan het zicht.

We wachtten in stilte. Ik ben gek op nachtelijke observatie-expedities zolang mijn blaas niet op knappen staat. Wie wil er nou in de bosjes hurken waar de koplampen van een passerende auto je paarlemoeren billen kunnen beschijnen? Dat, gevoegd bij de waarschijnlijkheid dat je over je eigen schoenen plast, maakt het begrip 'penisnijd' tamelijk concreet.

Bij het begin van de oprijlaan verscheen een stel koplampen en een mechanisch gezoem kondigde het langzaam openzwaaien van het smeedijzeren hek aan. Een zwarte verlengde limousine naderde het huis in het trage tempo van de voorste wagen in een begrafenisstoet. De chauffeur stopte onder de inrijpoort en opende van binnenuit het deksel van de kofferbak.

Op datzelfde moment floepte de verandaverlichting aan en ging de voordeur open. Ik kon Beck over zijn schouder met iemand horen praten terwijl hij drie grote koffers naar buiten droeg en ze op de veranda zette. Terwijl de motor stationair bleef draaien, stapte de in smoking en chauffeurspet geklede chauffeur uit en tilde de koffers een voor een in de kofferbak. Hij deed de klep dicht en hield toen het achterportier van de limo open. Beck wachtte even en keek naar het huis terwijl zijn vrouw de veranda op stapte en de deur achter zich dichttrok. 'Hebben we alles?'

'Ja. De koffers liggen achterin.'

Ze liep naar de limo en nam plaats op de achterbank. Beck stapte na haar in. De chauffeur deed het portier dicht, nam plaats achter het stuur en trok zijn eigen portier dicht. Even later gleed de limo over de oprijlaan in de richting van de weg. De verlichte achterkentekenplaat droeg de tekst: ST LIMO-1, wat stond voor wagen nummer één van de Santa Teresa Limousine Service. Het hek zwaaide open, de limo verdween uit het zicht, en het hek zwaaide weer dicht.

Naast me knipte Reba haar Dunhill-aansteker aan, waarbij het vlammetje heel even haar gezicht verlichtte terwijl ze de eerste diepe haal van een verse sigaret nam. Ze stopte het pakje en de aansteker weer in haar zak en blies een rookwolk uit. Haar ogen waren opmerkelijk groot en donker, en haar lippen plooiden zich tot een cynisch glimlachje. 'De smerige leugenaar. Weet je wanneer het me duidelijk werd? Zag je die aarzeling toen hij me in Bubbles in het oog kreeg? Dat zei me genoeg. Ik was wel de laatste persoon ter wereld die hij wilde zien.'

'Het is je in elk geval gelukt om de avond voor Onni te verzieken. Ze was echt pisnijdig op hem.'

'Dat hoop ik. Hoe dan ook, laten we maken dat we hier wegkomen voordat er een patrouillewagen langs komt rijden. Beck laat het de plaatselijke politie altijd weten als hij de stad uit gaat. Ze zijn nooit te beroerd om een oogje in het zeil te houden.'

'Is alles goed met je?'

'Ik voel me prima. Hoelang duurt het om die bijeenkomst met de FBI te organiseren?'

Toen ik even voor halftwaalf mijn appartement binnen ging, knipperde het lichtje van mijn antwoordapparaat, een nietig rood baken in het duister. Ik deed het licht aan. Ik legde mijn schoudertas op het aanrecht en staarde naar het knipperende lichtje alsof het een bericht in morsecode was. Of het was Cheney, of hij was het niet. Er was maar één manier om daarachter te komen. Als hij niet gebeld had, hoefde dat nog niets te betekenen. En als hij wél gebeld had, hoefde dat ook niets te betekenen. Het probleem in het beginstadium van elke relatie is dat je niet weet waar je aan toe bent en niet weet hoe je het gedrag van de ander moet interpreteren.

Oké. Ik hoefde alleen maar het knopje in te drukken en dan zou ik het weten.

Ik ging zitten. Als hij niet gebeld had, was ik beslist niet van plan om hem te bellen, hoewel ik hem dolgraag wilde vertellen wat er zich tussen Beck en Reba had afgespeeld. Met dat doel kon ik contact met hem opnemen. In feite zou ik hem spoedig móéten bellen zodat hij de ontmoeting tussen Reba en Vince kon organiseren. Maar afgezien daarvan – op het persoonlijke vlak – zou hij degene moeten zijn die de eerste stap zette. Hij leek me het soort man dat voortdurend door vrouwen gebeld werd, te aantrekkelijk en te sexy om zelf veel moeite te hoeven doen. Ik wilde mezelf niet in dezelfde categorie plaatsen als zijn andere vrouwen, wie dat ook mochten zijn. Maar hoe kwam het toch dat ik me na één dag al zo onzeker voelde? Met een gevoel van weemoed herinnerde ik me mijn zelfverzekerdheid van de vorige avond.

Ik drukte op het knopje en luisterde naar het hoge gierende geluid van het terugspoelende bandje. *Bliep*. 'Kinsey, met Cheney. Het is nu kwart over tien en ik ben net thuis van mijn werk. Bel me even als je thuiskomt. Ik ben nog op.' Hij sprak zijn telefoonnummer in. *Klik*.

Ik keek op de klok. Al meer dan een uur geleden. Ik noteerde zijn telefoonnummer en viel toen ten prooi aan een opwelling van besluiteloosheid. Hij zei dat ik moest bellen, dus zou ik bellen. Simpel genoeg... tenzij hij al lag te slapen. Ik heb er een hekel aan om mensen wakker te maken. Voordat ik me nog onzekerder begon te voelen, toetste ik zijn nummer in.

Hij nam vrijwel meteen op.

Ik zei: 'Als je slaapt, zweer ik dat ik mijn polsen zal doorsnijden met een botermesje.'

Hij lachte. 'Geen sprake van, liefje. Ik ben een nachtbraker. En jij?'

'Ik niet. Ik ben een vroege vogel. Ik sta meestal om zes uur op om een eind te gaan joggen. Hoe kwam het dat je tot zo laat aan het werk was? Ik dacht dat je om vijf uur klaar was.'

'We hebben de hele dag in een bestelwagen op Castle gezeten om video-opnamen te maken van klanten die een populair nieuw bordeel bezochten. Zodra we genoeg visjes in het net hebben, halen we het op.'

'Je wordt nergens zo moe van als van een hele dag stilzitten.'

'Ik ben afgepeigerd. Hoe is het met jou?'

'Ik ben zelf ook behoorlijk afgepeigerd,' zei ik. 'Ofschoon ik wel een productieve avond heb gehad. Je zult niet geloven waar ik geweest ben.'

'Het antwoord kan niet Rosie's zijn. Te gemakkelijk.'

'Ik was op stap met Reba. Eerst hebben we kleren gekocht en daarna zijn we naar Bubbles gegaan waar we Beck en Onni tegen het lijf liepen. Ik zal je niet vervelen met de details...'

'Hé, kom op, zeg. Ik ben gek op details.'

'Die vertel ik je wel de volgende keer dat ik je zie. Momenteel ben ik veel te moe om een gedetailleerd verslag uit te brengen. Het komt erop neer dat Reba bereid is om zaken te doen.'

'Ze gaat ermee akkoord om met Vince te praten?'

'Dat heeft ze me een halfuur geleden gezegd.'

'Waar hebben we dat aan te danken? Ik weet dat ze weifelde, maar dit valt in de categorie "te mooi om waar te zijn", vind je ook niet?'

'Nee, ik heb wat dat betreft wel vertrouwen in haar. Voornamelijk omdat ik er op het beslissende moment bij was. Beck kwam met een heleboel gelul, drie of vier leugens op rij, en Reba ontmaskerde ze stuk voor stuk. Ik bedoel niet recht in zijn gezicht. Hij hield haar feitelijk alleen maar aan het lijntje. Ik denk dat ze dat nog wel aan had gekund, ze is er waarschijnlijk wel aan gewend door hem gemanipuleerd te worden. Wat de doorslag gaf, was het feit dat ze zich realiseerde dat hij Tracy meenam naar Panama terwijl hij tegenover haar had laten doorschemeren dat hij in zijn eentje zou gaan.'

'Hoe is ze daarachter gekomen?'

Ik aarzelde. 'We hebben op eigen houtje wat speurwerk verricht.'

'Dit wil ik niet horen.'

'Dat dacht ik al. Het belangrijkste is dat ze de FBI te woord wil staan zodra jij een ontmoeting kunt regelen.'

'Dat is fantastisch. Ik zal het aan Vince doorgeven zodra ik hem te pakken kan krijgen. Het zou een dag of twee kunnen duren. Hij is in het weekend moeilijk te bereiken.'

'Hoe eerder hoe beter. We willen niet het risico lopen dat ze zich bedenkt,' zei ik.

'Nu we het er toch over hebben, Vince heeft navraag gedaan naar die FBI-figuur die Reba de foto's heeft laten zien. Het blijkt dat hij overgeplaatst was van een andere afdeling en wilde aantonen dat hij niet te beroerd was om initiatief te tonen. Hij heeft flink op zijn sodemieter gehad.'

'Dat mag ik hopen,' zei ik.
'Wat doe je momenteel? Ben je uitgeteld?'
'Je bedoelt of ik in bed lig? Nee, ik ben nog op.'
'Ik bedoel dat ik je niet aan de telefoon wil houden als je op het punt staat om naar bed te gaan.'
'Geen sprake van. Ik ben net thuis. Ik was bang dat ik jou uit bed zou bellen.'
Het bleef even stil.
Ik zei: 'Hallo?'
'Ik ben er nog. Ik vroeg me af hoe je over gezelschap zou denken.'
'Nu?'
'Ja.'
Ik liet mijn gedachten gaan over uitputting, zowel van zijn kant als van de mijne. 'Dat zou ik heel erg prettig vinden, aangenomen tenminste dat we het over jou hebben en niet over iemand anders.'
'Tot over tien minuten.'
'Maak er maar vijftien van. Dat geeft mij de tijd om iets anders aan te trekken.'
Ik beklom de wenteltrap met twee treden tegelijk, trok mijn kleren uit, gooide alles in de wasmand, nam een douche, waste mijn haar, schoor mijn benen, floste en poetste mijn tanden, alles in een tijdsbestek van acht minuten, wat me genoeg tijd liet om schone joggingspullen (minus ondergoed) aan te trekken en de lakens te verschonen. Ik ging weer naar beneden en was net bezig de krant op te vouwen toen ik hem op de deur hoorde kloppen.
Ik gooide de krant in de prullenmand en liet hem binnen. Zijn haar was krullerig en vochtig en hij rook naar zeep. Hij had een pizzadoos in zijn hand die goddelijk rook. Hij deed de deur achter zich dicht. 'Ik heb nog helemaal niet gegeten. Deze is net bezorgd. Heb je honger?'
'Natuurlijk. Zullen we hem mee naar boven nemen?'
Hij glimlachte en schudde vertederd het hoofd. 'Altijd maar die haast. We hebben tijd zat.'

Om 01.00 uur knipte hij mijn haar, zoals hij eerder beloofd had, terwijl ik op een krukje in de badkamer boven zat met een handdoek over mijn schouders. Cheney had een handdoek om zijn middel geslagen.
Ik zei: 'Meestal doe ik het zelf met een nagelschaartje.'
'Dat is te zien.' Hij werkte rustig en geconcentreerd, en hoewel

hij maar heel weinig haar afknipte, zag het er, toen hij eenmaal klaar was, op de een of andere manier een stuk beter uit.

Ik keek naar zijn gezicht in de spiegel. Zo ernstig. 'Waar heb je dit geleerd?'

'Ik heb een oom die kapper is. Een salon op Melrose: Hair Cutter to the Stars. Vierhonderd dollar voor een knipbeurt. Ik had bedacht dat als het op de politieacademie niets mocht worden, ik altijd nog dit werk zou kunnen doen. Ik weet niet welk vooruitzicht mijn ouders erger vonden, dat ik bij de politie zou gaan of dat ik dameskapper zou worden. Verder zijn het beste mensen, afgezien van hun neiging tot snobisme.'

'De laatste keer dat ik echt goed geknipt ben, weet je wie dat gedaan heeft?'

'Danielle Rivers. Dat herinner ik me nog.' Cheney had zijn aandacht verplaatst naar mijn nek, waar hij druk aan het knippen was in een poging het haar gelijk te krijgen.

Danielle Rivers was een zeventienjarige prostituee aan wie hij me had voorgesteld. Hij was vlak daarvoor overgeplaatst naar de zedenpolitie, in het kader van het regelmatige roulatiesysteem binnen het politiekorps, terwijl ik ingehuurd was om de moordenaar op te sporen van Lorna Kepler, een mooie jonge vrouw die betrokken was geraakt bij pornofilms en prostitutie. Hij had me met Danielle in contact gebracht omdat zij en het slachtoffer vriendinnen waren geweest.

Ik zei: 'Danielle was ontzet toen ze hoorde hoe weinig ik verdiende, de helft van wat zij opstreek. Je had haar moeten horen praten over investeringsstrategieën. Dat had ze allemaal van Lorna opgepikt. Had ik haar adviezen maar opgevolgd, dan zou ik nu misschien wel rijk zijn.'

'Zo gewonnen, zo geronnen.'

'Herinner je je nog die broodjes die je kocht in de ziekenhuiscafetaria de avond dat ze werd opgenomen?'

Hij glimlachte. 'Man, die smaakten echt helemaal nergens naar. Ham en kaas uit een verkoopautomaat.'

'Maar jij deed er van alles en nog wat op om ze eetbaar te maken.'

Hij gaf me een handspiegel, drukte een kus boven op mijn hoofd en zei: 'Klaar is Kees.'

Ik hield de spiegel zodanig dat ik mijn achterhoofd kon bekijken. 'O, wauw. Dat ziet er fantastisch uit. Bedankt.' Ik keek naar de handdoek om zijn middel, die aan de voorkant opengevallen was. 'Ik mag dat vriendje van jou wel. Volgens mij gaat de voorstelling zo beginnen en heeft hij zijn hoofd buiten het gordijn gestoken om te zien hoeveel publiek er is.'

Cheney keek omlaag. 'Zullen we dan maar naar de slaapkamer gaan om te zien of we de voorstelling kunnen bijwonen?'

Uiteindelijk vielen we in slaap, tegen elkaar aan gekruld als katten.

17

Vrijdagochtend hesen we ons om tien uur uit bed. We namen een douche, kleedden ons aan en liepen toen naar Cabana Boulevard, waar we ontbeten in een cafeetje aan de waterkant. Cheney hoefde pas 's middags naar zijn werk, aangezien hij ingeroosterd was voor nog een sessie in de observatiebestelwagen. Toen we na het ontbijt weer bij mijn appartement kwamen, bleven we op het trottoir met elkaar staan praten totdat we niets meer te zeggen wisten. Om twaalf uur gingen we ieder onze eigen weg. Hij moest boodschappen doen en ik was eraantoe om weer even alleen te zijn. Ik keek hem na tot zijn kleine rode Mercedes uit het zicht verdween en liep toen om het huis heen naar de achtertuin.

Henry zat in een van zijn bloembedden geknield, waar kweekgras de kop opstak. Hij was blootsvoets en droeg een afgeknipte spijkerbroek en een tanktop. Zijn slippers lagen vlakbij op het gazon. Het verwijderen van kweek is geduldwerk. Het onkruid vermeerdert zich door middel van draadachtige wortels en nietige zwarte wortelstokjes die zich ondergronds verspreiden, dus het simpelweg uittrekken van de stengels verandert niets aan de onderliggende structuur van de plant, die zich vrolijk blijft vermeerderen. Het kleine hoopje onkruid dat Henry had weten te verwijderen, had nog het meeste weg van een nest spinnen met dunne pootjes en lijfjes ter grootte van afgebrande luciferkoppen.

'Heb je hulp nodig?'

'Nee, maar als je wilt kun je me gezelschap houden. Het uitroeien van dit spul schenkt me een zekere voldoening. Het is vreselijk hardnekkig.'

'Ik dacht dat je van het voorjaar alle kweek weggehaald had.'

'Het is een proces dat nooit ophoudt. Je hebt het nooit echt gewonnen.' Hij ging even op zijn hurken zitten en knielde toen weer neer om een volgend stukje grond onder handen te nemen.

Ik schopte mijn tennisschoenen uit en ging op het gras zitten. Henry's sombere stemming was verdwenen, en hoewel hij nog steeds een wat berustende indruk maakte, leek hij weer bijna de oude.

'Ik begrijp dat je vannacht gezelschap had,' zei hij, zonder me aan te kijken.

Ik lachte, terwijl ik voelde dat ik begon te blozen. 'Dat was Cheney Phillips, van het politiekorps van Santa Teresa. Hij is een vriend van inspecteur Dolan,' zei ik, alsof dat er iets toe deed.

'Aardige man?'

'Zeker weten. We kennen elkaar al jaren.'

'Ik dacht al dat het zoiets zou zijn. Bij mijn weten ben jij nooit zo'n impulsief type geweest.'

'In feite ben ik dat best wel. Soms duurt het alleen even voor ik eraan toegeef.'

Er viel een ongedwongen stilte, slechts onderbroken door het geluid van Henry's plantenschopje dat in de grond gestoken werd.

Ten slotte zei ik: 'Is Lewis er nog steeds?'

'Hij vliegt morgen terug naar huis. Ik ben niet meer zo kwaad op hem, voor het geval je je dat af mocht vragen. Ik wil hem voorlopig nog even niet zien, maar we praten het te zijner tijd wel uit.'

'En hoe zit het nou met Mattie?'

'Ach, waarschijnlijk is het ook maar beter zo. Ik heb nooit het idee gehad dat het tot een echte relatie zou komen.'

'Maar het zou gekund hebben.'

'"Zou gekund hebben" telt niet mee. Ik vind het over het algemeen verstandiger om me bezig te houden met de realiteit dan met wat er eventueel had kunnen gebeuren. Nu ik de rijpe leeftijd van 87 jaar bereikt heb zonder ooit een langdurige relatie te hebben gehad, zie ik geen reden om te veronderstellen dat ik zelfs maar tot iets dergelijks in staat ben.'

'Je zou haar toch ten minste kunnen bellen?'

'Dat zou ik kunnen doen, hoewel ik daar de zin niet van inzie. Ze heeft me duidelijk laten weten hoe ze erover dacht. Daar valt verder weinig aan toe te voegen. Ik heb haar kennelijk niet genoeg te bieden.'

'En als ze jou nou eens zou bellen?'

'Dat is aan haar,' zei hij. 'Je hoeft echt geen medelijden met me te hebben. Het is heus niet zo dat ik er kapot van ben.'

'Nou ja, natuurlijk ben je er niet kapot van, Henry. Het is per slot van rekening niet zo dat je al jaren een relatie met haar hebt. Ik vond alleen dat jullie prima bij elkaar pasten en ik vind het jammer dat het zo gelopen is.'

'Wat had je je precies voorgesteld? Een gang naar het altaar?'

'William is getrouwd op zijn 87e, dus waarom jij niet?'

'Hij is impulsief van aard. Ik ben een conservatieveling.'

Ik gooide een handvol gras naar hem toe. 'Helemaal niet!'

Reba belde om vijf uur, daarmee een einde makend aan wat achteraf beschouwd een dutje van wereldklasse was geweest. Ik was op bed gaan liggen met mijn favoriete spionageroman van John le Carré. Het licht was gedempt. De temperatuur was zacht en het laken dat ik over me heen had getrokken, had het perfecte gewicht. Buiten hoorde ik het vage gepruttel van een grasmaaimachine, gevolgd door het *pft-pft-pft* van Henry's tuinsproeier die waterstraaltjes over het pas gemaaide gazon joeg. Door mijn slaapdeprivatie van de afgelopen twee nachten, gleed ik uit het bewustzijn weg als een platte steen die traag naar de bodem van een meer zonk. Ik weet niet hoelang die toestand geduurd zou hebben als de telefoon me niet gewekt had.

'Je spreekt met Reba. Heb ik je wakker gemaakt?'

'Inderdaad. Hoe laat is het?'

'Vijf over vijf.'

Ik wierp een blik op het dakraam en probeerde met half toegeknepen ogen vast te stellen of de zon opkwam of onderging. ''s Ochtends of 's middags?'

'Het is vrijdagmiddag. Ik vroeg me af of je al wat gehoord had van jullie mensen.'

'Tot dusver nog niet. Cheney is momenteel bezig met een observatieopdracht, maar ik weet dat hij probeert zijn contact in Washington te bereiken. Het kan een paar dagen duren om de bijeenkomst te organiseren. Doordat er zoveel instanties bij betrokken zijn, is het lastig om een protocol vast te stellen.'

'Ik wou dat ze er een beetje vaart achter zetten. Beck komt zondagavond terug. Onder de gegeven omstandigheden wil ik hem liever niet tegen het lijf lopen.'

'Dat kan ik me voorstellen. Helaas is Cheney afhankelijk van andere mensen en hij kan nu eenmaal geen ijzer met handen breken. En het is ook weer bijna weekend.'

'Dat is waar. Heb je zin om vanavond ergens heen te gaan? We zouden ergens kunnen gaan eten.'

'Lijkt me leuk. Hoe laat?'

'Zo vroeg mogelijk, wat mij betreft.'

'Wat had je in gedachten? Wil je ergens afspreken?'

'Zeg jij het maar. Ik weet alleen dat ik hier weg moet voordat ik helemaal gek word.' Ze zweeg even en ik hoorde hoe ze een sigaret opstak.

'Hoe komt het dat je zo ongedurig bent?' zei ik.

'Dat weet ik niet. Ik voel me de hele dag al onrustig. Alsof ik binnenkort misschien weer aan de drank of aan het gokken ga.'

'Dat zou bijzonder onverstandig zijn.'

'Jij hebt makkelijk praten. Ik zit nu alweer op een pakje sigaretten per dag.'

'Ik had je wel kunnen vertellen dat het niet zo slim was om opnieuw te beginnen.'

'Ik kon het gewoon niet helpen.'

'Dat zei je. Persoonlijk vind ik dat onzin. Je neemt je leven in eigen hand of anders kun je het net zo goed vergeten.'

'Dat weet ik wel, maar ik voelde me zo beroerd. Ik weet dat Beck een klootzak is, maar ik hou echt van hem...'

'Je hóúdt van hem?'

'Nou ja, nu niet meer, maar vroeger wél. Telt dat dan helemaal niet meer mee?'

'Wat mij betreft niet.'

'En weet je, het klinkt misschien gek, maar ik mis het opgesloten zijn.'

'Dat meen je niet.'

'Toch wel,' zei ze. 'In de gevangenis hoefde ik zelf niet allerlei beslissingen te nemen, dus dat beperkte mijn mogelijkheden om in de fout te gaan. Maar wat heb ik hier voor motivatie om me netjes te gedragen?'

Ik kneep in de rug van mijn neus. 'Waar ben je nu, bij je vader thuis?'

'Ja, en je raadt nooit wie er bij hem op bezoek is.'

'Wie?'

'Lucinda.'

'Die vrouw die met hem hoopte te trouwen?'

'Precies,' zei ze. 'Ze zou niets liever willen dan dat ik de bepalingen van mijn voorwaardelijke invrijheidsstelling overtreed. Als ik weer in de bajes beland, dringt zij zich pa's leven weer binnen nog voordat de celdeur achter me dichtslaat.'

'Dan kun je maar beter zorgen dat je niet in de fout gaat.'

'Dat zou gemakkelijker zijn als ik een borrel kon drinken. Of misschien zou ik naar The Double Down kunnen gaan en alleen maar toekijken. Dat kan geen kwaad.'

'Hou nou op met die flauwekul. Je kunt alles doen wat je wilt, maar hou jezelf nou niet voor de gek. Je bent alleen maar op zoek naar een excuus om jezelf de vernieling in te helpen.'

'Ja, dat zou een hele opluchting kunnen zijn.'

'Hoor eens, als ik nou eens in de auto stap en je op kom halen?'

'Ik weet het niet. Nu ik erover nadenk, is dat misschien niet zo'n goed idee. Als ik Lucinda met hem alleen laat, vindt ze vast wel een manier om problemen te veroorzaken.'

'Ach, kom nou. Wat kan ze nou helemaal uitrichten? Je vader heeft me verteld dat hij de relatie met haar verbroken heeft.'

'Op de een of andere manier krijgt ze het vast wel weer voor elkaar. Ik heb het al eerder meegemaakt. Pa is net als ik, slap en besluiteloos, alleen niet zo wild. En trouwens, als hij de relatie met haar verbroken heeft, waarom zit ze dan hiernaast?'

'Maak je nou toch eens niet zo druk over haar. Zij is de minste van je problemen. Hoor eens, geef me even de tijd om wat kleren aan te trekken en dan kom ik je oppikken.'

'Weet je zeker dat je uit wilt gaan?'

'Natuurlijk. Loop jij nou maar alvast de oprijlaan af, dan zie ik je wel bij het hek.'

In de auto op weg naar haar toe probeerde ik de situatie in te schatten. Reba stond op het punt om de mist in te gaan. Sinds het moment dat ze die eerste sigaret had opgestoken, had ik zitten wachten op tekenen van emotionele decompressie. Na twee jaar in het CIW was ze niet meer gewend aan conflicten in de echte wereld en de consequenties daarvan. De gevangenis mocht dan afschuwelijk zijn, maar bood kennelijk het soort beschermde omgeving waarin ze zich veilig had gevoeld. Nu kreeg ze ineens te veel te verwerken en dat kon ze niet goed aan. Het was al erg genoeg om erachter te komen dat ze zich door Beck zodanig had laten manipuleren dat ze voor hem de gevangenis in was gegaan, maar het was nog erger om tot de ontdekking te komen dat hij een verhouding was begonnen met de vrouw die ze als haar beste vriendin had beschouwd. Ze was mans genoeg om het feit onder ogen te zien dat hij haar bedrogen had, maar misschien niet flink genoeg om definitief met hem te breken. Ik begreep haar ambivalentie wel; ze was jarenlang van hem afhankelijk geweest. Waar ik me zorgen over maakte, was het feit dat ze zo weinig stressbestendig was. Als de ontmoeting met Vince Turner meteen had kunnen plaatsvinden, had ze vermoedelijk zonder meer alles verteld wat ze wist. Door het uitstel liep ze gevaar de macht over zichzelf kwijt te raken. En hoewel ze niet mijn verantwoordelijkheid was, was ik wel degelijk medeverantwoordelijk voor de duw die haar op het randje deed balanceren.

Toen ik bij het landgoed arriveerde, zat ze met opgetrokken knieën een sigaret te roken op een grote zandstenen rolsteen rechts van het hek. Ze droeg een marineblauw windjack, een spijkerbroek en tennisschoenen. Toen ze me zag, nam ze nog een trek van haar sigaret en liet zich toen op de grond zakken. Zodra ze bij me in de auto stapte, voelde ik de nerveuze energie die ze uitstraalde als warmte. Haar bewegingen waren geagiteerd en haar ogen glansden te veel. 'Wat heb je met je haar gedaan?' vroeg ze.

'Laten knippen.'

'Het ziet er goed uit.'

'Dank je.' Ik keerde de auto.

Ze keek achterom naar het hek. 'Ik hoop maar dat ze vertrokken is tegen de tijd dat ik terugkom. Ik kon mijn ogen niet geloven toen ze zomaar onaangekondigd op kwam dagen.'

'Hoe weet je dat ze hem niet eerst heeft gebeld?'

'Dat zou het alleen nog maar erger maken. Als hij akkoord ging met een ontmoeting, is hij nog gekker dan ik.'

'Hé, haal nou eerst eens diep adem en maak je niet zo druk. Je bent één bonk zenuwen.'

'Sorry. Ik voel me alsof er iemand binnen in me zit die probeert door mijn huid heen naar buiten te kruipen. Had ik maar een kerel. Ik zou nóg liever een borrel willen, maar een lekkere vrijpartij zou ook al helpen.'

'Bel je vertrouwenspersoon bij de AA. Daar zijn ze toch voor?'

'Ik heb er nog geen gevonden.'

'Dan bel je Priscilla Holloway.'

'Het gaat wel. Maak je nou maar geen zorgen. Ik heb jou altijd nog,' zei ze met een lachje.

'Zeg, doe me een lol. Dat gaat mijn competentie te boven.'

'Nou, dat geldt voor mij ook, oké? Ik probeer me er zo goed mogelijk doorheen te slaan, net als iedereen.' Ze zweeg even en staarde uit het raampje naar buiten. 'Ach, verdomme. Laat ook maar. Ik red het wel in mijn eentje.'

'Zoals je in het verleden al ruimschoots hebt aangetoond,' zei ik.

'Nou, jij bent toch zo slim, wat stel jij dan voor?'
'Ga naar een bijeenkomst.'
'Waar?'
'Hoe moet ik dat weten? We kunnen naar mijn appartement rijden en in het telefoonboek kijken. De plaatselijke AA-afdeling zal er ongetwijfeld in staan.'

In mijn appartement kostte het nog geen minuut om het nummer op te zoeken en het benodigde telefoontje te plegen. De dichtstbijzijnde bijeenkomst bleek in het gemeentelijk recreatiecentrum te zijn, vier blokken verderop. Ik bracht haar met de auto, omdat ik er niet op vertrouwde dat ze er anders inderdaad naartoe zou gaan.

'Ik kom je over een uur weer oppikken,' zei ik terwijl ze uitstapte. Haar enige reactie bestond uit het dichtsmijten van het portier. Ik wachtte tot ik haar naar binnen zag gaan en daarna wachtte ik nog een minuut voor het geval ze van plan mocht zijn stiekem weer naar buiten te glippen. Ik begon te begrijpen hoe de familie van een alcoholist in dit spelletje verstrikt kon raken. Ik moest me nu al verzetten tegen de neiging om alles wat ze deed in de gaten te houden. Dat, of mijn handen helemaal van haar af te trekken en haar verder aan haar lot over te laten. Het was dat ik er zeker van wilde zijn dat ze zou komen opdagen voor haar gesprek met Vince, anders had ik dat misschien wel gedaan.

Om de tijd te doden, reed ik terug naar mijn eigen buurt en parkeerde bij Rosie's voor de deur. En ja, ik realiseerde me de ironie van het wachten op Reba in een bar terwijl zij worstelde met de aandrang om een borrel te nemen. Lewis stond in zijn eentje achter de bar, met een schort om. Twee vroege drinkers hadden zich geïnstalleerd aan de andere kant van de zaak. De in een hoek opgestelde kleurentv stond afgestemd op een golftoernooi dat ergens gespeeld werd waar het groen was. Rosie moest zich in de keuken bevinden om voorbereidingen te treffen voor de avondmaaltijd, want het rook naar gebakken uien. Ze deed ook iets met gebakken niertjes wat ik liever niet wilde weten.

Ik nam plaats op een barkruk en bestelde een cola. Waarschijnlijk zou ik me gewoon met mijn eigen zaken bemoeid hebben als Lewis niet zo'n opgewekte en onbekommerde indruk had gemaakt. Niets wees erop dat hij spijt had van de problemen die hij veroorzaakt had, of dat hij zich daar zelfs maar van bewust was.

Hij zette mijn cola voor me neer en zei: 'Waar is Henry? Ik heb hem al twee dagen niet meer gezien.'

Ik keek hem strak aan. 'Je hebt echt geen idee.'

'Wat? Is er iets met hem aan de hand?'

Ik overlegde een halve seconde bij mezelf en zei toen: 'Hoor eens, ik weet dat het me niets aangaat, maar ik vind dat William buiten zijn boekje ging toen hij jou overhaalde om het vliegtuig hiernaartoe te nemen. Henry en Mattie hadden het prima naar hun zin totdat jij kwam opdagen.'

Lewis keek me met knipperende ogen aan alsof ik een vreemde taal sprak. 'Ik kan je niet volgen.'

'Je had niet tijdens het ontbijt binnen moeten vallen om vervolgens een afspraakje met haar te maken.'

'Ik heb geen afspraakje met haar gemaakt. Ik heb haar voorgesteld om een tentoonstelling te bezoeken en daarna een hapje te gaan eten.'

'Hier noemen we dat een afspraakje. Henry was nijdig en terecht,' zei ik.

Lewis leek verbijsterd. 'Was hij nijdig op *mij*?'

'Ja, natuurlijk. Ze werd verondersteld met hem op te trekken.'

'Waarom heeft hij dan niets gezegd?'

'Hoe kon hij dat nou doen? Je hebt hem een oud wijf genoemd, waar Mattie bij was nog wel. Hij voelde zich vernederd. Hij kon niet reageren zonder zich nog belachelijker te maken dan hij zich al voelde.'

'Maar dat was gewoon een geintje.'

'Het is geen geintje als je je opdringt en probeert om hem de loef af te steken. Het leven is al ingewikkeld genoeg.'

'Maar we hebben elkaar altijd al in de haren gezeten om de dames. Alles in goede verstandhouding. We nemen het geen van beiden echt serieus. In hemelsnaam, vraag het maar aan William als je mij niet gelooft.'

'Die zal het nooit toegeven. Hij heeft het hele zaakje bekokstoofd. Hij had er zich niet mee moeten bemoeien, maar wat jij gedaan hebt, was erger. Je wist dat Henry in haar geïnteresseerd was.'

'Natuurlijk is hij dat en dat geldt voor mij net zo goed. Dat was al duidelijk tijdens die cruise. Hij heeft het geprobeerd en ik ook. Als hij niet tegen de uitdaging opgewassen is, waarom zou je je dan tegenover mij beklagen?'

'Mattie heeft de relatie verbroken. Ze zei dat ze hem niet meer wilde zien.'

Lewis zei: 'O. Nou, het spijt me dat te horen, maar daar heb ik verder niets mee te maken.'

'O, jawel. Jij bent hiernaartoe gevlogen en hebt je bemoeid met iets wat je helemaal niets aanging. Dat kun je geen geintje meer noemen. Je hebt je vijandig opgesteld.'

'Nee, nee. Geen sprake van. Ik kan gewoon niet geloven dat je dat zegt. Ik zou nog liever mijn rechterarm afhakken voordat ik zoiets zou doen.'

'Maar je hebt het wel degelijk gedaan, Lewis.'

'Je hebt het helemaal mis. Dat was niet mijn bedoeling. Henry is altijd mijn lievelingsbroer geweest. Hij weet dat ik gek op hem ben.'

'Dan kun je maar beter op zoek gaan naar een manier om het weer goed te maken,' zei ik.

Het liep tegen achten toen Reba uit haar AA-bijeenkomst kwam en op mijn auto afliep. Het was nog steeds licht buiten. Er hing een dichte mistbank boven de horizon en het briesje dat van de oceaan kwam, maakte het kil. 'Voel je je wat beter?'

'Niet echt, maar toch ben ik blij dat ik gegaan ben.'

'Wil je nog steeds gaan eten?'

'Shit, we moeten terug naar huis. Ik ben de foto's vergeten.'

'Waar heb je die voor nodig?'

'Visuele hulpmiddelen,' zei ze. 'Er is een man aan wie ik je wil voorstellen. Hij eet elke vrijdagavond om negen uur in hetzelfde restaurant. We rijden eerst naar pa's huis om de foto's op te halen, voeren daarna een openhartig gesprek met mijn vriend, en gaan vervolgens op onderzoek uit.'

'Is negen uur niet wat aan de late kant om te gaan eten?'

'Wat zou dat? In de gevangenis eet je om vijf uur 's middags. Over deprimerend gesproken. Je voelt je net een klein kind.' Ze draaide zich om in haar stoel. 'Waarom neem je deze weg? Je had daarnet rechts af moeten slaan.'

'We hoeven helemaal niet naar jouw huis. Ik heb een serie foto's op mijn kantoor. Die heeft Cheney me gegeven.' Ik vroeg me af hoe ze zou reageren op het feit dat ik die foto's in mijn bezit had, maar ze werd ergens door afgeleid en wierp me een onderzoekende blik toe.

Ik zei: 'Wat?'

'Het valt me op dat je voortdurend Cheneys naam laat vallen. Heb je die bij hem opgelopen?' Ze wees.

'Wat opgelopen?'

'Die zuigzoen in je hals.'

Ik bracht onwillekeurig een hand naar mijn hals en ze lachte. 'Ik plaag je alleen maar,' zei ze.

'Heel grappig.'

'Nou ja, ik zou graag willen geloven dat je een seksleven hebt.'

'En ik zou graag willen geloven dat mijn seksleven privé is,' zei ik. 'Wie is die knaap die je zo graag aan me voor wil stellen?'

'Marty Blumberg. Becks boekhouder.'

18

Ik reed naar mijn kantoor, waar ik Reba in de stationair draaiende VW achterliet terwijl ik naar binnen holde en de bruine envelop uit mijn bureaula griste. Toen ik weer in de auto zat, gaf ik haar de envelop en sloeg haar uit mijn ooghoeken gade terwijl ik koers zette naar Passages. Ze haalde de foto's te voorschijn en bekeek ze alsof ze ongedierte door een microscoop bestudeerde. Ze stopte ze zonder iets te zeggen weer in de envelop met een gezichtsuitdrukking die niets verried.

Ik vond de vermoedelijk laatste vrije plek in de ondergrondse parkeergarage, die zich als een grauwe van een laag plafond voorziene spelonk over de hele lengte van het winkelcentrum uitstrekte. We namen de lift naar de begane grond, waar alle winkels zich bevonden. Met de envelop in haar hand liep Reba twee passen voor me uit, waardoor ik gedwongen werd tot een sukkeldrafje om haar bij te houden. Ze leek niet meer zo opgefokt als een paar uur geleden, en daar was ik blij om. 'Waar gaan we naartoe?'

'Dale's.'

'Waarom Dale's? Dat is een ordinaire kroeg.'

'Niet waar. Het is typisch iets van Santa Teresa.'

'Dat is de vuilnisbelt ook.'

Dale's was wat je noemt een bar zonder franje. Mensen kwamen er om te drinken, punt uit. Ik voelde het inmiddels vertrouwde dilemma de kop weer opsteken: moest ik haar in bescherming nemen en voorstellen ergens anders heen te gaan, of mijn mond houden en haar zelf de verantwoordelijkheid laten nemen voor de beslissingen die ze nam? In dit geval kreeg eigenbelang de overhand. Ik wilde Marty Blumberg ontmoeten.

We gingen naar binnen en bleven even in de deuropening staan om ons te oriënteren. Ik was al in geen jaren meer in Dale's geweest, maar de zaak zag er nog vrijwel hetzelfde uit: een smalle ruimte met aan de linkerkant een bar en achterin een jukebox. Aan de rechterkant stonden zeven of acht tafeltjes langs de wand. De verlichting werd voornamelijk verzorgd door blauwe en rode neonreclames voor biermerken. Er zaten heel wat klanten die de helft van de barkrukken en de meeste van de tafeltjes bezetten. Zeventachtig procent van de aanwezigen rookte, en er hing een grijze sluier als van ochtendmist. De plafonnière verspreidde een mat licht dat wel wat weg had van het afnemende daglicht buiten. De jukebox, herinnerde ik me, bevatte oude 45-toerenplaatjes. Op dat moment brachten de Hilltoppers 'P.S. I Love You' ten gehore terwijl een stel op het kleine vloertje bij het unisekstoilet danste. Het zaagsel op de vloer en de akoestische plafondtegels dempten het geluidsniveau zodat zowel de muziek als de conversatie uit een andere ruimte leek te komen.

De muren hingen vol zwartwitfoto's, gemaakt in de jaren veertig, te oordelen naar de haarstijl en de kleding van de dames. Op elke foto kwam dezelfde kalende man van middelbare leeftijd voor, mogelijk de Dale die zijn naam aan de bar gegeven had. Hij had zijn arm om diverse sportfiguren van het tweede garnituur geslagen – honkballers, professionele worstelaars en rolschaatskampioenes – wier handtekeningen de onderkanten van de foto's sierden.

Aan de andere kant van de zaak produceerde een uit de kluiten gewassen apparaat een gestage stroom popcorn die de barman in kartonnen bekertjes schepte die hij op de bar zette voor de liefhebbers. Hier en daar op de bar stonden potjes popcornkruiderijen: knoflookzout, citroenpeper, cajunkruiden, kerriepoeder, en parmezaanse kaas in een groene kartonnen houder. De popcorn was niet voldoende om de klanten nuchter te houden, maar het gaf ze in elk geval iets te doen tussen het achteroverslaan van hun drankjes door. Terwijl we gingen zitten, laaide er een kribbige discussie op over het onderwerp politiek, waarvan geen van de aanwezigen ook maar het flauwste benul scheen te hebben.

'Nou, waar is hij?' zei ik, terwijl ik mijn blik door de zaak liet gaan.

'Rustig maar. Hij kan elk moment binnenkomen.'

'Ik dacht dat we zouden gaan eten. Ik wist niet dat ze hier voedsel serveerden.'

'Ja zeker wel. Zevensmaken-chili.' Ze begon ze op haar vingers af te tellen. 'Macaroni, gesnipperde uitjes, kaas, crackers, zure room, of koriander, in alle mogelijke combinaties.'

'Dat zijn er maar zes.'

'Je kunt het ook zonder toevoegingen krijgen.'

'Ah.'

De volgende plaat werd opgezet en Jerry Vale begon zijn versie van 'It's All in the Game' ten gehore te brengen: '*Many a tear has to fall...*' Ik vertikte het om aan Cheney te denken, uit vrees ongeluk over de relatie af te roepen.

Er kwam een serveerster aanlopen. Reba bestelde ijsthee en ik een biertje. Ik had zelf ook wel ijsthee kunnen nemen, maar alleen om een deugdzaamheid te demonstreren die ik in feite niet bezat. Geconfronteerd met haar nuchterheid was ik me scherp bewust van elk slokje dat ik nam. Ook maakte ik me zorgen dat ze, zodra ik even een andere kant op keek, mijn glas weg zou grissen en het leeg zou drinken.

Aangezien er niets anders op het menu stond, bestelden we zevensmaken-chili, met alle zes de bijgerechten. De chili die even later opgediend werd, was heet, gekruid, en smakelijk. Ik zag dat het recept afgedrukt stond op onze papieren placemats. Ik kwam in de verleiding om de mijne achterover te drukken, maar onderaan stond de toevoeging 'Voor 40 personen', wat me overdreven leek voor iemand die gewoonlijk in haar eentje staande aan het aanrecht eet. 'Je hebt nooit dat verhaal afgemaakt over Passages en Becks aandeel daarin,' zei ik.

'Blij dat je ernaar vraagt. Ik dacht niet dat je er nog op terug zou komen.'

'Wel dus,' zei ik. 'Vertel eens.'

Ze zweeg even terwijl ze een sigaret opstak. 'Het is heel simpel. Een projectontwikkelaar in Dallas kocht de grond in 1969 en diende alle plannen in. Hij dacht dat het een makkie zou zijn. Hij was zo optimistisch dat hij al borden plaatste: PASSAGES SHOPPING PLAZA. GEREED NAJAAR 1973. De stadsplanningscommissie ging dwarsliggen en gooide hem dood met allerlei regels en bepalingen. Hij herzag de plannen zestien keer, maar ze waren nooit tevreden. Twaalf jaar later, toen de projectontwikkelaar er nog steeds niet in was geslaagd om toestemming te krijgen, stelde iemand hem voor aan Beck. Dat was in 1981. Het project werd opgeleverd in 1985, slechts drie jaar nadat met de bouw begonnen was.'

Ik wachtte op de rest van het verhaal.

'Ik zie aan de blik op je gezicht dat je het niet snapt,' zei ze.

'Vertel het me dan maar gewoon, oké? Raden vertraagt de zaak alleen maar en ik raak er geïrriteerd door.'

'Denk nou eens even na. Hoe denk je dat Beck al die vergunningen kreeg? Omdat hij zo sympathiek is?'

Ik staarde haar aan en voelde me traag van begrip.

Reba wreef haar duim tegen haar vingers in het universele gebaar dat aangaf dat er geld van eigenaar verwisseld was.

'Steekpenningen?'

'Precies. Daar is dat geld naartoe gegaan, de 350.000 dollar die ik achterovergedrukt zou hebben. Het grootste deel ervan heb ik zelf afgeleverd, hoewel ik me pas later realiseerde wat het was. Het enige wat ik wist, was dat hij me met van die dikke bruine enveloppen van hot naar her liet rijden. Oké, een deel ervan was bestemd voor de jongens in Sacramento – Beck betaalt zeer regelmatig de nodige steekpenningen aan invloedrijke figuren om een vinger in de pap te houden bij het totstandkomen van bepaalde wettelijke regelingen – maar het meeste was voor plaatselijke autoriteiten die de macht hadden om nee te zeggen. Zodra ze het geld in hun zak hadden, waren ze maar al te graag bereid om hem behulpzaam te zijn.'

'Maar dat is strafbaar.'

'Wauw, ben jij even vlug van begrip,' zei ze, terwijl ze haar ogen ten hemel sloeg. 'Daarom organiseren jullie toch die bijeenkomst met de FBI, om belastend materiaal tegen hem te verzamelen?'

'Ik wist niet zeker hoever je wilde gaan.'

'Tot het bittere eind.'

'Maar toen we voor het eerst praatten, zei je toen niet dat hij het geld in het buitenland had ondergebracht, zodat zijn vrouw er niet aan kon komen?'

'Dat is het verhaal dat hij tegen mij ophing. Het werd me pas duidelijk wat hij in werkelijkheid uitvoerde toen de accountantscontrole plaatsvond. Ik ben ervan overtuigd dat hij nog steeds zo snel mogelijk geld het land uit sluist, maar het is me nu in elk geval duidelijk dat het nooit zijn bedoeling is geweest dat ik daarvan zou profiteren.'

'Het spijt me. Ik begrijp dat dat een hard gelag voor je is.'

'Hard, maar waar,' zei ze op zakelijke toon.

Vrijwel exact om negen uur kwam Marty Blumberg binnen. Reba had naar hem zitten uitkijken, en zodra hij binnenkwam, zwaaide ze naar hem en ze maakte een uitnodigend gebaar. Hij bleef even bij de bar staan om een sigaret op te steken. De barman zette zijn gebruikelijke drankje al klaar, whisky zo donker dat het wel cola leek. Met het glas in zijn hand slenterde hij naar ons tafeltje. Hij was zo te zien in de vijftig, een man die er ooit goed had uitgezien. Nu was hij zo'n vijftig kilo te zwaar, terwijl zijn garderobe daar een maatje bij achterbleef. Zijn broekzakken stonden wijdopen als een stel flaporen en de knoopjes van zijn overhemd spanden tegen zijn buik. Hij had een blozende babyface met droevige blauwe ogen, een mopsneus, en een dikke bos donker krulhaar. Hij scheen oprecht blij haar te zien. Reba nodigde hem uit om erbij te komen zitten, waarbij ze met haar duim naar mij wees bij wijze van introductie. 'Dit is Kinsey Millhone. Marty Blumberg.'

Ik zei: 'Hallo, Marty. Leuk je te ontmoeten,' en we gaven elkaar een hand.

Marty nam Reba aandachtig op. 'Je ziet er goed uit. Wanneer ben je vrijgekomen?'

'Maandag. Kinsey is me op komen halen. Het was een leerzame ervaring... in welk opzicht weet ik niet precies.'

'Dat zal wel.'

'Ik heb gehoord dat jullie de nieuwe kantoorruimte betrokken hebben. Prettig om zo dichtbij te zitten. Dale's is altijd al jouw favoriete kroeg geweest.'

Marty glimlachte. 'Ik kom er pas veertien jaar. Ik zou inmiddels mede-eigenaar kunnen zijn, met al het geld dat ik er uitgegeven heb.'

Reba pakte een sigaret en Marty pakte haar Dunhill op en gaf haar een vuurtje. Reba duwde een haarlok achter een oor terwijl ze zich naar het vlammetje overboog, waarbij ze haar hand terloops even op die van hem liet rusten. Ze deed haar ogen even dicht terwijl ze inhaleerde. Roken was als een gebed, iets wat je met eerbied deed. 'Beck zegt dat het kantoor fantastisch is.'

'Het kan er best mee door,' zei hij.

'Voor jou is dat een groot compliment. Wat dacht je van een rondleiding? Beck zei dat hij me het kantoor zou laten zien, maar hij zit in Panama.'

'Een rondleiding? Natuurlijk, waarom niet? Bel me even, dan maken we een afspraak.'

'Wat dacht je van vanavond? We zijn er nu toch in de buurt, en ik zou het hartstikke leuk vinden.'

Hij aarzelde. 'Tja, ik neem aan dat dat wel zou kunnen. Ik moet toch mijn aktetas nog ophalen en mijn bureau opruimen.'

'Op vrijdagavond je bureau opruimen? Dat noem ik nog eens toewijding.'

'Becks nieuwe richtlijn: 's nachts geen dossiers of paperassen laten slingeren. Het kantoor ziet eruit als een showroom. Ik ben momenteel voornamelijk bezig met het wegwerken van achterstanden, zaken die ik een beetje heb laten sloffen. Waarschijnlijk zit ik morgen ook nog op kantoor.'

'Hij is een workaholic,' zei ze tegen mij en ze wendde zich toen weer tot hem. 'Kinsey is privé-detective,' zei ze, elke letter van mijn beroep beklemtonend. Ze keek mij weer aan. 'Heb je een visitekaartje bij je?'

'Ik zal eens kijken,' zei ik. Ik rommelde in mijn schoudertas tot ik mijn portefeuille vond, waarin ik een voorraadje kaartjes heb zitten. Reba had haar hand uitgestoken en dus gaf ik haar een kaartje dat zij weer aan Marty gaf, die het bestudeerde met een gezicht alsof het iets belangrijks was terwijl het hem in wezen geen fluit interesseerde.

Hij stak het kaartje in de borstzak van zijn overhemd. 'Dus ik kan maar beter op mijn tellen passen.'

Reba glimlachte. 'Je hebt geen idee hoe waar dat is.'

Hij schudde een sigaret uit het pakje en stak die tussen zijn lippen. Roken leek me voor hem geen goed idee aangezien hij al piepend ademhaalde.

Reba zei: 'Sta me toe,' terwijl ze haar Dunhill oppakte en hem een vuurtje gaf.

'Wat een service.'

'Vind je ook niet?' zei ze. Ze liet haar kin in haar handpalm rusten. 'Ben je niet nieuwsgierig naar wat zij hier doet?'

Marty keek van Reba naar mij. 'Een drugsraid?'

'Doe niet zo stom,' zei ze, terwijl ze hem een tik op zijn arm gaf. Ze boog zich koket naar voren en mompelde: 'Ze maakt deel uit van een task force – FBI en plaatselijke rechercheurs – die een onderzoek instelt naar Becks financiële handel en wandel. Allemaal heel geheim. Beloof dat je het niet door zult vertellen.' Ze legde een vinger tegen haar lippen en ik voelde hoe ik wit wegtrok. Ik kon gewoon niet geloven dat ze hem dat zomaar verteld had, zonder eerst met mij te overleggen. Niet dat ik ermee akkoord zou zijn gegaan. Ik lette op zijn reactie.

Hij glimlachte aarzelend terwijl hij op de pointe wachtte. 'Nee, serieus.'

'Echt waar,' zei ze. Ik kon zien dat ze ervan genoot hem de informatie stukje bij beetje te voeren.

'Ik begrijp het niet.'
'Wat valt er te begrijpen? Ik vertel je de waarheid.'
'Waarom vertel je dat aan mij?'
'Om je te waarschuwen. Ik mag je graag. Je bevindt je midden in de vuurlinie.'
Hij moest een van die mannen zijn van wie de lichaamsthermostaat zich voortdurend in de rode zone bevindt, want zijn gezicht vertoonde nu een glans van transpiratie. Schijnbaar zonder zich ervan bewust te zijn, pakte hij de flap van zijn stropdas en depte de zweetdruppels van zijn wangen. 'Hoe bedoel je, midden in de vuurlinie? Hoe kom je daarbij?'
'Nou, ten eerste: jij weet wat hij allemaal heeft uitgespookt, en ten tweede: Beck is heus niet van plan hiervoor op te draaien, net zomin als hij wenste op te draaien voor die verdwenen 350.000 dollar.'
'Ik dacht dat jij dat vrijwillig op je had genomen.'
'Sukkel die ik ben, ik heb het hem wel heel erg gemakkelijk gemaakt. Ik zou graag willen denken dat jij slimmer bent dan ik, maar misschien vergis ik me wel.'
'Hij kan mij niets maken. Ik heb me ingedekt.'
'Denk je dat nou echt? Hij hoeft alleen maar met zijn vinger naar je te wijzen. Je hebt overal je sporen achtergelaten. Jij bent degene die de rekeningen geopend heeft. Hetzelfde met de buitenlandse banken en de IBC.'
'Precies. Ik weet te veel van hem af. Ik ben wel de laatste om geintjes mee uit te halen.'
'Ik weet het niet,' zei ze weifelend. 'Jij werkt al zo lang voor hem...'
'Tien jaar.'
'Juist. Dat betekent dat jij heel wat meer weet dan ik.'
'Wat wil je daarmee zeggen?'
'Als hij mij een loer heeft gedraaid, kan hij jou ook een loer draaien. Geloof me, de val staat klaar. Alleen zie je het op dit moment nog niet, net zomin als ik doorhad wat hij me flikte totdat het te laat was.'
'Ik heb niets tegen Beck. Hij zorgt goed voor me. Weet je hoeveel geld ik in die tien jaar opzij heb kunnen zetten? Ik zou morgen kunnen ophouden met werken en evengoed een luizenleventje kunnen blijven leiden.'
'Allemaal goed en wel, maar het is evengoed een val.'
Marty schudde het hoofd. 'Nee. Dat wil er bij mij niet in.'

'En als ze nou eens de duimschroeven gaan aandraaien?'
'Wie, "ze"?'
'De FBI. Wat heb ik je nou net verteld? De FBI, de Belastingdienst, wat is die andere instantie ook weer?' vroeg ze aan mij, terwijl ze ongeduldig met haar vingers knipte.
'Het ministerie van Justitie,' zei ik.
Ze keek me met gefronst voorhoofd aan. 'Ik dacht dat je er nog een paar genoemd had.'
Ik schraapte mijn keel. 'De douane en het ministerie van Financiën. En de DEA.'
'Zie je nou wel?' zei ze tegen hem alsof daarmee alles gezegd was.
'Waarom zouden ze de duimschroeven aandraaien? Wat voor aanleiding zouden ze daarvoor hebben?'
'Wat dacht je van alle informatie die ze tot nog toe binnengekregen hebben?'
'Van wie?'
'Denk je soms dat ze geen agenten ter plekke hebben?'
Hij lachte, zij het enigszins ongemakkelijk. 'Wat voor "agenten"? Dat slaat nergens op.'
'Neem me niet kwalijk. Ik versprak me. Ik zei "agenten", meervoud. Er is er in feite maar één.'
'Wie?'
'Raad maar eens. Wacht, ik zal je een hint geven. Wie binnen het bedrijf is gedurende de afgelopen tig maanden dikke maatjes met Beck geworden? Hmmm.' Ze legde een vinger tegen haar wang, zogenaamd alsof ze diep nadacht. 'Het begint met een O.'
'Onni?'
'Kijk eens aan,' zei ze. 'Over een buitenkansje gesproken. Ik draai de bak in en dat geeft haar de kans om mijn plaats in te nemen.'
'Werkt ze voor de FBI?'
Reba knikte. 'O ja, al járen, en geloof mij nou maar, juffertje Onni is van plan om Beck te gronde te richten.'
'Dat geloof ik niet.'
'Marty, dit is haar grote kans. Je weet hoe het gaat met vrouwen in die rottige overheidsbaantjes. Oké, ze krijgen de baan. De kerels laten hen alle rotklussen opknappen, maar geven niet thuis als het op promotie aankomt. Zonder een of andere bijzondere prestatie komen ze niet hogerop. Als ze dit niet tot een goed einde brengt, kan ze het verder wel schudden.'

'Ik vind het allemaal nogal onwaarschijnlijk. Weet je het zeker? Ik kan het me nauwelijks voorstellen. Die meid is zo stom als het achtereind van een varken.'

'Die indruk wekt ze, maar ze is zo geraffineerd als de pest. Geloof mij nou maar, ze is goed in wat ze doet. Let maar op. Deze dame haar kostje is gekocht, mits ze ervoor zorgt dat Beck voor de bijl gaat. Bekijk het eens op deze manier. Is er iemand binnen het bedrijf die haar verdenkt? Jij in elk geval beslist niet en Beck heeft ook geen flauw benul. Als hij wist wat er aan de hand was, zou hij er als een speer vandoor gaan. Toch?'

'Eh, ja.'

'Dat dacht ik ook,' zei ze. 'Ondertussen heeft zij overal een vinger in de pap en kan ze overal bij. Wat wil ze nog meer?'

Marty scheen geïrriteerd te raken, hoewel ik twee zweetplekken op de voorkant van zijn overhemd zag. 'Hoor eens, Reeb, ik weet dat je pissig op hem bent en dat kan ik je niet kwalijk nemen...'

'Natuurlijk ben ik pissig op hem, maar ik ben niet pissig op jou, en dat is de reden dat ik hier ben. Ik vertrouw erop dat je je mond houdt. Ik heb hier tegen niemand met een woord over gesproken. Ze is er zo op gebrand hem te grazen te nemen dat ze bereid is om met hem naar bed te gaan om dat voor elkaar te krijgen.'

Marty zweeg. Ik hoorde hem ademen alsof hij zojuist een flink eind gehold had. 'Je kunt niet zomaar dingen beweren...'

'Dat weet ik. Jij bent iemand met gezond verstand die zich niet zomaar laat overtuigen, daarom heb ik deze meegebracht.' Ze haalde de zwartwitfoto's uit de envelop en schoof ze naar hem toe.

Marty bekeek de foto's een voor een. 'Jezus.'

'Begrijp je wat ik bedoel?'

'Waar zit zijn verstand?'

'Dat zit tussen zijn benen. Had je echt niet door dat hij met haar naar bed ging? Je wist toch ook dat hij met mij naar bed ging?'

'Jawel, maar jij maakte er geen geheim van dat je gek op hem was. Ik weet het niet. Zou iemand hem niet moeten vertellen wat er aan de hand is?'

Reba trok haar wenkbrauwen op en keek hem met grote onschuldige ogen aan. 'Voel jij je daartoe geroepen? Want persoonlijk pieker ik er niet over.'

'Arme kerel.'

'"Arme kerel", laat me niet lachen. Dat meen je toch zeker niet? Als hij bereid was om mij een loer te draaien, waarom jou dan niet? Het punt is dat de inzet ditmaal hoger is. Als je hem over

Onni vertelt, bereik je daar alleen maar mee dat hij meer tijd krijgt om zijn sporen uit te wissen.'

Marty hief zijn glas op en liet de ijsblokjes tinkelen. De barman zag het gebaar en maakte aanstalten om een nieuwe borrel voor hem in te schenken. 'Onni. Ik kan het gewoon niet geloven. Beck moet er met open ogen in getrapt zijn.'

'Natuurlijk. Zodra zij in actie komt, kun je er donder op zeggen dat hij zal proberen jou de zwartepiet toe te spelen. Hij zal beweren dat je op eigen houtje gehandeld hebt. Hij heeft je nooit ergens toe gemachtigd. Het was allemaal jouw eigen initiatief.'

'Maar zijn handtekening staat overal onder...'

'Marty, gebruik je verstand nou eens even! Hij zal zeggen dat hij weinig sjoege heeft van de financiële kant van de zaak. Daarom was het mij ook gelukt om dat geld achterover te drukken. Gossie. Hij had onderhand beter moeten weten, maar sommige mensen leren het nu eenmaal nooit. Jij zei dat hij moest tekenen en dus tekende hij. Hij vertrouwde je en dit is zijn dank. Dom, dom, dom. Ondertussen loopt er tegen jou een federale aanklacht.'

Marty schudde het hoofd. 'Ik weet het niet. Ik weet bij god niet wat ik hiermee aan moet.' De barman bracht hem een borrel. Marty pakte zijn portefcuille en haalde er twee briefjes van twintig uit. 'Laat maar zitten,' zei hij. Toen de barman wegliep, had hij zijn glas al bijna weer leeg.

Reba wierp me een vluchtige blik toe. Het is jouw voorstelling, dacht ik, voor ze haar blik weer afwendde.

Ze klopte Marty op zijn arm en zei met opgewekte stem: 'Denk er in elk geval eens over na. Meer vraag ik niet van je. Zelfs als je tot de conclusie mocht komen dat ik het allemaal verzin, zou het geen kwaad kunnen om je in te dekken. Als de dagvaardingen eenmaal zijn uitgebracht en de arrestatiebevelen zijn uitgegaan, is het te laat. Maar ondertussen, als je toch van plan bent om terug naar kantoor te gaan, wat zou je ervan zeggen als wij met zijn tweetjes gezellig met je meelopen?'

19

Ik was al zeker een keer of zes voorbij de ingang van Becks kantoorgebouw gekomen zonder er ooit echt aandacht aan te hebben besteed. De voorgevel was dik begroeid met klimop, wat naadloos aansloot bij de architectonische illusie van een oud Spaans stadje. Aan de voorkant waren bloeiende bomen geplant. Links van de ingang bevonden zich naast elkaar een trap en een roltrap die toegang gaven tot de eigen parkeergarage op de hoek van het winkelcentrum. Een gedeelte van de begane grond werd in beslag genomen door een luxe reisbenodigdhedenwinkel, waarvan Beck vermoedelijk een riante huur opstreek.

We gingen naar binnen door glazen deuren die geluidloos achter ons dichtzwaaiden. Ramen reikten over de volle vier verdiepingen tot aan het schuine glazen dak. Het atrium was rechthoekig van vorm, uitgevoerd in gemarmerd roze graniet, waarbij de vloer en de wanden als het ware een schildersdoek vormden waarop natuurlijk en kunstmatig licht een voortdurend wisselend spel speelden, al naargelang het tijdstip van de dag. Hoog aan de muur bevond zich een klok met langwerpige koperen minuten- en urenwijzers en koperen stippen van vijftien centimeter doorsnee die de uren aangaven. Een gordijn van donkergroene klimop en philodendron hing omlaag vanuit een miniatuuroase boven de klok.

In de wand recht tegenover ons waren twee liften. Rechts daarvan, in een nis, bevonden zich nog twee liften, tegenover elkaar, een ervan met een veel bredere deur, naar ik aannam een goederenlift. Een digitaal paneel naast elke lift gaf aan dat ze zich allemaal op begane-grondniveau bevonden.

In het midden van de lobby was een volmaakte cirkel van graniet in de vloer verzonken, met glooiende wanden die overspoeld werden door een constante waterval die afkomstig was uit een vijftien centimeter brede geul langs de bovenrand. Het geluid was kalmerend, maar het geheel deed me meer aan een toilet denken dan aan de rustgevende vijver die het vermoedelijk moest voorstellen.

Een geüniformeerde bewaker zat achter een hoog bureau met een blad van glanzend onyx. Het was een magere man van in de zestig met peper-en-zoutkleurig haar en een uitdrukkingloos knap gezicht. Even vroeg ik me af hoe hij hier terechtgekomen was. Er viel hier toch zeker weinig te bewaken en nog minder te beveiligen. Bleef hij tijdens zijn dienst van acht uur gewoon op zijn plek zitten? Ik zag geen aanwijzing dat hij een boek op schoot had dat discreet aan het oog onttrokken was. Geen radio of klein tv'tje. Geen schetsboek of puzzelboekje. Hij volgde ons met zijn blik terwijl we over de glanzende granieten vloer liepen.

Marty stak zijn hand op maar de man vertrok geen spier van zijn gezicht. Reba wierp de man een glimlach toe waarbij ze hem het volle genot schonk van die grote, donkere ogen van haar. Ze werd beloond met een aarzelend glimlachje. Marty stond al bij de liften te wachten. 'Hoe heet hij? Wat een snoepje!'

'Willard. Hij heeft 's avonds en in het weekend dienst. Ik weet niet wie er overdag zit.'

We stapten de lift in en Marty drukte op het knopje voor de derde verdieping. 'Je hebt een verovering gemaakt. Dat was de eerste keer dat ik hem ooit heb zien glimlachen,' zei hij.

'Overweg kunnen met bewakers is toevallig een specialiteit van me,' zei ze. 'Hoewel in mijn geval de term "cipiers" meer van toepassing is.'

Aangezien Becks kantoorruimte de hele derde verdieping besloeg, stapten we vanuit de lift rechtstreeks de receptie in, waar dik lichtgroen tapijt lag. Overal brandde licht, maar het was duidelijk dat er behalve wij niemand aanwezig was. Modern meubilair en moderne kunst waren gecombineerd met antiek. Een wand van geëtst glas vormde de afscheiding tussen de receptie en een luchtige vergaderruimte erachter. Vanwaar wij stonden, strekten gangen zich in vier richtingen uit als de spaken van een stuurwiel.

'O, Marty. Dit is schitterend. Beck zei al dat het spectaculair was, maar dit is echt helemaal te gek. Vind je het goed als we even rondkijken?'

'Als het maar niet te lang duurt. Ik wil naar huis.'

'Ik beloof dat we het kort zullen houden. Je moet maar zo denken, als dat verblijf in de gevangenis er niet tussen gekomen was, zou ik hier zelf werken. Is er ook niet een daktuin?'

'De trap bevindt zich een eindje verderop die kant op. Je kunt hem niet missen. Ik ben in mijn kantoor verderop in die gang daar.'

'Je zou hier kunnen verdwalen,' zei Reba.

'Doe dat maar liever niet. Beck zal het niet leuk vinden als hij hoort dat jij hier bent geweest.'

'Ik zwijg als het graf,' zei ze, terwijl ze hem haar lieftalligste glimlach toewierp.

Reba liep door de receptie met mij in haar kielzog. Zolang Marty nog in de buurt was, gedroeg ze zich bijna kinderlijk enthousiast en stak ze hier en daar onder het uiten van bewonderende kreetjes haar hoofd om de hoek van een kantoorruimte. Hij keek ons even na en liep toen weg in tegenovergestelde richting.

Zodra hij uit het zicht verdwenen was, liet Reba elke schijn van een bezichtiging varen en kwam ze ter zake. Ik hield gelijke tred met haar terwijl ze de namen las op de bordjes die naast de deur van elk kantoor bevestigd waren. Toen ze Onni's naam zag, wierp ze een blik in de gang om zich ervan te overtuigen dat Marty er niet was. Ze liep naar Onni's bureau, griste een tissue uit de doos die daar stond, en gebruikte die om laden open te trekken.

'Blijf jij op de uitkijk staan, oké?'

Ik hield de gang in de gaten. Het doorzoeken van bureaus is mijn lievelingssport (afgezien van het samenzijn met Cheney Phillips de laatste tijd). De nerveuze spanning van het binnendringen in iemands persoonlijke ruimte wordt nog verhoogd door de mogelijkheid dat je op heterdaad betrapt wordt. Ik wist niet precies waarnaar ze op zoek was, anders had ik haar wel geholpen. Maar ja, iemand moest toch ook de wacht houden.

Terwijl ze laden opentrok en weer dichtschoof, zei Reba: 'God, wat is Marty toch paranoïde. Hij slikt zijn medicijnen zeker niet meer. Ah.' Ze hield een flinke sleutelbos omhoog en rinkelde ermee.

'Die kun je niet meenemen.'

'Ach, kom. Onni is er maandag pas weer. Ik zorg wel dat ze tegen die tijd weer op hun plaats liggen.'

'Reba, doe dat nou niet. Straks verpest je alles nog.'

'Nee hoor. Dit is wetenschappelijk onderzoek. Ik test mijn hypothese.'

'Welke hypothese?'
'Dat vertel ik je later wel. Maak je nou maar geen zorgen.'
Ze liep Onni's kantoor uit en keerde terug naar de receptie, waarbij ze haar hand langs de muur liet glijden terwijl ze haar blik op het plafond gericht hield. Toen ze bij de liften kwam, keek ze spiedend om zich heen. Er hingen grote abstracte schilderijen aan de wanden en de verlichting was zodanig dat je aandacht onweerstaanbaar van het ene kunstwerk naar het volgende werd getrokken.
'Het zou fijn zijn als ik wist waarnaar je op zoek was,' zei ik.
'Ik weet hoe zijn geest werkt. Er is hier ergens iets waarvan hij niet wil dat wij het zien. Laten we maar eens een kijkje nemen in zijn kantoor.'
Ik wilde protesteren maar ik wist dat het geen zin had.
Becks hoekkantoor was grandioos: ruimbemeten, met kersenhouten lambrisering en hetzelfde voetstapdempende groene tapijt als in de receptie. Het vertrek was gemeubileerd met lage, in chroom en leer uitgevoerde fauteuils van het soort waar je uitgetakeld moet worden als je eenmaal zo onverstandig bent geweest om erin plaats te nemen. Zijn bureaublad was van zwarte leisteen, een merkwaardig materiaal tenzij hij zijn staartdelingen graag met een krijtje uitschreef. Reba gebruikte nog steeds dezelfde tissue om te voorkomen dat ze vingerafdrukken zou achterlaten op zijn bureauladen. Ik voelde me niet op mijn gemak terwijl ik me ophield in de buurt van de deuropening.
Teleurgesteld draaide ze zich op haar hakken om. Ze bestudeerde elk aspect van het vertrek en liep ten slotte naar de gelambriseerde wand, waar ze over de hele lengte op het hout begon te kloppen, op zoek naar een holle ruimte erachter. Op een gegeven moment sprong er een deurtje open, maar de enige schat die daarachter schuilging was zijn drankvoorraad, compleet met geslepen glazen karaffen en een aantal glazen. Ze zei 'Shit', duwde het deurtje dicht en liep weer naar zijn bureau. Ze ging in zijn draaifauteuil zitten en liet vanuit die strategische positie nogmaals haar blik door het vertrek dwalen.
'Zou je nou niet eens opschieten?' fluisterde ik. 'Marty kan elk moment op komen dagen om te zien waar we zo lang blijven.'
Ze duwde de stoel achteruit en boog zich voorover zodat ze de onderkant van het bureau kon bekijken. Ze stak haar arm onder het bureau. Ik wist niet wat ze ontdekt had en ik wilde het ook niet weten. Ik stapte de gang in en keek in de richting van de receptie.

Nog geen spoor van Marty. Het viel me op dat de schilderijen varieerden in afmeting. De grootste hingen bij de liften en verderop in de gang werden ze steeds kleiner. Vanuit het perspectief van een bezoeker creëerde dat de illusie van gangen die veel langer leken dan ze in werkelijkheid waren, een amusant trompe-l'oeileffect.

Reba kwam uit Becks kantoor te voorschijn, pakte me bij de elleboog en voerde me mee naar de brede trap die naar het dak voerde.

'Wat is er daarboven nog meer behalve de daktuin?'

'Daarom gaan we naar boven, omdat we dat niet weten,' zei ze. Ze beklom de trap met twee treden tegelijk en ik hield gelijke tred met haar. Een glazen deur boven aan de trap gaf toegang tot een compleet aangelegde tuin: bomen, heesters, en bloemperken met daartussendoor kronkelende grindpaadjes die uit het zicht verdwenen, het geheel badend in strijklicht. Hier en daar bevonden zich patio's met stoeltjes en door parasols beschutte tafeltjes. De tuin was omgeven door een muur van ruim een meter hoog en bood naar alle kanten een adembenemend uitzicht op de stad.

In het midden van de tuin bevond zich iets wat eruitzag als een tuinschuurtje, met latwerk tegen de buitenkant waarlangs de ranken van passiebloemen zich omhoog en opzij slingerden, vol paarse bloemen. Half verborgen tussen het overvloedige groen bevond zich een bordje. Nieuwsgierig trok ik het gebladerte opzij.

'Wat staat er?' vroeg ze.

'GEVAAR. HOOGSPANNING. Er staat een telefoonnummer dat de huismeester kan bellen als dat nodig mocht zijn. Het zal wel een transformatorhuisje zijn of misschien een onderdeel van de elektriciteitsvoorziening. Wie zal het zeggen? Het zou ook wel eens de elektrische installatie van de liften kunnen herbergen, samen met de centrale verwarming en de airconditioning. Dat soort zaken moet toch érgens ondergebracht worden.' Het gebouwtje zoemde op een manier die de suggestie wekte dat je gefrituurd zou worden als je iets verkeerds deed.

Vanaf de trap riep Marty: 'Hé, Reba?'

'We zijn hier boven.'

'Ik wil jullie niet haasten, maar we moeten er langzamerhand weer eens vandoor. Beck heeft liever geen vreemden in het gebouw.'

'Ik ben toch geen vreemde, Marty. Ik ben zijn favoriete seksobject.'

'Nou, hij zal evengoed de pest in hebben en dan krijg ik het op mijn boterham.'

'Oké. We komen eraan,' zei ze, en toen tegen mij: 'Haal je autosleutels en je portefeuille uit je handtas en leg die achter dat schuurtje.'

'Mijn tas? Ik laat mijn schoudertas hier niet achter. Ben je gek geworden?'

'Doe het.'

Marty kwam de trap op lopen, er kennelijk niet gerust op dat we uit onszelf naar beneden zouden komen. Hij hijgde zwaar na de klim. Reba liep naar hem toe en stak haar arm door de zijne, waarna ze zich omdraaide om het uitzicht op de bergen in de verte te bewonderen. 'Wat een uitzicht! Een ideale plek voor een kantoorfeestje.'

Marty haalde een zakdoek te voorschijn en bette zijn gezicht dat glom van het zweet. 'Dat hebben we tot nog toe niet gehad. Als het goed weer is, eten de meisjes hier in het zonnetje hun lunch. Bij slecht weer maken ze gebruik van de kantine zoals ze ook in het vorige gebouw deden, alleen is deze veel luxueuzer.'

'De kantine? Die heb ik helemaal niet gezien.'

'We gaan er wel even langs op weg naar buiten.'

Reba wendde zich tot mij. 'Alles in orde?'

'Ja hoor,' zei ik.

Samen liepen ze de trap af. Inwendig morrend had ik gedaan wat ze me opgedragen had, mijn autosleutels en mijn portefeuille uit mijn tas gehaald die ik vervolgens achter een grote ficus had gedeponeerd. Ik hoopte maar dat ze wist wat ze deed, want ik had werkelijk geen flauw idee. Terwijl ik weemoedig achteromkeek, liep ik in de richting van de trap.

Even later betraden we een ruimte die eruitzag als een redelijk grote keuken. Gootsteen, afwasmachine, twee magnetrons, een koelvriescombinatie, een frisdrankautomaat en een automaat met chocoladerepen, chips, koekjes, pakjes noten, en andere dikmakende snacks. Er stond een grote tafel in het midden van de ruimte met stoelen eromheen.

'Geweldig,' zei ze.

Ik zei: 'Te gek.'

'Zijn jullie zover?' vroeg Marty.

'Ja hoor,' zei Reba. 'Het was leuk.'

'Oké. Ik pak even mijn aktetas en dan kan ik afsluiten.'

Gedrieën liepen we door de gang in de richting van de liften. Toen Marty langs zijn kantoor kwam, dook hij naar binnen en hij kwam even later weer te voorschijn met zijn aktetas. Reba stak haar hoofd om de hoek van de deur. 'Mooi kantoor. Heb je het zelf ingericht?'

'Lieve hemel, nee. Beck heeft een ontwerpbureau in de arm genomen dat alles geregeld heeft, behalve de planten. Daar hebben we weer een ander bedrijf voor.'

'Toe maar,' zei ze.

Marty drukte op het liftknopje. Terwijl we wachtten, wees Reba naar een derde lift aan de andere kant van de receptiebalie. 'Waar dient die voor?'

'Dat is een dienstlift. Wordt voornamelijk gebruikt voor het vervoer van dozen, dossierkasten, meubilair, dat soort dingen. Er zitten zo'n vijftien à twintig bedrijven in het gebouw. Dat betekent een heleboel kantoorartikelen en kopieerapparaten. De schoonmaakploeg maakt er ook gebruik van.'

'Doen Bart en zijn broer dat nog steeds in de weekends?'

'Ja zeker, ze beginnen op vrijdag rond middernacht,' zei hij.

'Prettig om te weten dat sommige dingen niet veranderen. Voor de rest is het een geweldige verbetering. Ik had kunnen weten dat Beck dat zou doen zodra ik de deur uit was.'

De lift arriveerde en de deuren gleden open. Marty stak zijn arm naar binnen en drukte op het knopje om de deur open te houden terwijl hij de code van de alarminstallatie intoetste op het paneel dat zich rechts naast de lift bevond. Reba toonde niet meer dan oppervlakkige belangstelling. We stapten de lift in en Marty drukte op het knopje voor de begane grond.

Toen we uit de lift stapten, gleden de deuren van een van de twee liften in de nis open en twee schoonmakers stapten naar buiten met hun kar die een stofzuiger bevatte, diverse bezems en zwabbers, grote flacons schoonmaakmiddelen, en pakken papieren handdoeken en wc-rollen ter bevoorrading van de toiletten. Allebei droegen ze een overall met een bedrijfslogo op de rug. Een van hen knikte naar Willard en die beantwoordde de groet door een vinger op te steken. Reba keek de twee mannen na die de dienstlift aan de andere kant van de nis in stapten.

'Wat komen die hier doen?'

Marty haalde zijn schouders op. 'Geen idee. Ik denk dat ze op de eerste verdieping werken.'

De deuren van de dienstlift gleden dicht en gedrieën vervolgden we onze weg naar de uitgang terwijl Willard ons tijdstip van vertrek noteerde met dezelfde uitdrukkingloze blik waarmee hij ons al eerder opgenomen had. Marty nam niet de moeite hem een knikje ten afscheid te geven, maar Reba wuifde vrolijk naar hem. 'Bedankt, Willie. Prettige avond verder.'

Hij aarzelde even en stak toen een hand op.

'Zagen jullie dat? Ware liefde,' zei ze.

We begaven ons naar de ondergrondse parkeergarage. Onder aan de trap zei Marty: 'Ik sta daar geparkeerd. Waar staan jullie ergens?'

'Die kant op,' zei ik, terwijl ik in tegenovergestelde richting wees.

Reba stak haar handen in de zakken van haar jack en keek hem na terwijl hij naar zijn auto liep. 'Hé, Marty?'

Hij bleef staan en keek achterom.

'Denk nog eens na over wat ik gezegd heb. Als je niet snel iets doet, heeft Beck je ballen in een bankschroef.'

Even leek het erop dat Marty iets zou gaan zeggen, maar toen veranderde hij van gedachten. Hij schudde het hoofd en draaide zich toen om.

Ze bleef hem nakijken tot hij uit het zicht was verdwenen en toen liepen we samen naar de andere kant van de garage.

'Ik vertrouwde die schoonmakers niet zo,' zei Reba.

'Zeg, hou nou eens op.'

'Ik meen het. Er was iets onechts aan die gasten.'

'Bedankt voor de mededeling. Ik zal het onthouden.'

Toen we bij de VW kwamen, maakte ik het portier aan mijn kant open, stapte in en boog me toen opzij om haar portier open te maken. Ze stapte in en trok het portier dicht, maar toen ik het sleuteltje in het contact wilde steken, stak ze haar hand uit. 'Wacht daar nog even mee.'

'Hoezo?'

'Omdat we nog niet klaar zijn. Zodra Marty vertrokken is, kunnen we het nog een keer proberen.'

'Je kunt niet teruggaan. Hoe dacht je dat voor elkaar te krijgen?'

'We kunnen tegen Willie zeggen dat je je tas boven hebt laten liggen en dat je die per se moet hebben.'

'Reba, wil je hier nou mee ophouden! Straks verziek je de hele zaak voor de staat.'

'Het is de staat die de zaken verziekt. Kijk maar eens naar de toestand waarin het land verkeert. Het is een zootje.'

'Daar gaat het niet om. Je kunt niet zomaar de wet overtreden.'

'Stel je niet zo aan. Welke wet?'

'Wat dacht je van inbraak?'

'Dat was geen inbraak. We zijn met Marty mee naar boven gegaan. Hij heeft ons uit vrije wil binnengelaten.'
'En vervolgens heb je die sleutels gejat.'
'Ik heb ze niet gejat. Ik heb ze geleend. Ik ben van plan ze weer terug te leggen.'
'Dat doet er niet toe. Weet je, ik heb hier schoon genoeg van,' zei ik. Ik startte de motor, schakelde en reed achteruit van de parkeerplek weg.
'Wil je je tas dan niet terug?'
'Niet nu. Ik breng je naar huis.'
'Morgenochtend dan, en ik zweer dat het daarmee afgelopen is, oké? Ik haal je om acht uur op.'
'Waarom zo vroeg? Morgen is het zaterdag. Het winkelcentrum gaat pas om tien uur open.'
'Tegen die tijd zijn wij allang weer vertrokken.'
'En wat hebben we dan gedaan?'
'Dat zul je wel zien.'
'Nee. Geen sprake van. Vergeet het maar.'
'Als je niet met me meegaat, doe ik het alleen. Joost mag weten in wat voor problemen ik dan verzeild raak.'
Het liefst had ik uit pure wanhoop mijn ogen dichtgeknepen, maar ik bevond me op de helling bij de uitgang van de parkeergarage en ik wilde geen brokken maken in mijn haast om daar weg te komen.
Ik sloeg rechts af Chapel in. Uit mijn ooghoeken zag ik Reba iets uit de zak van haar jack halen, terwijl ze zei: 'Hé, kijk nou eens.'
'Wat.'
'Het ziet er naar uit dat ik toch nog iets gestolen heb. Stoute meid die ik ben.'
'Het is toch zeker niet waar?'
'Jawel. Deze zijn van Beck. Ik heb ze in zijn bureau gevonden, in dat prullige geheime laatje. Hij moet van plan zijn om ertussenuit te knijpen, de smeerlap.' Ze hield een paspoort, een rijbewijs, en diverse documenten omhoog.
Ik stuurde de auto onmiddellijk naar de kant, tot grote ergernis van de chauffeur in de wagen achter me, die claxonneerde en een grof handgebaar maakte. 'Geef hier,' zei ik, terwijl ik ernaar graaide.
Ze hield de documenten buiten mijn bereik. 'Rustig nou even. Moet je nou toch eens zien. Een paspoort, geboorteakte, rijbewijs, creditcards, allemaal op naam van Garrison Randell met Becks pasfoto. Dat moet hem een hoop geld hebben gekost.'

'Reba, wat denk je dat er gebeurt als hij merkt dat die spullen verdwenen zijn?'

'Hoe zou hij daarachter moeten komen?'

'Nou, bijvoorbeeld doordat hij maandagochtend vroeg meteen dat laatje controleert. Dat is zijn ontsnappingsmiddel. Waarschijnlijk controleert hij die documenten twee keer per dag.'

'Je hebt gelijk,' zei ze. 'Aan de andere kant, waarom zou hij mij verdenken?'

'Hij hoeft jou niet te verdenken. Hij hoeft alleen maar na te gaan wie er in het kantoor is geweest. Zodra hij Marty in het vizier krijgt, is het afgelopen. Marty zal voor jou zijn nek niet riskeren. Straks zit je weer in de bak.'

Daar dacht ze even over na. 'Oké. Ik zal alles weer terugleggen als ik Onni's sleutels terugbreng.'

'Dank je,' zei ik, maar ik wist dat ik haar niet op haar woord kon geloven.

Ik bracht haar naar huis en strompelde om kwart over elf mijn appartement binnen. Het rode lichtje van mijn antwoordapparaat knipperde. Cheney, dacht ik. Het idee alleen al had iets erotisch, en net als een van de hondjes van Pavlov begon ik als reactie daarop bijna zachtjes te janken. Ik drukte het knopje in en hoorde zijn stem. Zeven woorden. 'Hallo, liefje. Bel me als je thuiskomt.'

Ik toetste zijn nummer in en toen hij opnam, zei ik: 'Ook hallo. Heb ik je wakker gemaakt?'

'Dat geeft niet. Waar ben je geweest?'

'Uit met Reba. Ik heb van alles te melden.'

'Mooi zo. Kom maar hiernaartoe en blijf slapen. Als je braaf bent, maak ik morgenochtend wentelteefjes voor je.'

'Gaat niet. Ze komt me om acht uur hier oppikken.'

'Hoe dat zo?'

'Lang verhaal. Ik vertel het je wel zodra ik je weer zie.'

'Wat zou je ervan zeggen als ik je kom ophalen en je morgenochtend weer op tijd thuisbreng voor je afspraak met Reba?'

'Cheney, ik kan dat stukje zelf wel rijden. Het is maar iets meer dan drie kilometer.'

'Dat weet ik wel, maar ik wil niet dat je op dit tijdstip nog de weg op gaat. De wereld is een gevaarlijke plek.'

Ik lachte. 'Dus zo ziet het toekomstbeeld eruit? Jij neemt mij in bescherming en ik ben volgzaam als een lammetje.'

'Heb jij een beter idee?'

'Nee.'

'Mooi. Ik ben over tien minuten bij je,' zei hij.

20

Ik zat buiten op de stoep op hem te wachten, gekleed in een zwart T-shirt met rolkraag en een van mijn nieuwe rokken. Dit was de derde avond op een rij dat we elkaar zouden zien. Net als met een serie winnende worpen bij het dobbelen moest er natuurlijk eens een eind aan komen. Ik wist niet goed of het nu cynisch of nuchter van me was om dat feit onder ogen te zien. Ik wist hoe de avond zou verlopen. Gedurende de eerste momenten dat ik hem zag, zou ik eèn neutraal gevoel hebben, blij om in zijn gezelschap te zijn, maar ik zou me niet onweerstaanbaar tot hem aangetrokken voelen. We zouden over koetjes en kalfjes babbelen en geleidelijk aan zou ik me van hem bewust worden: de geur van zijn huid, het profiel van zijn gezicht, de vorm van zijn handen aan het stuurwiel. Hij zou dat aanvoelen en me aankijken. Op het moment dat we oogcontact maakten, zou dat zachte verre gezoem weer beginnen dat door me heen vibreerde als het eerste gerommel van een aardbeving.

Merkwaardig genoeg had ik niet het gevoel dat ik bij hem gevaar liep. Omdat ik al zo vaak flaters had geslagen in mijn relaties met mannen, had ik de neiging om voorzichtig te zijn, afstandelijk, me op de vlakte te houden voor het geval de zaken niet naar wens verliepen. Onvermijdelijk liep het dan op een gegeven moment mis, wat tot gevolg had dat ik me nog behoedzamer ging opstellen. Achteraf gezien was het me duidelijk dat Dietz het spel precies hetzelfde speelde als ik, wat inhield dat ik me ook bij hem veilig voelde, maar om de verkeerde redenen: veilig omdat hij altijd weer weg moest, veilig omdat hij waarschijnlijk niet in staat was om me tot steun te zijn, en veilig, bovenal, omdat zijn gereserveerdheid een afspiegeling was van de mijne.

Ik hoorde Cheneys auto lang voordat hij de hoek van Bay naar Albanil om kwam. Zijn koplampen kwamen in zicht en ik kwam overeind, in stilte het verlies van mijn schoudertas vervloekend. Ik was gedwongen geweest een aantal spulletjes in een papieren zak te stoppen: schoon ondergoed, een tandenborstel, mijn portefeuille en mijn sleutels. Cheney reed weer met de kap omlaag, maar toen ik instapte, realiseerde ik me dat de verwarming op zijn hoogste stand stond, wat inhield dat één helft van me het warm zou hebben.

Zijn blik viel op de papieren zak. 'Is dat je overnachtingstasje?'

Ik hield de zak omhoog. 'Het is er één van een bij elkaar passend stel. Ik heb nog precies zo'n zelfde exemplaar in mijn keukenla.'

'Leuke rok.'

'Met dank aan Reba. Ik was niet van plan om hem te kopen, maar zij stond erop.'

'Goed gezien van haar.' Hij wachtte tot ik mijn gordel had vastgemaakt en trok toen op.

Ik zei: 'Ik kan nauwelijks geloven dat we dit doen. Slaap jij nooit?'

'Ik heb je beloofd dat ik je het huis zou laten zien. Vorige keer heb je alleen maar het plafond van de slaapkamer gezien.'

Ik stak een vinger op. 'Ik heb een vraagje.'

'Zeg het maar.'

'Is dit de manier waarop je zo snel getrouwd bent geraakt? Je ontmoet hoe-heet-ze-ook-alweer en brengt de eerste drie weken elke nacht samen met haar door. In week vier trekt ze bij je in. In week vijf verloven jullie je, en tegen week zes zijn jullie getrouwd en op huwelijksreis vertrokken. Is het zo gegaan?'

'Niet helemaal, maar het komt aardig in de buurt. Hoezo, heb je daar een probleem mee?'

'Nou, nee. Ik vroeg me alleen maar af hoeveel tijd ik nog had om de uitnodigingen te versturen.'

Cheney gaf me een rondleiding, beginnend op de benedenverdieping. Het huis was meer dan honderd jaar oud en weerspiegelde een levenswijze die allang verleden tijd was. De meeste van de oorspronkelijke mahoniehouten schouwen, deuren, raamkozijnen en plinten waren nog intact. Hoge, smalle ramen, hoge plafonds, bovenlichten boven de deuren om de ventilatie te bevorderen. Er waren vijf werkende open haarden op de benedenverdieping en nog eens vier in de slaapkamers boven. De salon (een begrip dat inmiddels het voorbeeld van de dodo heeft gevolgd) liep over in de ochtendzitkamer, die weer grensde aan een elegante beschutte veranda. In de aangrenzende wasruimte stonden de oude dubbele tobbes naast een houtgestookt fornuis voor het verwarmen van water.

Cheney was bezig de woonkamer op te knappen, en de hardhouten vloer was afgedekt met zeildoek. Afgestoomd behang lag in troosteloze hoopjes op de grond. Het pleisterwerk was bijgewerkt en de vensterruiten waren afgeplakt ter voorbereiding op het schilderwerk. Hij had een van de deuren uit de hengsels gelicht en hem op twee zaagbokken gelegd en met zeildoek afgedekt om een oppervlak te creëren voor gereedschappen die op dat moment niet in gebruik waren. De koperen elementen – deurknoppen, deurschilden, raamklinken en handgrepen – waren in kartonnen dozen gestopt die in een hoek van het vertrek stonden.

'Hoelang heb je het huis al?'

'Iets meer dan een jaar.'

De eetkamer was er niet veel beter aan toe. Hier getuigden een ladder, verfblikken, kwasten, verfrollers, verfbakjes, en vuilniszakken – om nog maar niet te spreken van de lucht die er hing – ervan dat hij gegrond en gelakt had, hoewel hij nog niet toegekomen was aan het terugplaatsen van de nagelvaste elementen, waarmee elke vensterbank bezaaid lag.

'Dit is de eetkamer?'

'Ja, hoewel de vorige eigenaars hem gebruikten als slaapkamer voor haar bejaarde moeder. Ze verbouwden de provisiekamer tot een geïmproviseerde badkamer, dus het eerste wat ik deed was het toilet, de douche, en de wastafel eruit slopen en de ingebouwde porseleinkasten en de laden voor het tafelzilver weer in ere herstellen.'

Door de erkerramen van de eetkamer bleek ik in de keuken te kijken van Neil en Vera die in het huis ernaast woonden. Cheneys oprit en die van hen liepen parallel, van elkaar gescheiden door een bescheiden grasstrookje. Ik kon Vera aan het aanrecht zien staan, bezig met het afspoelen van de vaat voor ze die in de afwasmachine deed. Neil zat op een kruk aan de eetbar met zijn rug naar me toe en de twee praatten tegen elkaar terwijl zij bezig was. De kinderen zag ik niet, dus die zouden wel in bed liggen. Ik was slechts zelden getuige van dergelijke fragmenten uit de praktijk van het huwelijksleven. Af en toe vielen me in restaurants van die stellen op die elkaar gedurende de maaltijd niet aankijken en geen woord tegen elkaar zeggen. Dat noem ik nog eens een angstaanjagend vooruitzicht: al die kleine dagelijkse fricties maar dan zonder enige kameraadschap.

Cheney sloeg zijn armen van achteren om me heen, legde zijn wang tegen mijn haar, en volgde mijn blik. 'Een van de weinige gelukkige stellen die ik ken.'

'Op het oog althans.'

Hij kuste mijn oor. 'Doe niet zo cynisch.'

'Ik ben nou eenmaal een cynicus. Jij trouwens ook.'

'Jawel, maar allebei beschikken we diep vanbinnen over een optimistisch trekje.'

'Spreek voor jezelf,' zei ik. 'Waar is de keuken?'

'Kom maar mee.'

De vorige eigenaars hadden het nodige gedaan aan de keuken, die nu een toonbeeld van efficiency was met granieten werkoppervlakken, roestvrijstalen apparatuur en moderne verlichting, zonder afbreuk te doen aan de onmiskenbaar Victoriaanse sfeer van het huis. Ik was een provisiekamer ter grootte van mijn vide aan het verkennen toen de telefoon ging. Cheney nam op en voerde een kort gesprek. Hij legde de hoorn weer op de haak van het wandtoestel. 'Dat was Jonah. Er heeft een schietpartij plaatsgevonden in een parkeergarage op Floresta. Een van mijn hoertjes kwam in het kruisvuur terecht. Jonah is daar nu. Ik heb gezegd dat ik jou eerst thuis af zou zetten en dan naar hem toe zou komen.'

'Oké,' zei ik, terwijl ik dacht: fantastisch... nu Jonah weet dat wij iets met elkaar hebben, weet het hele politiekorps van Santa Teresa dat morgen tegen het middaguur ook. Mannen zijn nog ergere roddelaars dan vrouwen als het erop aankomt.

Om middernacht kroop ik in bed waar ik geruime tijd bleef liggen woelen, mogelijk vanwege het uitgebreide dutje dat ik die middag had gedaan. Ik weet niet meer precies wanneer ik in een diepe slaap verzonk, maar ik werd me vaag bewust van een gebonk op mijn deur. Ik deed mijn ogen open en keek op de klok. 8.02 uur. Wie was dat in godsnaam? O, shit, Reba stond natuurlijk beneden.

Ik duwde het dekbed van me af en zwaaide mijn voeten op de vloer terwijl ik riep: 'Ik kom eraan!'... alsof ze dat kon horen. Ik haalde een hand over mijn gezicht, waarbij ik mijn vingers in mijn ogen drukte tot er lichtvonkjes aan de binnenkant van mijn oogleden verschenen. Ik liep naar beneden en liet haar binnen terwijl ik zei: 'Sorry, sorry, sorry. Ik heb me verslapen. Ik kom zo bij je.'

Ik zei tegen haar dat ze het zich gemakkelijk moest maken terwijl ik de trap weer op liep, hoewel ik me met het oog op de goede manieren wel over leuning van de vide boog en tegen haar riep: 'Zet maar een pot koffie als je erachter kunt komen hoe het apparaat werkt.'

'Maak je niet druk. We gaan wel bij McDonald's langs.'

'Afgesproken.'

Ik nam snel een douche en trok daarna een spijkerbroek, een T-shirt en tennisschoenen aan. Ik haalde mijn portefeuille en mijn autosleutels uit de papieren zak en in zes minuten was ik klaar om de deur uit te gaan.

We plaatsten onze bestelling bij het loket en namen twee grote bekers koffie en vier Egg McMuffins met extra zakjes zout mee naar de parkeerplaats. Net als ik at Reba alsof ze een record wilde verbeteren. 'Ze noemen dit niet voor niets fastfood,' zei ze met volle mond. Gedurende een paar minuten spraken we geen woord meer en concentreerden we ons uitsluitend op ons voedsel.

Toen we klaar waren, stopten we de overblijfselen in de daarvoor bestemde zak die Reba vanuit de auto met een welgemikte worp in de even verderop staande container mikte. Ze zei: 'Twee punten. Heb je daarvan terug?'

Terwijl ik met kleine teugjes koffie dronk, reikte ze naar achteren en pakte drie rollen bouwtekeningen van de achterbank die bijeengehouden werden met een elastiek. Ze schoof het elastiek om haar pols om het niet kwijt te raken en ontrolde vervolgens het eerste grote vel, dat ze op het dashboard uitspreidde. Op het blauw-witte papier stonden de tweedimensionale ruimten in blauwe inkt getekend. De legenda aan de onderkant luidde: HET BECKWITH-GEBOUW, 25-3-81.

Reba zei: 'Dit zijn de oude bouwtekeningen. Ik hoop dat die ons zullen vertellen wat Beck verborgen houdt en waar hij het verborgen houdt.'

'Waar heb je die vandaan?'

'We hadden massa's kopieën op kantoor, van het skelet van het gebouw tot de sanitaire inrichting, centrale verwarming, airconditioning, plaats van de stopcontacten, noem maar op. Elke keer dat de architect veranderingen aanbracht, liet hij een nieuwe serie tekeningen voor alle belanghebbenden printen. Beck zei dat ik ze weg moest doen.'

'En jij had de vooruitziende blik om ze te bewaren? Ik ben onder de indruk.'

'Ik zou het geen vooruitziende blik willen noemen. Ik ben gewoon gek op dat soort informatie. Het is net alsof je röntgenfoto's bekijkt, al die barsten en botuitsteeksels waar je ze het minst verwacht. Hier, bekijk deze eens, dan kunnen we onze bevindingen vergelijken. Gisteravond realiseerde ik me dat we het helemaal verkeerd aanpakten.'

Ze overhandigde me de tweede rol tekeningen op vellen papier van zo'n 60 bij 45 centimeter. Ik manoeuvreerde het eerste vel in een redelijk vlakke positie en bestudeerde de bijzonderheden. Voorzover ik kon zien, had het iets te maken met de dienstingang en de elektrische installatie, en toonde het de locatie van de meter, de transformatorruimte, de schakelkasten, en de elektrische circuits en schakelschema's die aangegeven waren door middel van cirkeltjes en golflijntjes.

Het volgende vel was interessanter. Het zag eruit als een opengewerkt model van een hoek van het gebouw, van bovenaf gezien. Volgens de legenda onderaan het vel was de schaal van de tekening 1:100. De architect had elk onderdeel van de tekening benoemd in dat nonchalante blokletterschrift dat studenten vermoedelijk al op hun eerste dag op de architectenopleiding leren. Reba keek met me mee en zei: 'Wat ze daar ter stabilisatie gebruiken is een stijve kern die door het midden van het gebouw loopt: een dragende toren waarin zich de toiletten, trappen, en liften bevinden.'

Ik hoopte de correlatie te ontdekken tussen de lijnen op het vel papier en de ruimten die ik had gezien. De gedetailleerde tekening van het dak, bijvoorbeeld, toonde het mechaniek van de liftinstallatie op ruwweg dezelfde plek als het pseudo-tuinschuurtje. Reba legde een vinger op het vel. 'Het zint me niet. Op die andere tekening bevinden de liften zich aan de andere kant van het gebouw. Dus hoe zit het nou precies?'

'Laten we nog maar eens goed kijken,' zei ik. 'Ik begrijp trouwens niet hoe iemand hieruit wijs kan worden. Ik zou niet weten waar ik moest beginnen.'

Reba vouwde een volgende plattegrond open, gedateerd augustus 1981. We bestudeerden de tekeningen naast elkaar. Aangezien ik de kantoorruimte met eigen ogen gezien had, had ik een redelijk goed idee waar ik naar keek, met bepaalde opmerkelijke uitzonderingen. Waar zich in werkelijkheid de kantine bevond, gaf de plattegrond een vergaderruimte aan, die zich dichter bij de receptie bevond. 'Hoeveel van die series tekeningen heb je?'

'Massa's, maar deze leken me het meest relevant. Van maart tot augustus zijn er niet zoveel verschillen. Het zijn de veranderingen die in oktober zijn aangebracht die me interessant voorkwamen.' Ze vouwde een vierde vel open en legde het boven op het derde. Samen bestudeerden we de details van personeelstoiletten, rolstoelfaciliteiten, en nog zo wat zaken, het geheel van Becks vijftien vertrekken beslaande kantoorruimte was in één oogopslag zichtbaar.

'Zijn we op zoek naar iets speciaals?' vroeg ik.

Ze wees naar een langwerpige ruimte op het vel naast de brandtrap en de liftschachten. 'Zie je dat? De locatie van de liften is verplaatst van dáár naar dáár,' zei ze, terwijl ze haar vinger van mijn tekening naar die van haar liet glijden.

'De kantine is ook verplaatst, maar wat doet dat ertoe?'

'Nou, kijk, ik begrijp best dat ze veranderingen hebben aangebracht, maar hier is sprake van een niet verantwoorde ruimte. Hier wordt het opslagruimte genoemd, maar op deze tekening is die ruimte er nog steeds zonder dat er enige verwijzing naar wordt gemaakt.'

'Ik zie nog steeds het belang niet.'

'Ik vind het gewoon merkwaardig. Op een van de eerste plattegronden bevond zich daar een vertrek. Ik vroeg Beck wat het was en hij deed er heel ontwijkend over, alsof ik dat niet hoefde te weten. Op de oorspronkelijke tekeningen had de architect het bestemd als wapenkamer, wat volslagen belachelijk is. Beck is een watje op het gebied van vuurwapens. Hij bezit er niet eens één, laat staan een verzameling van die rotdingen. Indertijd dacht ik dat het misschien een soort geheime kluis was. Later vroeg ik me af of hij misschien van plan was om de ruimte te gebruiken als liefdesnestje, een plek waar hij zijn vriendinnetjes mee naartoe kon nemen. Dat zou natuurlijk ideaal zijn. In hetzelfde gebouw, maar buiten het zicht van iedereen. Bedenk eens hoe gemakkelijk het zou zijn om wat buitenechtelijke pleziertjes te beleven.'

'Misschien heeft de architect er zijn veto over uitgesproken.'

'Niemand spreekt tegenover Beck een veto uit. Hij weet precies wat hij wil en dat krijgt hij ook.' Ze legde een vinger op een niet nader aangeduid oppervlak vlak buiten de receptie. 'Zou er zich achter deze muur geen ruimte kunnen bevinden?'

Ik ging in gedachten terug en haalde me de gang met schilderijen voor ogen en het trompe-l'oeileffect dat veroorzaakt werd door het afnemende formaat van de kunstvoorwerpen. Ik keek weer naar de plattegrond. 'Dat denk ik niet. Als er zich daar al een vertrek bevindt, hoe kom je daar dan in vredesnaam in? Voorzover ik me herinner, bevinden er zich helemaal geen deuren in die muur.'

'Nee, daar heb je geloof ik gelijk in.'

'Hoe staat het met die opslagruimte voor kantoorbenodigdheden?'

'Daar waren ook geen deuren in, dus als er zich daar al een ruimte bevindt, dan is die verzegeld.'

'Misschien heeft het iets te maken met de infrastructuur van het gebouw. Al dat technische gedoe. Heb je geen recentere tekeningen dan deze?'

Reba schudde het hoofd. 'Toen zat ik in de bajes.'

Allebei zwegen we even. Toen zei ik: 'Jammer dat we geen bouwtekeningen hebben van de kantoren op de verdieping eronder. Jij gaat er nou wel van uit dat het een vertrek is, maar het zou net zo goed een bouwkundige constructie kunnen zijn of iets wat helemaal naar beneden loopt.'

Ze rolde de tekeningen op, schoof het elastiek er weer omheen, gooide ze op de achterbank en draaide het contactsleuteltje om. 'Er is maar één manier om daarachter te komen.'

Reba reed langzaam om het blok heen waarin Passages Shopping Plaza zich bevond en tuurde voor me langs door het portierraampje naar buiten. Aan de zuidkant van het winkelcentrum werd haar aandacht getrokken door een ingang met daarboven het opschrift LEVERANCIERS en ze zette haar auto langs het trottoir. Een steile afrit voerde naar omlaag en de schaduwen in.

'Wacht even. Dat moet ik zien,' zei ze. Ze zette de motor af en stapte uit. Ik volgde haar voorbeeld. We liepen de afrit af, die twee niveaus afdaalde naar wat een verdieping onder het souterrain moest zijn. Onder aan de afrit bevond zich een valhek dat met een groot hangslot was afgesloten. Door het traliewerk konden we tien parkeerplaatsen zien, een dubbele deur zonder opschrift tegen de achterwand van de ruimte, en een enkele metalen deur aan de rechterkant. Ik zei: 'Denk je dat dit de enige ingang is?'

'Dat kan niet. Als er bevoorraad wordt, moet er toch een manier zijn om goederen naar de diverse winkels te distribueren.'

Enigszins puffend liepen we weer terug naar boven. Toen we het trottoir bereikten, deed ze een paar stappen achteruit en liet haar blik langs het gebouw gaan. Aan deze kant van het vestingachtige pand bevonden zich op straatniveau geen etalages en geen winkelingangen. 'Even verderop is net zo'n afrit als deze,' zei ze. 'O, wacht eens even. Ik snap het al. Laten we even gaan kijken of ik gelijk heb.'

Ik keek haar aan. 'Ga je het me nog vertellen of niet?'

'Als ik gelijk heb, vanzelfsprekend. Als ik het mis heb, hoef je het niet te weten.'

'Je bent bijzonder irritant.'

Ze glimlachte onverstoorbaar.

We liepen terug naar de auto. Ze startte de motor, trok op en vervolgde haar rit rond het winkelcentrum, waarbij we de tegenhanger passeerden van de afrit die we zojuist hadden verkend. Op de hoek sloeg ze rechts af en ze volgde Chapel in noordelijke richting.

Bij Passages kon je in het weekend gratis parkeren, waarschijnlijk om de kooplust te stimuleren. Het hek van de ondergrondse parkeergarage was open. Reba draaide naar binnen en reed de helling af. Onderaan sloeg ze rechts af en ze reed naar het eind van de garage, waar ze parkeerde op een plek in de buurt van de donkere glazen deuren die de benedeningang van Macy's vormden. De winkel was op dit tijdstip nog dicht en zou pas om tien uur opengaan.

Reba wees. Ongeveer tien parkeerplekken rechts van ons bevond zich een onopvallende deur met het opschrift DIENSTINGANG. VERBODEN TOEGANG. Even daarvoorbij maakte de rijstrook een bocht naar het hoger gelegen niveau en verdween uit het zicht.

'Die zit vast op slot,' zei ik, terwijl ik de bekende kriebels in mijn maag voelde bij het vooruitzicht een ruimte te betreden waar we niet geacht werden te zijn.

'Uiteraard. Ik zei toch dat ik al eerder op verkenning uit geweest was, maar dat ik niet binnen kon komen. Nu heb ik deze.' Ze hield de forse sleutelbos omhoog die ze uit Onni's bureau had gegapt. Glimlachend bekeek ze de sleutels een voor een. 'Moet je nou toch eens zien! Het spijt me dat ik ooit iets onaardigs over die meid heb gezegd.'

Onni had elke sleutel voorzien van een label: KANTOOR, BECK, VERG.RUIMTE, D.GANG, OPSL.RUIMTE, D.LIFT, SAFELOKET MIDCITY, SAFELOKET ST SV'S & LO. Reba hield de twee safeloketsleutels bij elkaar en rammelde met de rest. 'Ik durf te wedden dat deze heel wat informatie bevatten. Beck bewaart zijn schaduwboekhouding in een safeloket.'

'Een schaduwboekhouding? Dat is niet zo slim.'

'Geen echte boekhouding. Alle informatie staat op diskettes. Hij gaat daar om de paar dagen langs om de updates op te bergen. Wat moet hij anders? Hij is zakenman. Zelfs als datgene wat hij doet, illegaal is, moet hij nog altijd allerlei gegevens bijhouden. Denk je dat hij geen rekening en verantwoording moet afleggen aan Salustio?'

'Natuurlijk wel, maar het lijkt me nog altijd behoorlijk riskant.'

'Beck is gek op het nemen van risico's. Hij is verslaafd aan de kick die hem dat geeft.'

'Daar kan ik me wel iets bij voorstellen.'

Reba bleef de sleutels van de safeloketten betasten. 'Ik vraag me af of er een manier is om toegang tot die loketten te krijgen...'

'Reba...'

'Ik zei niet dat ik het zou dóén. Meteen nadat ik achter de tralies ging, is hij van bank veranderd, dus ik zou sowieso geen gemachtigde zijn. Dat zal nu waarschijnlijk Marty zijn.'

'Zweer dat je die sleutels terug zult leggen.'

'Ik heb je toch gezegd dat ik dat zou doen. Zodra ik duplicaten heb laten maken.'

'Godverdomme, Reba. Ben je nou helemaal gek geworden?'

'Zou best kunnen.' Ze keek achterom naar de uitgestrekte lege garage. 'We kunnen maar beter aan de slag gaan voordat er iemand anders op komt dagen.'

We stapten uit en liepen naar de dienstingang, onze voetstappen hol weerklinkend tegen de kale betonnen wanden. De deur zat zoals verwacht op slot, en Reba gebruikte de sleutel die Onni zo attent van een label had voorzien. De deur gaf toegang tot een trappenhuis. We liepen een trap af en daar bevonden zich nog twee deuren ongeveer drie meter uit elkaar. Reba zei: 'Welk van de twee? Zeg jij het maar.'

Ik wees naar de linkerdeur. Ze haalde haar schouders op en gaf mij de sleutelbos. Het kostte enig experimenteren voor ik de juiste gevonden had. Onni's gebrek aan fantasie had ertoe geleid dat ze sommige van de sleutels van een nummer had voorzien. Ik probeerde er drie voor ik de juiste te pakken had. Ik draaide de sleutel om en duwde de deur open. Voor ons zagen we dezelfde besloten garage met tien parkeerplekken die we eerder hadden gezien.

Reba zei: 'Aha!'

We deden de eerste deur weer dicht en liepen naar de tweede. 'Jouw beurt,' zei ik. 'Ik zou het op sleutel nummer 4 houden.'

'Maak je niet druk. Ik weet al wat zich achter deze deur bevindt.' Ze stak de sleutel in het slot, draaide hem om en duwde de deur open. Voor ons zagen we een lange gang zonder ramen. De tl-verlichting aan het plafond verspreidde een blauwachtig licht. Op regelmatige afstand van elkaar gaven grote metalen deuren aan weerszijden van de gang toegang tot de expeditieafdelingen van de diverse bedrijven in het winkelcentrum, waarvan sommige gelegen waren aan Chapel Street en sommige aan het binnenplein. Aanduidingen boven de deuren gaven aan welke detaillisten het betrof: de winkel in reisbenodigdheden, een zaak in kinderkleding, een winkel waar Italiaans aardewerk werd verkocht, een juwelier enzovoort.

Ik nam de situatie in me op. Er was geen spoor van de twee liften die ik in de lobby erboven had gezien, maar een massieve betonnen wand duidde op de bodem van de liftschacht. Even verderop bevond zich in de rechterbovenhoek een spiegel in een zodanige hoek dat de nis zichtbaar was met daarin de dienstlift en de andere lift die ik in de lobby had gezien. Ik wilde doorlopen, maar Reba stak haar arm uit en hield me tegen. Ze legde een vinger op haar lippen en wees omhoog en naar rechts.

Ik zag een in de hoek gemonteerde bewakingscamera, de lensopening gericht op de andere kant van de gang. Er hing een telefoontoestel aan de wand, vermoedelijk om de communicatie tussen balie en bezorgers te vergemakkelijken. We liepen terug en trokken de deur zachtjes achter ons dicht. Evengoed liet Reba haar stem dalen tot een haast onverstaanbaar gemompel. 'Nadat je me gisteravond had afgezet, ben ik in mijn auto teruggereden om een praatje met Willie te maken. Hij is best aardig, helemaal niet zo'n stijve hark als je zou denken. Hij is gek op schaken, speelt wedstrijdbridge, en geloof het of niet, hij bakt zuurdesembrood. Zegt dat hij al negen jaar lang hetzelfde voorafje eet. Terwijl we aan het kletsen zijn, hou ik tegelijk de monitors in de gaten – alle tien – zodat ik weet wat hij ziet. Ik heb ook beelden hiervan gezien, maar ik realiseerde me pas wat het was toen we die deur hier opendeden. Daarboven heeft hij zicht op alle gangen in beide richtingen, maar niet op de liften en niet op het dak.'

'En hoe staat het met Becks kantoorruimte?'

'Nee zeg, stel je voor. Beck wilde niets te maken hebben met dat Big Brother-gedoe. Hij heeft er geen bezwaar tegen dat Willie zijn huurders bespioneert, maar niet hemzelf.'

'Het lijkt me een nogal zware beveiliging voor een gebouw van dit formaat.'

'Interessant, nietwaar? Dat vond ik zelf ook al.'
'Maar waar zijn die liften nou gebleven?'
'De publieksliften gaan niet verder dan tot in de lobby. Beck wil kennelijk niet dat iemand hiervandaan zijn kantoren kan bereiken,' zei ze. 'Een van de liften zorgt voor de verbinding tussen de parkeergarage en de lobby. Iemand die op de eerste, tweede, of derde verdieping moet zijn, moet in de lobby uitstappen en gebruikmaken van de publieksliften. Op die manier kan Willie ze opvangen en informeren wat ze daar te zoeken hebben. En als je geen heel goede reden hebt om je in het gebouw te bevinden, kun je het wel schudden. Als je met de lift tot dit niveau wilt afdalen, heb je een sleutel nodig. Er zijn geen knoppen waar je op kunt drukken.'
'Maar als de dienstlift hier ook komt, kan iemand die dan niet nemen en zo Willard ontwijken?' vroeg ik. 'Ik bedoel, ondanks al die camera's kan hij niet alle tien de monitors tegelijk in de gaten houden.'
'In theorie heb je gelijk, maar het zou riskant zijn. Ten eerste zijn al deze doorgangen afgesloten...'
'Wat ons niet buiten heeft gehouden.'
'En ten tweede,' vervolgde ze onverstoorbaar, 'is er een beveiligingscode voor elke verdieping. Je zou het erop kunnen wagen de dienstlift te nemen – ervan uitgaand dat Willie je niet in de gaten zou krijgen in de gang hier beneden – maar je zou er niet uit kunnen tenzij je de code wist voor het alarmpaneel op elke willekeurige verdieping. Als je een verkeerde code intoetst, breekt de pleuris uit.'
'Dus wat moeten we nou?'
'We gaan proberen misbruik te maken van Willies goedaardigheid om je tas op te halen voordat zijn dienst erop zit.'

21

We keerden op onze schreden terug en kwamen weer uit in de parkeergarage naast Macy's. We liepen naar de roltrap en gingen een verdieping omhoog naar de esplanade. Toen we de hoofdingang van het Beckwith Building bereikten, wilde Reba de deur openduwen maar ze kwam tot de ontdekking dat die op slot zat. Ze hield haar handen naast haar ogen en tuurde door het spiegelglas. 'Hé, Willie. Hierzo.'

Ze tikte op het glas om de aandacht van de beveiligingsman te trekken. Zodra hij opkeek, zwaaide ze enthousiast naar hem en gebaarde dat hij de deur open moest maken. Willard schudde heel even het hoofd, als een pitcher die niet akkoord gaat met een teken van zijn achtervanger. Reba wenkte hem met een overdreven armgebaar. Hij staarde haar onbewogen aan, en ze sloeg met een ernstig gezicht haar handen ineen alsof ze bad. Met tegenzin verliet hij zijn plek achter het bureau en kwam naar de deur, waar hij vanaf zijn kant van het glas zei: 'Het gebouw is gesloten!'

'Toe nou. Doe even open,' zei ze.

Hij dacht even na over het verzoek, zijn ambivalentie duidelijk zichtbaar.

Ze drukte haar mond tegen het glas en produceerde een dikke zuigzoen. Ze wierp haar grote onschuldige ogen in de strijd en voegde er uit effectbejag de kuiltjes in haar wangen aan toe. 'Alsjeblieft?'

Hij was er niet gelukkig mee, maar hij pakte de sleutelbos die aan zijn riem hing. Hij draaide de deur van het slot en opende hem voorzichtig op een kier van een paar centimeter. 'Wat is er? Ik mag de deur alleen voor huurders openmaken.'

'Dat weet ik, maar Kinsey heeft haar tas boven laten liggen en ze heeft haar autosleutels en haar portefeuille nodig.'

Willard leek niet erg onder de indruk terwijl hij me een blik toewierp. 'Ze kan maandag terugkomen. Dan gaat het gebouw om zeven uur open.'

'Maar wat moet ze nou? Zonder haar autosleutels kan ze niet eens rijden. Ik moest haar bij haar thuis oppikken en haar hierheen brengen. Het is haar handtas, Will. Weet je wat het wil zeggen als een vrouw gescheiden wordt van haar handtas? Dan raakt ze buiten zinnen. Deze vrouw is privé-detective. Haar vergunning zit in die tas. Plus haar adresboekje, make-up, creditcards, chequeboekje, al haar geld. Zelfs haar anticonceptiepillen. Als ze zwanger wordt, ben jij daar verantwoordelijk voor, dus bereid je er maar op voor een kind groot te brengen.'

'Oké, oké. Zeg maar waar ik hem kan vinden, dan haal ik hem wel voor haar.'

'Ze weet niet waar hij is. Dat is het punt nou juist. Ze weet alleen dat ze hem nog bij zich had toen we gisteravond met Marty naar boven gingen. Nu is hij weg en verder is ze nergens geweest. Hij moet daar ergens zijn. Kom op. Wees nou eens lief. We hebben nog geen vijf minuten nodig en dan ben je van ons af.'

'Dat gaat niet. De alarminstallatie is ingeschakeld.'

'Marty heeft me de code gegeven. Hij zei dat het wat hem betreft oké was, als we het eerst maar even met jou opnamen.'

De lankmoedige Willard deed de deur open en liet ons binnen. Ik dacht dat hij erop zou staan met ons mee naar boven te gaan, maar hij vatte zijn bewakingsfunctie ernstig op en wilde zijn post niet verlaten. Reba en ik namen een van de twee publieksliften, die tergend langzaam naar boven ging.

'Weet je zeker dat je de code weet?' vroeg ik.

'Ik heb toegekeken toen Marty hem intoetste. Dezelfde code die we hadden toen ik nog voor Beck werkte.'

'Hoe kan het dat hij zo fanatiek is op het gebied van beveiliging en tegelijkertijd zo nonchalant waar het zijn codes betreft? Het lijkt erop alsof iedereen die ooit voor hem gewerkt heeft, zomaar binnen zou kunnen komen.'

Reba wuifde die opmerking weg. 'Vroeger veranderden we de codes regelmatig – eens per maand – maar met 25 werknemers was er altijd wel iemand die in de fout ging. Het alarm ging elke week wel drie of vier keer af. De politie rukte zo vaak uit dat ze vijftig dollar per keer in rekening gingen brengen.'

De deuren gleden open en Reba drukte de blokkeerknop in terwijl ze uit de lift stapte. Ik keek toe hoe ze de uit zeven cijfers bestaande code intoetste: 21-6-1949. 'Becks geboortedatum,' zei ze. 'Een tijdlang gebruikte hij die van Tracy, maar die vergat hij telkens, dus is hij overgestapt op die van hemzelf.'

Het lampje op het controlepaneel sprong van rood op groen. Ze liet de liftdeuren openstaan, in afwachting van onze terugkeer. Ik liep achter haar aan de receptieruimte in.

Op de verdieping heerste een doodse stilte. Er brandden talrijke lampen, die merkwaardig genoeg bijdroegen aan het algehele gevoel van verlatenheid. 'Bart en Bret, de schoonmaaktweeling, zijn gisternacht geweest. Kijk maar naar de sporen van de stofzuiger. We moeten maar hopen dat degene die maandagochtend het eerst binnenkomt, zich niet afvraagt waar al die voetafdrukken in de gangen vandaan komen.'

'Hoe weet je dat het stofzuigen gedaan is door Bart en Bret en niet door die knapen met het schoonmaakkarretje?'

'Ik ben blij dat je dat vraagt. Ik zal je vertellen waarom. Dat waren geen echte schoonmakers. Dat realiseerde ik me plotseling in het holst van de nacht. Weet je wat me niet lekker zat aan die gasten?' Ze zweeg even uit effectbejag. 'Verkeerde schoenen. Welke kerel gaat vloeren zwabberen met glanzende Italiaanse instappers van vierhonderd dollar aan?'

'Je lijkt Sherlock Holmes wel.'

'Reken maar. Ga jij je schoudertas nou maar halen terwijl ik mijn nieuwsgierigheid bevredig. We zijn hier zo klaar.'

Ik liep de gang door die bij de trap uitkwam. In overeenstemming met Becks richtlijn met betrekking tot opgeruimde werkplekken, zag elk bureau dat ik onderweg tegenkwam er net zo kaal en ongerept uit als in een advertentie voor kantoormeubilair. Ik beklom de trap met twee treden tegelijk en duwde de grote glazen deur open die toegang gaf tot het dak. De ochtendhemel was onmetelijk, de volmaakte tint blauw. Ik liep naar de borstwering en keek uit over het centrum van Santa Teresa. De zon had de lucht in de daktuin verwarmd, en de bloeiende heesters geurden heerlijk terwijl een licht briesje het gebladerte deed ritselen. In de verte viel het licht als pannenkoekenstroop over de bergtoppen. Ik boog me voorover en keek naar de straat, die op dit tijdstip vrijwel leeg was. Ik keerde mijn gezicht naar de zon en haalde diep adem voordat ik weer rechtop ging staan en mijn tas pakte die achter de grote ficuspot stond. Daarna ging ik weer naar beneden. Reba had gelijk gehad wat mijn anticonceptiepillen betrof. Ik haalde mijn strip te voorschijn en stopte er twee in mijn mond alsof het snoepjes waren.

Toen ik weer beneden kwam, had Reba een meetlint te voorschijn gehaald en was ze bezig de lengte en breedte van de gang op te meten, met één voet op het metalen lint terwijl ze het helemaal uittrok. Ze drukte op het knopje en ik hoorde het suizende geluid waarmee het terug naar haar hand schoot. Het uiteinde sloeg hard tegen haar vinger. 'Shit. Klereding!' Ze zoog op haar knokkel.

'Heb je een dokter nodig?'

'Moet je zien. Straks bloed ik nog dood.'

Het sneetje in haar wijsvinger was ongeveer een halve centimeter lang en ze bekeek het met gefronst voorhoofd. 'Ik durf er in elk geval heel wat onder te verwedden dat die verdomde ruimte zich hier bevindt. Hou je oor eens tegen de muur en luister of je iets kunt horen. Net hoorde ik een gezoem als van een machine.'

'Reba, dat is de liftschacht. Waarschijnlijk heb je het geluid gehoord van de dienstlift die naar beneden ging.'

'Niet vanaf deze verdieping. Wij zijn de enigen hierboven.'

'Maar we zijn vast niet de enige mensen in het gebouw. De liftinstallatie bevindt zich recht boven ons. Logisch dat je die hoort.'

'Denk je?'

'Laten we het gelijk maar even controleren,' zei ik.

Ze liep met me mee naar de plek waar de dienstlift zich bevond. Op het digitale schermpje aan de wand zagen we het nummer van 1 naar BG verspringen.

'Ik zei het toch,' zei ik, waarna ik op mijn horloge keek. 'Shit. We kunnen maar beter maken dat we hier wegkomen voordat Willie ongerust wordt en ons komt zoeken. Ik kan gewoon niet geloven wat een flauwekul je hem op de mouw hebt gespeld. Over manipuleren gesproken.'

'Volgens mij heb ik het prima aangepakt... hoewel je de truc met dat bidden en smeken natuurlijk niet onbeperkt kunt toepassen. De volgende keer dat we naar binnen willen, zal ik met hem naar bed moeten.'

'Dat meen je toch zeker niet?'

'Doe niet zo preuts. Wat maakt het uit? Je bent maar één keer maagd, en daarna kun je er net zo goed de vruchten van plukken. Ik zou er trouwens geen bezwaar tegen hebben. Ik vind hem wel leuk.' Ze liet haar blik weer over de muur glijden op zoek naar een verborgen ruimte. Ze zei: 'Misschien kun je via het dak naar binnen. Door dat bouwsel dat eruitziet als een tuinschuurtje.'

'Laat nou maar. Daar hebben we geen tijd voor. Laten we nou maar gaan.'
'Wat ben je toch een tobber,' zei ze, terwijl ze Onni's sleutelbos te voorschijn haalde. 'Geef me heel even de tijd om deze terug te leggen, oké? Ik probeer een brave burger te zijn.'
'En Becks nepdocumenten?'
'Ook. Die heb ik hier,' zei ze, terwijl ze op de zak van haar jack klopte. Met de onderkant van haar shirt begon ze over de sleutels te wrijven. 'Ik veeg de vingerafdrukken weg,' zei ze. 'Voor alle zekerheid.'
'Schiet nou maar op.'
Ze liep de gang door naar Onni's kantoor – lang niet snel genoeg naar mijn zin – en verdween uit het zicht. Ik keek weer op mijn horloge. We waren hier nu al twaalf minuten. Hoelang werden we geacht erover te doen om mijn schoudertas te vinden? Willard zou inmiddels wel achter zijn bureau vandaan zijn gekomen en op weg zijn naar boven. Reba maakte bepaald geen haast, en toen ze eindelijk weer op kwam dagen, haar handen in de zakken van haar jack, liep ze, in plaats van in de lift te stappen, zoals ik verwacht had, terug naar de nis waar de dienstlift zich bevond en ging ernaar staan staren.
'Wat dóé je nou?'
'Ik heb net uitgepuzzeld hoe het zit. Potverdorie.' Ze drukte op de knop om de dienstlift naar de derde verdieping te halen. Terwijl we onze ogen op het digitale paneeltje gericht hielden, begon de lift zijn trage klim. Ten slotte gleden de deuren open. Reba drukte op de knop waarmee de deuren geblokkeerd werden en stapte toen de dienstlift in. Ik volgde haar op de voet. De lift was twee keer zo breed als een gewone lift en de helft langer, kennelijk om plaats te bieden aan verhuisdozen, dossierkasten en grote kantoorapparatuur. De wanden waren bekleed met een gewatteerde grijze stof zoals de dekens die door verhuizers gebruikt worden om meubilair te beschermen.
Reba liep naar de achterwand en trok de bekleding opzij, waarachter zich een tweede stel liftdeuren bevond. Op een paneeltje rechts ervan bevond zich een negencijferig toetsenbord. Ze bestudeerde het even en stak toen aarzelend een hand uit.
'Weet je de code?'
'Ik denk het wel. Dat zal ik je zo vertellen.'
'Als je verkeerd gokt, gaat er dan geen alarm af?'
'Ach, kom nou. Het is net als in een sprookje, je mag drie po-

gingen wagen voordat het ding op tilt slaat. Als ik het verpruts, zeggen we tegen Willie dat we een foutje hebben gemaakt.'

'Laat nou maar. Je vertrouwt echt te veel op je geluk.'

Ze negeerde me uiteraard. 'Ik weet dat het niet zijn geboortedatum is, zelfs Beck zou niet zo onnozel zijn om die nogmaals te gebruiken. Maar het zou er een variatie op kunnen zijn. Hij is een narcist. Alles wat hij doet draait om hemzelf.'

'Reba...'

Ze wierp me een blik toe. 'Als je nou eens ophoudt met zeuren en me een handje helpt, kunnen we een beetje opschieten en dan kunnen we hier weg. Ik kan deze kans niet laten lopen. Het is misschien de enige kans die we krijgen.'

Ik sloeg mijn ogen ten hemel terwijl ik probeerde een beginnende paniek de kop in te drukken. Ze zou net zolang door blijven gaan tot we het raadsel opgelost hadden of betrapt werden. Ik zei: 'Shit. Probeer dezelfde datum eens achterstevoren.'

'Goed idee. Wat zou dat worden?'

'9-4-9-1-6-1-2.'

Ze dacht er even over na en trok toen een gezicht. 'Ik denk het niet. Te moeilijk voor hem om dat zomaar uit zijn blote hoofd in te toetsen. Laten we dit eens proberen...'

Ze toetste 1949-21-6 in.

Niets.

Ze toetste 21-6-1949 in.

Ik voelde mijn hart bonzen. 'Dat is twee.'

'Hou nou eens op! Ik weet dat het twee is. Ik ben degene die de cijfers intoetst. Laten we nou eens even rustig nadenken. Wat zou een andere mogelijkheid kunnen zijn?'

'Onni's geboortedatum misschien?'

'Laten we hopen van niet. Ik weet dat het 11 november is, maar ik weet niet precies welk jaar. Hoe dan ook, Beck gaat nog niet zo lang met haar naar bed dus waarschijnlijk heeft hij zelf ook geen idee.'

Ik zei: '11-11 en dan een willekeurig jaartal zou acht cijfers opleveren, niet zeven.'

Ze wees naar me, klaarblijkelijk onder de indruk van mijn rekenkundig inzicht.

'Wat is de geboortedatum van zijn vrouw?' vroeg ik.

'17-3-1952. Maar hij heeft zich al zo vaak in die combinatie vergist dat hij die waarschijnlijk niet meer aandurft. Trouwens, hij geeft de voorkeur aan combinaties met interne verbanden.

Snap je wat ik bedoel? Herhalingen of patronen.'

'Ik dacht dat je zei dat hij op een gegeven moment jouw geboortedatum gebruikte.'

'Klopt. Dat zou dan 15-5-1955 zijn.'

'Hé, die van mij is 5-5-1950,' zei ik. Ik leek wel gek.

'Fantastisch. We kunnen het volgend jaar wel samen vieren. Dus wat moet ik nou proberen? Zijn geboortedatum achterstevoren of die van mij in de normale volgorde?'

'Nou, zijn geboortedatum achterstevoren heeft een interne logica als je de getallen op een bepaalde manier groepeert. 949-161-2. Zou dat iets voor hem kunnen zijn?'

'Zou kunnen.'

'Doe nou maar het een of het ander voordat ik een hartaanval krijg.'

Ze toetste 15-5-1955 in. Een moment van stilte en toen gleden de deuren open. 'Mijn geboortedatum. Wat schattig. Denk je dat hij nog steeds om me geeft?'

Ik drukte op de blokkeerknop en keek toe terwijl ze haar vingerafdrukken van het toetsenbord wreef. 'Ik zou niet willen dat iemand te weten kwam dat wij hier zijn geweest,' zei ze opgewekt.

Ondertussen staarde ik recht voor me uit. De ruimte was zo'n een meter tachtig bij twee meter veertig, niet veel groter dan een kast. Het schoonmaakkarretje dat we gezien hadden, stond tegen de linkermuur. Een U-vormig werkblad nam een groot deel van het resterende vloeroppervlak in beslag. Ik keek omhoog. De ruimte leek goed geventileerd, en de wanden waren zwaar gecapitonneerd. Een rookdetector en een hittedetector waren geïnstalleerd tegen het in het halfduister gehulde plafond, waar ik ook de sproeikoppen van een sprinklerinstallatie zag. In de muur vastgezette sporten vormden een ladder die recht omhoog liep. Bij de randen van het plafond zag ik rechthoekige vlekken daglicht die ruwweg overeenkwamen met de ventilatieroosters in het pseudotuinschuurtje op het dak. Reba had gelijk. In geval van nood kon je waarschijnlijk via het dak deze ruimte bereiken. Of via dezelfde route ontsnappen.

Er stonden drie geldtelapparaten op de ene kant van het werkblad en vier geldbundelapparaten op de andere. Ertussenin stonden enkele open koffers, volgepakt met strak gebundelde stapeltjes biljetten van honderd dollar. Onder het werkblad stonden tien kartonnen dozen met de bovenflappen open, volgepakt met bundeltjes bankbiljetten van honderd, vijftig, en twintig dollar. Elk bundeltje was verpakt in krimpfolie, en per vijf werden ze met papieren telmachinestroken bijeengehouden. Verder zag ik twee piepschuim koffiebekertjes en een verzameling lege bekertjes in een prullenmand, die tevens proppen afgedankt plastic verpakkingsmateriaal bevatte. Ook lagen er enkele plastic schijfjes ter grootte van een zilveren dollar, voorzien van smalle lemmeten, die kennelijk gebruikt werden om het verpakkingsmateriaal open te ritsen.

Reba zei: 'Jezus. Ik heb nog nooit zoveel geld bij elkaar gezien.'

'Ik ook niet. Het ziet ernaar uit dat ze het geld uit die dozen uit de verpakking halen, de biljetten door het telapparaat voeren, en ze daarna opnieuw verpakken voor het transport.'

Ze deed een paar stappen naar voren en bekeek het totaal op een van de telapparaten. 'Moet je dit eens zien. Hier is een miljoen dollar doorheen gegaan.' Ze pakte een bundeltje op en woog het op haar hand. 'Ik vraag me af hoeveel dit is. Zou jij dat niet graag willen weten?' Ze snoof eraan.'Je zou denken dat het lekker zou ruiken, maar het ruikt nergens naar.'

'Zou je je handen thuis willen houden?'

'Ik kijk alleen maar. Ik doe verder niks. Hoeveel denk je dat dit is? Twintigduizend? Vijftigduizend?'

'Ik heb geen idee. Blijf er nou af. Ik meen het.'

'Ben jij niet nieuwsgierig hoe het aanvoelt? Het weegt helemaal niet zoveel,' zei ze. Ze veegde haar vingerafdrukken van de wikkel en legde het bundeltje terug, terwijl ze de ruimte in zich opnam. 'Hoeveel mensen denk je dat hier werken, behalve de twee die we gezien hebben?'

'Er is niet genoeg ruimte voor drie personen. Waarschijnlijk komen ze in de weekends als hun activiteiten wat minder in het oog lopen,' zei ik. Ik stak mijn arm uit, legde mijn hand op een van de piepschuim bekertjes en kreunde bijna van angst. 'Dit is nog warm. Stel dat ze terugkomen?'

'Niemand kan hier komen. De lift is geblokkeerd.'

'Maar als ze merken dat de lift geblokkeerd is, zullen ze zich dan niet realiseren dat er iets niet in orde is? We moeten maken dat we hier wegkomen. Toe nou.'

'Oké, oké. Maar ik wist wel dat ik gelijk had wat deze ruimte betreft. Het is ongelooflijk, niet?'

'Absoluut, maar dat zal me verder een zorg zijn. Kom nou mee!'

Ik liep achteruit het kamertje uit en stapte in de dienstlift. Het andere stel deuren stond nog steeds open en ik keek de gang in om me ervan te vergewissen dat er niemand op was komen dagen terwijl we ons in het kamertje bevonden. Reba kon zich kennelijk maar moeilijk losmaken van de aanblik van al dat geld. Ik zei: 'Reba, kom nou!' Mijn stem klonk net zo gespannen en ongeduldig als ik me voelde.

Als gebiologeerd stapte ze in de lift en ze toetste de zevencijferige code in. De deuren aan die kant van de lift gleden dicht. Ze bracht de wandbekleding weer op zijn plaats waarmee het tweede stel deuren aan het oog onttrokken werd.

'Waar bleef je nou zo lang?'

'Het is allemaal zo ongelooflijk. Kun je je voorstellen dat zelfs maar de helft van die bundeltjes daar binnen van jou zou zijn? Je zou gedurende de rest van je leven geen vinger meer hoeven uitsteken.'

'Nee. Maar je zou ook niet zo lang meer te leven hebben.'

We stapten naar buiten via de liftdeuren die toegang gaven tot Becks kantoorruimte en Reba drukte de blokkeerknop weer in. We wachtten tot de deuren van de dienstlift dichtgleden, sloegen toen de hoek om en stapten weer in de publiekslift.

Ook hier drukte ze weer op de blokkeerknop, de deuren gleden dicht, en de lift begon zijn trage afdaling. Ik was bijna misselijk van de spanning, maar zij scheen nergens last van te hebben. De vrouw beschikte over stalen zenuwen.

Toen de lift zijn bestemming bereikt had en we de lobby in stapten, keek Willard glimlachend op van zijn bureau. 'Hebben jullie hem gevonden?'

Ik hield mijn schoudertas omhoog om te laten zien dat onze missie volbracht was. Mijn handen trilden zo hevig dat ik bang was dat hij het vanaf de overkant van de lobby kon zien. Ik deed mijn uiterste best om een schijn van normaliteit op te houden totdat we weer buiten stonden.

Reba zou Reba niet zijn als ze niet nog een verrassing voor me in petto had gehad. Ze liep naar het bureau, waar ze op haar tenen ging staan en haar onderarmen op het bureaublad liet rusten, waarbij ze de vinger die ze bezeerd had, vlak bij zijn gezicht hield. 'Heb je hier misschien een verbandtrommeltje? Moet je kijken. Ik was bijna mijn vinger kwijt geweest.' Willard tuurde naar haar knokkel en inspecteerde het wondje dat niet groter was dan een koppelteken. 'Hoe is dat zo gekomen?'

'Ik moet hem ergens aan hebben opengehaald. Het doet gemeen pijn. Als je wilt, mag je er wel een kusje op geven om het beter te maken.'

Hij schudde met een toegeeflijk glimlachje het hoofd en begon de laden van zijn bureau open te trekken. Ondertussen zag ik hoe Reba haar blik over alle tien de monitors liet glijden.

Willard hield een pleister omhoog. 'Denk je dat je het zelf afkunt?'

'Doe niet zo onaardig. Na alles wat ik voor je gedaan heb?' Ze stak haar vinger uit en hij plakte de pleister over het wondje.

Ze zei: 'Dank je wel. Je bent een schat. Ik zal je aanbevelen voor een loonsverhoging.' Ze maakte een kusgeluidje naar hem en daarna liepen we naar de deur.

Willard kwam achter zijn bureau vandaan en liep achter ons aan terwijl hij zijn sleutelbos te voorschijn haalde om de deur voor ons open te maken. 'En nou niet meer terugkomen, hoor. Dit is de laatste keer geweest.'

'Oké, maar je zult me nog missen,' zei ze, terwijl we naar buiten stapten.

'Dat betwijfel ik,' zei hij, en Reba wierp hem nog een kushandje toe. Ik had het idee dat ze het er nogal dik op legde, maar Willard scheen daar geen probleem mee te hebben. Hij sloot de deur weer af en we waren in veiligheid.

22

Reba bracht haar BMW tot stilstand voor mijn appartement. Terwijl ik uitstapte en het portier dichtsloeg, zag ik dat Cheneys kleine rode Mercedes aan het trottoir stond geparkeerd. Ik voelde een opwelling van ongerustheid. Ik was van plan geweest om hem op de hoogte te brengen van mijn avonturen met Reba gedurende de afgelopen twee dagen, maar Jonahs telefoontje was ertussen gekomen en hij was vertrokken naar de plek waar de schietpartij had plaatsgevonden zonder dat ik iets tegen hem gezegd had. Dat vond ik niet prettig, alsof ik opzettelijk dingen voor hem achterhield. Zelfs het als 'avontuurtjes' bestempelen van onze activiteiten klonk als een poging om het feit te verdoezelen dat datgene wat we gedaan hadden, het onderzoek in gevaar zou kunnen brengen. Het bezoek aan Becks kantoorruimte de avond tevoren was al riskant genoeg geweest. Desnoods zou je nog kunnen stellen dat Marty ons uitgenodigd had voor een bezichtiging van het pand, maar zijn uitnodiging had zich niet uitgestrekt tot het doorzoeken van bureauladen en het stelen van Onni's sleutels. En hij had ons al helemaal geen toestemming gegeven om in zijn afwezigheid terug te komen en overal rond te snuffelen. Ik wilde Cheney vertellen over de bundels bankbiljetten die geteld, opnieuw gebundeld en in koffers gepakt werden, maar ik wist dat die ontdekking het gevolg was geweest van een strafbaar feit, waardoor de informatie in feite onbruikbaar was. Niettemin voelde ik een grote behoefte om mijn hart te luchten, voordat het feit dat ik die informatie achterhield een probleem op zich werd.

Terwijl ik naar mijn appartement liep, werd ik geplaagd door schuldgevoelens alsof ik met een andere man naar bed was geweest. Ik kon excuses verzinnen voor mijn gedrag, maar dat nam niet weg dat ik evengoed verantwoordelijk was. Cheney zat op het trapje van mijn voordeur, nog steeds in de kleren die hij de vorige avond gedragen had. Hij glimlachte toen hij me zag. Hij zag er uitgeput, maar verder goed uit. Het kon niet anders of de bekentenis die ik ging doen, zou van invloed zijn op onze relatie. Ik vreesde de consequenties, maar ik moest het kwijt.

Ik ging naast hem zitten en legde mijn hand in de zijne. 'Hoe is het gegaan? Je ziet er afgepeigerd uit.'

'Een grandioze puinhoop. Twee bendeleden dood. Die prostituee kwam in het kruisvuur terecht en is ook dood. Jonah heeft me naar huis gestuurd om te douchen en schone kleren aan te trekken. Ik moet om één uur weer terug zijn. Hoe is het met jou?'

'Niet zo geweldig. We moeten praten.'

Hij keek me aandachtig aan. 'Kan dat niet een andere keer?'

'Nee. Het gaat over Reba. We hebben een probleem.'

'Hoe bedoel je?'

'Je zult dit niet leuk vinden.'

'Zeg het nou maar,' zei hij.

'Zij en ik zijn gisteravond samen gaan eten. Ze wilde me voorstellen aan Marty Blumberg, Becks boekhouder, en ik zag niet in wat voor kwaad dat kon. Hij eet elke vrijdagavond bij Dale's, dus daar gingen we heen. Hij komt binnen en we zitten met zijn drieën wat te praten en voor ik het weet vertelt ze hem dat de FBI bezig is een zaak tegen Beck op te bouwen en dat hij – Marty – uiteindelijk als zondebok zal fungeren als hij niet snel actie onderneemt. Ik had geen idee waar ze mee bezig dacht te zijn, maar ze flapte het er zomaar uit.'

Cheney deed zijn ogen dicht en liet het hoofd hangen. 'Jezus. Dat is toch niet te geloven. Wat mankeert haar in vredesnaam?'

'Het wordt nog erger. Ze vertelt hem dat Onni een FBI-agente is en dat ze met Beck naar bed gaat om op die manier belastend materiaal van hem los te peuteren. Aanvankelijk wil Marty er niet aan. Hij wil het niet geloven, maar Reba laat hem de foto's zien en weet hem min of meer te overtuigen. Vervolgens weet ze het zo te spelen dat we in het nieuwe kantoor uitgenodigd worden – zogenaamd voor een rondleiding – maar ze maakt van de gelegenheid gebruik om op zoek te gaan naar wat ze maar te pakken kan krijgen, en dat blijken Onni's sleutels te zijn.'

Ik vervolgde mijn samenvatting en gaf hem een onverbloemd verslag van wat er de afgelopen twee dagen was voorgevallen. Ik merkte dat hij nijdig begon te worden voor ik nog maar halverwege was. Hij was moe. Hij had een lange nacht achter de rug en dit was wel het laatste waarop hij zat te wachten. Toch voelde ik me verplicht om hem de waarheid te vertellen. Als ik hem niet het hele verhaal vertelde – uit mezelf – wat had het dan allemaal nog voor zin?

Ik deed verslag van de gebeurtenissen van die ochtend en toen ik uitgesproken was, barstte Cheney los. 'Hoe haal je het in je hoofd! Nog afgezien van het feit dat jullie je op onrechtmatige wijze toegang hebben verschaft, als Beck er de lucht van krijgt, realiseert hij zich natuurlijk dat er stront aan de knikker is en dan kunnen we het verder wel schudden.'

'Hoe zou hij erachter moeten komen?'

'Stel dat Marty uit de school klapt of die beveiligingsman gaat achteraf twijfelen of het wel zo'n goed idee was om jullie binnen te laten. Hij weet wie jullie zijn. Een van die twee hoeft maar een terloopse opmerking te maken en je hebt de poppen aan het dansen. Dan kun je als overheid nog zo'n ijzersterke zaak hebben, als Becks advocaat jullie als getuige oproept, laat hij geen spaan van jullie heel. Niet dat hij daarvoor de kans zal krijgen. Al veel eerder zal de FBI jullie om de oren slaan met aanklachten wegens het belemmeren van de rechtsgang, het knoeien met bewijsmateriaal, en god mag weten wat nog meer. Meineed, om maar eens wat te noemen, zodra je gaat proberen je eruit te draaien. Reba mist elke geloofwaardigheid. Veroordeeld wegens een misdrijf, versmade vrouw. Alles wat ze zegt, is automatisch verdacht.'

'Waarom hebben jullie haar er dan bij betrokken? Als ze van zo weinig nut is, waarom zouden jullie haar dan überhaupt voor jullie karretje willen spannen?'

'Omdat we een betrouwbare informant nodig hadden, niet een eenmansguerilla, verdomme. Jij bent een professional. Jij zou toch beter moeten weten. De FBI laat niet met zich sollen. Als je een operatie als deze in gevaar brengt, zul je dat bezuren. Voor haar maakt het niets uit. Zij heeft niets te verliezen.'

'Cheney, dat weet ik. Ik weet dat ik haar had moeten tegenhouden, maar ik wist niet hoe ik dat voor elkaar moest krijgen. Toen ze Marty eenmaal verteld had wat er aan de hand was, begonnen de zaken gewoon te escaleren...'

'Gelul. Je deed uit vrije wil mee. Wat jullie deden was tegen de wet...'

'Oké, weet ik,' zei ik.'Aan de andere kant, ik kon toch moeilijk weglopen? Ze is hier door ons bij betrokken geraakt, door mijn toedoen, om precies te zijn. Ik voel me toch wel enigszins verantwoordelijk voor wat er met haar gebeurt.'

'Nou, je kunt je maar beter verantwoordelijk gaan voelen voor je eigen handelwijze. Als deze operatie in het honderd loopt, zit je zwaar in de problemen.'

'Wacht eens even. Ik wil mezelf niet vrijpleiten, maar ik ben hier min of meer tegen mijn zin bij betrokken geraakt. Toen de zaak voor het eerst ter sprake kwam, heb ik je gezegd dat ik er niets voor voelde, maar jij hebt me omgepraat, onder andere door me die foto's te laten zien. En dan zit ik daar bij Dale's en zij begint uit de school te klappen. Wat had ik moeten doen? Als ik weggegaan was, zou ik helemaal geen zicht meer hebben op wat ze in godsnaam nog meer zou gaan uithalen. Geloof het of niet, ik probeerde de schade te beperken. Ik geef toe dat de situatie uit de hand is gelopen...'

'Doe me een lol en blijf in godsnaam bij haar uit de buurt, oké? Als ze je belt, hang je op en laat je de rest aan ons over. Ik zal Vince bellen en hem op de hoogte brengen. We zullen zien wat hij eventueel nog weet te redden.'

'Het spijt me. Het was niet mijn bedoeling om de zaak in het honderd te laten lopen.'

'Nou ja, je kunt er nu toch niets meer aan doen. Gedane zaken nemen geen keer. Beloof me alleen dat je bij Reba uit de buurt blijft.'

Ik stak mijn hand op alsof ik een eed aflegde.

'Ik bel je nog wel,' zei hij kortaf. Hij stond op en sloeg de hoek om naar zijn auto. Ik hoorde hem de motor starten en met piepende banden optrekken. Een uur later voelde ik mijn gezicht nog steeds gloeien.

Ik sloot mezelf op in mijn appartement en ruimde mijn la met ondergoed op. Ik voelde de behoefte om iets simpels en nuttigs te doen. Ik moest weer greep op mijn leven krijgen in een risicoloze arena waarin ik me weer competent kon voelen. Misschien stelde het opvouwen van slipjes niet zoveel voor, maar iets beters had ik op dit moment niet voorhanden. Vervolgens nam ik mijn ladekast onder handen en vouwde mijn shirts opnieuw op. Ik moest er niet aan denken dat er een aanklacht tegen me ingediend zou worden. Belemmering van de rechtsgang was een verdomd ernstige zaak. Ik zag mezelf al in gevangeniskleding, aan handen en voeten geboeid, te midden van een rij lotgenoten op weg naar de rechtszaal en weer terug. Dat begon me toch wel een tikkeltje al te melodramatisch te worden en ik vond dat ik de zelfkastijding ook weer niet hoefde te overdrijven. Oké, ik had geblunderd. En wat dan nog? Ik had niemand vermoord.

Na een uur werd ik me bewust van stemmen buiten mijn deur, een ervan die van Henry. Ik keek uit het keukenraam, maar ik kon niet zien wie er nog meer bij waren. Ik liep naar de voordeur, deed hem van het slot, en opende hem op een kier. Henry, Lewis, en William stonden samen op het garagepad. Lewis en William waren beiden gekleed in driedelig kostuum terwijl Henry zijn gebruikelijke korte broek, T-shirt en slippers droeg. Hij had de stationcar de garage uit gereden en Lewis was zijn bagage achterin aan het laden. Terwijl ik toekeek, hoorde ik een zachte *ping*, en William haalde zijn zakhorloge uit zijn vestzakje en keek hoe laat het was. Hij haalde een klein pakje gemengde nootjes te voorschijn en maakte een complete show van het openscheuren van de cellofaanverpakking, wat gepaard ging met het nodige geknisper. Henry wierp hem een geïrriteerde blik toe maar zette het gesprek met Lewis voort, dat over niets bijzonders leek te gaan. Zachtjes deed ik de deur weer dicht, blij dat één conflict op vreedzame wijze was opgelost, dat hoopte ik althans. Met heftige gevoelens is het zo dat ze moeilijk vol te houden zijn. Hoe onheus we ons ook behandeld voelen, het valt niet mee om boos te blijven, hoezeer je ook overtuigd bent van je eigen gelijk. Een wrok tegen iemand koesteren loont (soms) eenvoudig de moeite niet.

Reba belde om twee uur. Aangezien ik van nature niet in staat ben om weerstand te bieden aan een rinkelende telefoon, had ik bijna de hoorn van de haak gegrist. Net op tijd wist ik die impuls te bedwingen en ik liet het antwoordapparaat zijn werk doen. Ze zei: ‘Hè, verdorie. Ik hoopte dat je thuis zou zijn. Ik heb net een knallende ruzie met Lucinda gehad en ik wil je er dolgraag over vertellen. Ik heb haar bijna de deur uit geschopt, figuurlijk gesproken dan. Enfin, bel me zodra je kunt en dan vertel ik je het hele verhaal in geuren en kleuren. Er is ook nog iets anders waar we het over moeten hebben. Dag.’

Om zes minuten over halfvier belde ze opnieuw. ‘Hé, Kinsey, ik ben het weer. Luister je je antwoordapparaat tegenwoordig niet meer af? Ik word hier gillend gek. We moeten echt praten, dus bel me zodra je thuiskomt, oké? Anders kan ik niet meer instaan voor wat ik doe. Ha ha ha. Grapje… maar niet heus.’

Om halfzes sprak ze alleen haar naam in met het verzoek om haar te bellen.

Maandagochtend ging ik naar mijn kantoor en ik begroef mezelf in het werk dat ik de afgelopen week verwaarloosd had. Ik had in de ochtendkrant over de schietpartij in de parkeergarage gelezen en ik wist dat de rechercheurs van zeden en moordzaken druk bezig waren met het ondervragen van getuigen en het natrekken van aanwijzingen. Het aantal bendeleden in Santa Teresa is over het algemeen tamelijk stabiel en hun activiteiten worden nauwlettend in de gaten gehouden. Maar periodiek brengen collega's uit Olvidado, Perdido, en Los Angeles een bezoek aan de stad, vooral tijdens weekends in de vakantieperiode als de kameraden, net als iedereen, toe zijn aan een verandering van omgeving. Gelukkig worden ze dan gevolgd door politiemensen uit diezelfde gemeenschappen, zodat ze zich zonder het te beseffen nog steeds onder het wakend oog van de wet bevinden.

Pas aan het eind van de middag hoorde ik weer iets van Reba, nadat ik van mijn werk thuisgekomen was. Gelukkig had ze niet naar kantoor gebeld, waar ik uit zakelijke overwegingen altijd de telefoon opneem. Ze had twee keer naar mijn appartement gebeld, en had om twaalf uur en daarna weer om twee uur een boodschap ingesproken. Aanvankelijk klonk ze opgewekt, maar al snel nam haar stem een klaaglijke toon aan. 'Kinsey? Joehoe! Heb je me soms verteld dat je de stad uit ging of zoiets? Volgens mij niet, maar ik kan het me niet zo goed meer herinneren. Het spijt me dat ik zo lastig ben, maar Beck is weer terug en ik ben zo nerveus als de pest. Ik weet echt niet hoelang ik het nog volhoud. Ik ga nu op weg naar Holloway om in een flesje te piesen en een babbeltje met haar te maken. Daarna word ik geacht een AA-bijeenkomst bij te wonen, maar ik denk dat ik die misschien maar oversla. Te deprimerend, begrijp je wat ik bedoel? Hoe dan ook, bel me even als je dit bericht ontvangt. Ik hoop dat alles in orde is. Dag.'

Het was moeilijk om haar aan haar lot over te laten terwijl ik de week ervoor nog voortdurend tot haar beschikking had gestaan. Ik voelde me als een koe die gescheiden was van haar kalfje, ik kon Reba's klaaglijke geloei horen, maar ik kon er niet op reageren. Ik had het gemeend toen ik Cheney beloofde dat ik bij haar uit de buurt zou blijven, in elk geval totdat alles weer geregeld was. Zodra ze met Vince en zijn collega's had gepraat, kon ik de zaak opnieuw bezien. Natuurlijk was het heel goed mogelijk dat ze tegen die tijd niets meer met mij te maken zou willen hebben.

Ondertussen hoorde ik niets van Cheney, een stilte die ik toeschreef aan het feit dat hij tot over zijn oren in het werk zat. Om die stilte te ontlopen, verliet ik mijn appartement en ging ik bij Henry langs. Ik klopte op het deurkozijn en hij gebaarde dat ik binnen moest komen. Zijn professionele mixer stond op het werkblad, een tienpondszak meel, pakken gist, suiker, zout, en water binnen handbereik.

'Kun je gezelschap gebruiken?'

Hij glimlachte. 'Als je de herrie kunt verdragen die mijn mixer maakt. Ik sta op het punt om brooddeeg te gaan mengen. Dat kan dan vannacht rijzen en morgenochtend vroeg kan ik beginnen met bakken. Pak een kruk.'

Ik keek toe hoe hij ingrediënten afwoog en die vervolgens in de grote roestvrijstalen mengkom deponeerde. Zodra hij het apparaat aangezet had, schortten we onze conversatie op tot hij klaar was met mixen. We babbelden wat terwijl ik toekeek hoe hij de kleverige deegmassa uit de kom haalde om die vervolgens onder het toevoegen van meel net zolang te kneden tot alles glad en elastisch was. Hij pakte een wasteiltje, wreef dat met olie in, draaide het deeg erin rond tot het oppervlak glansde, en dekte het toen af met een doek. Hij zette het teiltje in de oven waar de waakvlam voldoende warmte zou leveren om het deeg te laten rijzen.

'Hoeveel maak je?' vroeg ik, terwijl ik naar de hoeveelheid deeg keek.

'Vier grote broden en twee porties kleine broodjes, allemaal voor Rosie,' zei hij. 'Ik zou ook nog een bakplaat koffiebroodjes kunnen maken, als je daar belangstelling voor hebt.'

'Nou en of. Ik neem aan dat Lewis weer naar huis is?'

'Ik heb hem zaterdag op de luchthaven afgezet. En nu we het toch over hem hebben, hij heeft zijn excuses aangeboden voor het feit dat hij zich zo opgedrongen heeft, wat vermoedelijk een unicum is. Ik denk dat het gewoon nooit bij hem opgekomen is dat zijn plotselinge verschijning een dergelijk effect zou hebben. Ik heb tegen hem gezegd dat het geen zin had om zichzelf verwijten te maken. Gedane zaken nemen nu eenmaal geen keer.'

'Iemand zei gisteren precies hetzelfde tegen mij onder heel andere omstandigheden,' zei ik. 'Hoe dan ook, ik ben blij dat jullie twee weer op goede voet met elkaar staan.'

'Daar heeft nooit enige twijfel over bestaan,' zei hij. 'En hoe is het met jou? Ik heb je van het weekend nauwelijks gezien. Hoe is het met je nieuwe vriend?'

'Goeie vraag,' zei ik. Ik vertelde Henry het beschamende verhaal van mijn misdragingen, de risico's die ik genomen had, de wetten die ik overtreden had, en de eventuele consequenties die me te wachten zouden kunnen staan. Hij genoot veel meer van mijn verhaal dan Cheney en daar was ik blij om.

Even na zessen ging ik terug naar mijn appartement en maakte brood met warm hardgekookt ei klaar met meer mayo en zout dan de gemiddelde internist zou aanbevelen. Ik maakte net een prop van mijn papieren servet toen de telefoon ging. Ik mikte de prop in de prullenmand en wachtte tot de beller zijn boodschap op het antwoordapparaat begon in te spreken. Toen het Marty Blumberg bleek te zijn, nam ik de hoorn op. 'Hé, Marty. Ik ben het. Ik kom net binnenlopen.'

'Ik hoop dat je het niet vervelend vindt dat ik je thuis bel. Er is iets vreemds gebeurd en ik ben benieuwd wat jij daarvan vindt.'

'Vertel het maar.' Ik hoorde verkeersgeluiden op de achtergrond en nam aan dat hij vanuit een telefooncel belde.

'Wil je de lange versie of de korte?'

'Lange verhalen zijn altijd beter.'

'Oké,' zei hij. 'Daar gaat-ie dan.' Heel even bleef het stil terwijl hij een mondvol rook inhaleerde en weer uitblies. 'Ik kom vandaag thuis van mijn werk en mijn huishoudster staat me handenwringend op te wachten. Ze is van streek, maar ze wil niet zeggen wat er gebeurd is. Ik dring aan omdat ze er duidelijk behoefte aan heeft haar hart uit te storten. Ze zegt: niet boos worden. Ik zeg: oké. Ze vertelt me dat ze zoals altijd om negen uur bij het huis arriveerde, en ze ziet een bestelwagen van de telefoonmaatschappij voor de deur staan en twee mannen op de veranda. Ze laat zichzelf via de achterdeur binnen en doet vervolgens de voordeur open. Die ene knaap zegt dat er bij de telefoonmaatschappij de nodige klachten zijn binnengekomen over wegvallende verbindingen en dat ze alle telefoonlijnen in de buurt aan het controleren zijn. Ze willen weten of mijn telefoon het doet, dus ze vraagt ze om even te wachten, pakt de hoorn van de haak, en inderdaad, de lijn is dood. Nou ja, ze is nogal paranoïde – ze ziet veel te veel politieseries op de tv – dus ze vraagt hun om een of ander legitimatiebewijs te laten zien. Allebei dragen ze zo'n plastic geval met foto op hun borst van California Bell. Huerta noteert hun namen en werknemersnummers. Die tweede knaap heeft een klembord en hij laat haar de werkopdracht zien, keurig netjes uitgetypt. Ze gaat ervan uit dat het in orde is, dus ze laat ze binnen. Kun je het tot dusver nog volgen?'

'Jawel, maar wat ik hoor bevalt me helemaal niet.'

'Mij ook niet,' zei hij. 'Ze vertelt me dat hele verhaal en ik begin me steeds ongemakkelijker te voelen. Die gasten zijn vijftien, twintig minuten in mijn werkkamer bezig, komen dan weer naar buiten en zeggen tegen haar dat alles weer in orde is. Ze vraagt wat er aan de hand was en ze zeggen dat de ratten onder het dak de buitenste bedrading moeten hebben doorgeknaagd, maar nu is alles weer oké. Naderhand bedenkt ze dat het toch wel een vreemd verhaal is en ze maakt zich zorgen dat ze er misschien verkeerd aan heeft gedaan om hen binnen te laten. Ik doe of er niets aan de hand is en zeg tegen haar dat ze zich geen zorgen hoeft te maken. Dus ik heb het idee dat ze afluisterapparatuur in mijn huis hebben geïnstalleerd of mijn telefoon hebben afgetapt.'

'Of allebei,' zei ik.

'Ja. Waarom denk je anders dat ik bel vanaf het parkeerterrein van een supermarkt? Ik voel me net een idioot, maar ik kan het risico niet lopen. Als mijn telefoon inderdaad wordt afgetapt, wil ik niet dat degenen die daar opdracht toe hebben gegeven, zich realiseren dat ik erachter ben gekomen. Op die manier kan ik ze allerlei flauwekul op de mouw spelden. Denk je dat het de FBI is?' Ik kon horen hoe hij weer een trek van zijn sigaret nam.

'Ik heb geen idee, maar ik denk dat je inderdaad reden hebt om je zorgen te maken.'

'Hoe kunnen ze dat doen? Ik bedoel, aangenomen dat ze inderdaad afluisterapparatuur hebben geplaatst, zou dat niet onwettig zijn?'

'Zonder gerechtelijk bevel zou dat inderdaad het geval zijn.'

'Het probleem is, als zij het niet zijn, zou het wel eens iemand kunnen zijn die nog heel wat erger is.'

'Wie dan wel?' Ik dacht aan Salustio Castillo, maar ik wilde het hem horen zeggen.

'Dat doet er niet toe. Hoe dan ook, het bevalt me niets. Vrijdagavond, toen Reba met dat verhaal over Beck op de proppen kwam, dacht ik dat ze me op de kast wilde jagen. Hoe meer ik erover nadenk, hoe meer ik begin te geloven dat ze misschien wel de waarheid vertelde. Beck heeft me altijd overal bij betrokken. Zoals ze al zei, het zou kunnen dat hij me erin probeert te luizen.'

'Wie zijn er nog meer bij betrokken?'

'Waarbij?'

'De witwasoperatie.'

'Wie zegt dat er anderen bij betrokken zijn? Dat heb ik nooit gezegd.'

'Hè, kom nou, Marty. Zo veel geld kun je niet witwassen zonder hulp.'

'Ik ben geen verklikker,' zei hij op verontwaardigde toon.

'Maar er zijn anderen bij betrokken, waar of niet?'

'Dat weet ik niet, zou kunnen. Een paar, maar ik ga echt geen namen noemen.'

'Best. Wat word jij er wijzer van?'

'Hetzelfde als de anderen. We worden betaald om onze mond dicht te houden. Wij helpen Beck en hij zorgt ervoor dat wij voor de rest van ons leven binnen zijn.'

'Het leven in een federale gevangenis. Wat een feest,' zei ik.

Marty negeerde mijn opmerking en zei: 'Het punt is dat ik geld zat heb en dat ik er nu onmiddellijk tussenuit zou knijpen als ik zou weten hoe. Als de douane er ook bij betrokken is, kan ik het land niet uit zonder opgepakt te worden. Als mijn naam in de computer zit, word ik opgepakt zodra ik incheck voor mijn vlucht.'

'Volgens mij kun je beter de kant kiezen van de mensen die ertoe doen. Beck zal zich echt niet om jou bekommeren. Hij moet zichzelf beschermen.'

'Ja, dat begin ik ook in te zien. Ik bedoel, hij mag ons dan wel nodig hebben, maar hoever is hij bereid te gaan? Beck is in principe alleen maar geïnteresseerd in Beck. Als het erop aankomt, zou hij ons voor de wolven gooien.'

'Waarschijnlijk wel.' Ik had hem bijna deelgenoot gemaakt van het gerucht dat ik had gehoord, dat Beck aanstalten maakte om er binnen de komende paar dagen tussenuit te knijpen, maar dat gerucht was niet bevestigd en het was niet aan mij om die informatie door te spelen. 'Het is natuurlijk altijd mogelijk dat die lui van de telefoonmaatschappij inderdaad gewoon een reparatie kwamen uitvoeren...'

'Lijkt me niet waarschijnlijk.'

'Nou, het spijt me dat ik je niet kan helpen.'

'Wat is er met Reba? Ik probeer haar al de hele dag te bereiken.'

'Waarschijnlijk is ze thuis. Ze had vandaag een afspraak met haar reclasseringsambtenaar, dus misschien moet je het nog maar eens proberen.'

'Bel jij haar maar, en zeg haar dat ze me moet bellen. Ik krijg hier pijn in mijn maag van. Ik ben zo nerveus als de pest.'

'Hoor eens, ik zal een vriend van me bellen en zien wat ik te weten kan komen.'

'Dat zou ik zeer op prijs stellen. Als je terugbelt, wees dan voorzichtig met wat je zegt. Mocht je ondertussen iets van Reba horen, zeg haar dan dat we nodig met elkaar moeten praten. Ik hou er niet van om met een strop om mijn nek te moeten werken.'

'Hou je taai,' zei ik.

Zodra hij opgehangen had, belde ik Cheney zowel thuis als op zijn werk en ik sprak boodschappen in op zijn antwoordapparaten. Ik belde zijn pieper, en toetste mijn eigen nummer in, in de hoop dat hij terug zou bellen. Marty begon in paniek te raken, wat hem net zo onvoorspelbaar maakte als Reba, en nog kwetsbaarder.

Ik bracht de avond languit op de bank door met een boek, terwijl ik deed alsof ik las maar wachtte op een telefoontje van Cheney. Ik vroeg me af waar hij uithing en of hij nog steeds nijdig op me was. Ik moest met hem praten over Marty, maar nog meer hunkerde ik naar het fysieke contact. Mijn lichaam herinnerde zich het zijne met een onderhuids verlangen dat een ontwrichtende uitwerking had op mijn concentratie. Voordat hij zijn opwachting maakte, had ik in een soort schemertoestand geleefd, niet bepaald overlopend van levenslust, maar ook zeker niet ontevreden. Nu voelde ik me als een jonge hond die voor het eerst loops is.

Een van de problemen van het celibatair zijn is dat als seksuele gevoelens eenmaal weer de kop opsteken, het vrijwel onmogelijk is die te onderdrukken. Ik begon te dagdromen over wat er tussen ons gebeurd was en te fantaseren over wat er mogelijk nog zou gaan gebeuren. Cheney had een bepaalde traagheid over zich, een natuurlijk tempo dat half zo hoog lag als het mijne. Ik begon in te zien dat het werken in een hoge versnelling een vorm van zelfbescherming was. Door in een versneld tempo te leven, voelde ik maar half zoveel omdat er simpelweg geen tijd was om méér te voelen. Ik bedreef de liefde op dezelfde manier als waarop ik at: gretig om de acute honger te stillen zonder me rekenschap te geven van het diepere verlangen, dat eruit bestond met mijn diepste zelf in contact te komen. Het niet onder ogen zien van de waarheid ging gemakkelijker als ik druk in de weer was. Bij snelle seks, net als bij fastfood, was er geen sprake van genieten van het moment.

Er was slechts de onstuimige haast om het zo snel mogelijk achter de rug te hebben.

Om tien uur, toen de telefoon ging, wist ik dat hij het was. Ik keek naar het toestel en luisterde tot het antwoordapparaat zijn stemgeluid begon op te nemen. Ik stak mijn arm uit, nam de hoorn van de haak en zei: 'Hoi.'

'Ook hoi. Je hebt gebeld.'

'Uren geleden. Ik dacht dat je me opzettelijk links liet liggen. Ben je nog steeds boos?'

'Waarover?'

'Mooi zo.'

'En jij? Ben jij nijdig?'

'Dat ligt niet in mijn aard,' zei ik. 'Niet op jou in elk geval. Hoor eens, we moeten het over Marty hebben. Waar ben je?'

'Rosie's. Kom me gezelschap houden.'

'Durf je het aan me dat hele eind alleen over straat te laten lopen? Het is pikkedonker buiten.'

'Ik was van plan je halverwege tegemoet te komen.'

'Als je nou nog een klein stukje verder loopt, kunnen we elkaar hier ontmoeten.'

'Dat kan later altijd nog wel. Ik vind dat we nu eerst elkaar een tijdje in de ogen moeten gaan zitten staren terwijl ik mijn hand onder je rok steek.'

'Geef me vijf minuten, dan trek ik alvast mijn ondergoed uit.'

'Maak er drie minuten van. Ik heb je gemist.'

'Ik jou ook.'

Tegen de tijd dat ik de deur achter me dichttrok en bij de straat kwam, stond hij aan de andere kant van Henry's smeedijzeren tuinhek te wachten. Het trottoir aan zijn kant was een stapje lager dan het tuinpad aan mijn kant, waardoor ik me groot voelde. De avondlucht was kil en het duister omhulde ons als een sluier. Ik sloeg mijn armen om zijn nek. Hij hield zijn hoofd schuin en liet zijn mond over mijn hals en mijn sleutelbeen glijden. De spijlen van het hek waren koude speren met botte punten die tegen mijn ribben drukten. Hij wreef zijn handen op en neer langs mijn armen. 'Je hebt het koud. Je had een jack aan moeten trekken.'

'Heb ik niet nodig. Ik heb jou.'

'Dat is waar,' zei hij met een glimlach. Hij stak een hand tussen de spijlen door, stak hem onder mijn rok en liet hem tussen mijn benen naar boven glijden. Ik hoorde zijn adem stokken en toen maakte hij een kreunend geluid diep in zijn keel.

'Ik heb het toch gezegd.'

'Ik dacht dat het een metafoor was.'

'Wat weten jij en ik nou van metaforen?' zei ik, terwijl ik mijn wang tegen zijn haar legde.

'Hier heb ik wél verstand van.'

Mijn beurt om zachtjes te kreunen. 'Moeten we eigenlijk niet naar Rosie's?' fluisterde ik.

'Eigenlijk moeten we naar binnen gaan en in bed kruipen voordat we onszelf aan dit hek spietsen.'

Om middernacht maakten we kaastosti's. Nog kauwend zei ik: 'Ik wil er eigenlijk liever niet over beginnen, maar wat had Vince te zeggen toen je hem over Reba en mij vertelde?'

'Hij stak zijn vingers in zijn oren en begon te neuriën. Overigens was hij zeer te spreken over die informatie over de telruimte. Hij zei dat hij een notitie bij het dossier zou voegen en de tip zou toeschrijven aan een anoniem telefoontje. De afspraak met Reba staat voor donderdag op het programma.'

'Kan het niet wat eerder? Hij is degene die heeft gezegd dat Beck op het punt staat ervandoor te gaan. Reba maakt zich zorgen dat ze hem tegen het lijf zal lopen.'

'Ik kan het er met Vince over hebben, maar ik zou er niet al te zeer op rekenen. Dat is de keerzijde van een operatie als deze, de organisatie is zo log als de pest. Ze moet gewoon zorgen dat ze zich gedeisd houdt.'

'Breng jij haar maar op de hoogte. Ik mag niet met haar praten.'

'Inderdaad. Omdat ik je onder mijn hoede heb.'

'Wat doen we met Marty? Hij is degene over wie je je zorgen zou moeten maken. Hij staat zwaar onder druk. Hij is ervan overtuigd dat zijn telefoon wordt afgeluisterd of dat er afluisterapparatuur in zijn huis is geïnstalleerd.'

'Zou heel goed kunnen. Zeg hem dat hij contact met ons opneemt, dan kunnen we over een deal praten.'

'Daar is hij nog niet aan toe. Hij is nog steeds op zoek naar een uitweg.'

'Wat halen die gasten zich in hun hoofd? Dat ze zo slim zijn dat ze nooit gepakt worden?'

'Tot dusver zijn ze nog nooit gepakt.'

23

Dinsdagochtend ging voorbij als één grote grijze vlek. Gegeven de egocentrische aard van de wereld, stelde ik me voor dat, aangezien er met mij niets bijzonders gebeurde, er ook met niemand anders iets bijzonders gebeurde. In werkelijkheid vonden er gebeurtenissen plaats waarover ik pas zou horen toen het te laat was om er nog iets aan te kunnen veranderen. Om elf uur ging de telefoon. Het was Cheney die aankondigde dat hij langskwam omdat hij me iets wilde laten horen. 'Heb je een cassetterecorder?' vroeg hij.

'Een oud exemplaar, maar voorzover ik weet doet hij het nog goed.'

'Mooi zo.'

Een kwartier later arriveerde hij. Terwijl ik op hem wachtte, doorzocht ik mijn kast tot ik de cassetterecorder gevonden had. Ik maakte een pakje batterijen open en tegen de tijd dat Cheney binnenkwam, was het apparaat gebruiksklaar. 'Wat is het?'

Hij schoof de cassette in het apparaat. 'Iets wat de FBI vanochtend heeft opgevangen. Een gedeelte ervan is nauwelijks verstaanbaar, maar de technici hebben gedaan wat ze konden.' Hij drukte op de Play-toets, waarop een vage ruis en het rinkelen van een telefoon hoorbaar werd. Een man aan de andere kant van de lijn nam op zonder zijn naam te noemen. 'Ja?'

Degene die belde zei: 'Probleem.'

Zodra ik de stem hoorde, keek ik Cheney aan. 'Beck?'

Hij drukte op de Pauze-toets. 'Degene die hij aan de telefoon heeft is Salustio Castillo. Dit was het eerste telefoontje dat hij pleegde toen hij op kantoor kwam.' Hij drukte weer op Play.

Op de cassette zei Castillo: 'Wat?'

'Het totaal van de laatste zending klopt niet.'

Stilte. Ruis. 'Onmogelijk. Wat klopt er niet?'
'Te weinig.'
'Hoeveel?'
'Eén bundel.'
'Groot of klein?'
'Groot. We hebben het over 25.'
Salustio zweeg. 'Ik heb zelf toezicht gehouden op het tellen. Hoe zit het met de telstroken?'
'Ik heb het drie keer gecontroleerd en de totalen komen niet overeen.'
Salustio zei: 'Ik heb je al eerder gezegd dat ik wilde dat iemand toezicht zou houden aan jouw kant...'
'Dit was niet aan mijn kant.'
'Dat zeg jij.'
Stilte van Beck. 'Je weet dat ik zoiets niet zou doen.'
'O, nee? Je hebt om een groter aandeel in de opbrengst gevraagd, wat ik niet ... wat ik van mijn kant met geen mogelijkheid kan rechtvaardigen. En nu zeg je ... ontbreekt, en daar heb ik alleen jouw woord voor.'
'Denk je dat ik daarover zou liegen?'
'Laten we het maar op krimp houden. Dat komt wel eens voor. Zoals ik het zie, word je daarvoor ruimschoots gecompenseerd ... ziet dat blijkbaar anders. Dus misschien hevel je wel een percentage van de goederen over en bevredig je zo je behoefte aan een hogere beloning. Hoe zou je je beter kunnen indekken dan door te beweren dat ik je te kort heb gedaan?'
'Dat heb ik nooit gezegd.'
'Wat dan wel?'
'Ik heb gezegd dat de totalen niet kloppen. Het zou kunnen dat ... fout ...'
'Van jou. Niet van mij.'
'...'
'Je zorgt maar dat het in orde komt.'
Stilte. Een tijdlang alleen maar geruis op de lijn.
Met gespannen stem zei Beck: 'Zeg maar wat je wilt dat ik doe en ik doe het.'
'Het tekort heeft zich aan jouw kant voorgedaan, dus jij zorgt dat het aangevuld wordt. Mijn totaal klopt en ik wil het volledige bedrag op mijn rekening overgemaakt hebben. Maak je nou maar niet al te druk. Ik weet dat je je dat best kunt permitteren. Prettig zaken met je te doen,' zei Salustio, waarna hij de verbinding ver-

brak. Beck zei: 'Verdomme!' terwijl hij de hoorn op de haak smeet.

Cheney zette de cassetterecorder uit.

Ik vond het gesprek interessant, maar het was me niet duidelijk waarom hij het mij wilde laten horen. Ik stond op het punt daar een opmerking over te maken toen Cheney zei: 'Een professioneel verpakt bundeltje honderddollarbiljetten is tweeënhalve centimeter dik,' zei hij. 'Dat is 25.000 dollar. Dat weet ik omdat ik het aan de jongens van het ministerie van Financiën gevraagd heb. Beck is net een dag terug. Als er een geldtransport binnen was gekomen terwijl hij weg was, is het begrijpelijk dat hij allereerst de totalen controleert.'

'Oké,' zei ik. En toen hield ik mijn mond omdat ik het kwartje hoorde vallen. Hij wist dat Reba en ik zaterdag in de telruimte waren geweest waar het geld uitgepakt werd en door de tel- en bundelapparatuur werd gevoerd. Een van ons had alleen maar een bundeltje honderddollarbiljetten in haar zak hoeven steken en geen haan die ernaar zou kraaien. Beck wist niet dat we daar geweest waren en het enige wat Salustio interesseerde was dat het juiste totaalbedrag op zijn rekening zou worden overgemaakt. 'Denk je dat zij het achterovergedrukt heeft?'

'Ja zeker. Vince kreeg zowat een beroerte. Beck weet niet dat zij daar geweest is, maar hij zal alles overhoop halen om dat geld te vinden. Zodra hij de tapes van de beveiligingscamera's bekijkt, hangt ze. Jij ook, trouwens.'

'Ze moet geschift zijn. Waarom zou ze een dergelijk risico nemen?'

'Omdat Beck het verlies niet kan rapporteren. Als hij de politie inschakelt, leidt dat tot het soort onderzoek dat hij zich nou net niet kan permitteren. Niet als hij op het punt staat om ertussenuit te knijpen.'

Ik voelde dat ik een kleur kreeg, terwijl ik ten prooi viel aan afwisselende opwellingen van ontkenning en schuldgevoel. Het was me plotseling duidelijk wat ze in de telruimte had uitgevoerd gedurende die paar seconden nadat ik al in de lift was gestapt. Ik was bloednerveus geweest en had daar zo snel mogelijk weg gewild, terwijl zij verrukt was geweest bij de aanblik van al dat geld. Ondertussen had ik de gang in de gaten gehouden om er zeker van te zijn dat de kust vrij was. Het zou misschien twee seconden hebben gekost om een bundeltje bankbiljetten onder haar shirt of in de zak van haar jack te stoppen. 'Stalen zenuwen' had ik nog bij mezelf gedacht, terwijl ik me verbaasde over haar nonchalance terwijl ik het zowat in mijn broek deed. Dan was er natuurlijk ook nog haar uitbundige gedrag ten opzichte van Willard toen we eenmaal weer beneden waren. Ze had met hem geflirt en ik was ervan uitgegaan dat ze een beetje opgefokt was omdat we Becks telruimte ontdekt hadden. Het moest het gevoel van al dat geld op haar huid zijn geweest. Krankzinnig. Reba die haar vingerafdrukken wegveegde. Cheney die me een verbale draai om mijn oren gaf toen ik onze misdragingen had opgebiecht. En ik had haar in bescherming genomen. Shit! Mijn handpalmen waren klam en ik veegde ze af aan mijn spijkerbroek. 'Wat nu?'

'Vince wil haar zo spoedig mogelijk spreken. De bijeenkomst met de Belastingdienst en de douane is vervroegd naar morgenmiddag vier uur op het FBI-kantoor. Vince wil eerst zelf met haar praten, laten we zeggen om één uur, om te zien of hij dit probleem kan gladstrijken. Anders zijn de poppen echt aan het dansen.'

'Kan hij haar niet helpen?'

'Ja zeker wel, als ze bereid is haar lot in zijn handen te leggen.'

'Dat kun je rustig vergeten. Ze heeft de man zelfs nog nooit ontmoet.'

'Waarom praat jij niet met haar?'

'Als jij denkt dat we daar iets mee op zouden schieten. Ik heb haar dagenlang ontweken, maar ik kan het proberen.'

'Doe dat maar. In het ongunstigste geval brengt Vince haar onder op een veilige plek tot hij weet hoe de zaken ervoor staan.'

Cheney keek op zijn horloge en haalde toen de cassette uit de recorder. 'Die moet ik terugbrengen. Heb je het nummer van Vince?'

'Geef het me voor alle zekerheid nog maar even.'

Hij pakte een pen en schreef iets op een kladblok, waarna hij het bovenste velletje afscheurde en het aan mij gaf. 'Laat me weten wat ze zegt. Als je mij niet kunt bereiken, kun je rechtstreeks met hem praten.'

'Komt in orde.'

Nadat hij vertrokken was, ging ik aan mijn bureau zitten en ik probeerde te bedenken wat ik tegen Reba moest zeggen. Het had geen enkele zin om al te omzichtig te werk te gaan. Ze had een kuil voor zichzelf gegraven en hoe eerder ze eruit klom, hoe beter het voor haar zou zijn. Zolang Beck het geld terugkreeg, zou hij misschien geen al te intensief onderzoek instellen naar de manier waarop het verdwenen was. Ik pakte de telefoon op en toetste het nummer van Lafferty in. Ik kreeg de huishoudster, Freddy, aan de

lijn, die me vertelde dat Reba nog in bed lag. 'Zal ik haar wakker maken?'
'Ik denk dat je dat maar beter kunt doen.'
'Een ogenblikje. Ik zet u even in de wacht en dan kan zij het gesprek in haar slaapkamer nemen.'
'Heel fijn. Dank je.'
Ik haalde me Freddy voor de geest die op haar crêpezolen de hal door en de trap op liep, zich vasthoudend aan de leuning, en op Reba's kamerdeur klopte. Even later kwam Reba met onvaste stem aan de lijn. 'Hallo?'
'Hallo, Reeb. Je spreekt met Kinsey. Sorry dat ik je wakker maak.'
'Maakt niet uit. Het is sowieso tijd om op te staan. Wat is er?'
'Ik ga je iets vragen en je moet me beloven dat je me de waarheid vertelt.'
'Oké.' Ze klonk al meer op haar hoede, dus ik dacht dat ze wel een idee zou hebben van wat er komen ging.
'Herinner je je nog dat ontdekkingsreisje dat we zaterdagochtend samen hebben gemaakt?'
Stilte.
'Heb je toen een bundeltje honderddollarbiljetten achterovergedrukt?'
Stilte.
'Je hoeft geen bekentenis af te leggen. Het punt is dat Beck het weet.'
'En wat dan nog? Zijn verdiende loon. Het is precies zoals ik hem bij Bubbles al heb verteld, hij staat behoorlijk bij me in het krijt.'
'Er is maar één klein probleempje. Het geld was niet van hem. Het was van Salustio.'
'Nee.'
'Ja.'
'Shit. Weet je dat zeker? Ik dacht dat het van Beck was, dat hij het aan het verpakken was om het mee te nemen als hij ertussenuit zou knijpen.'
'Nee. Hij was het totaalbedrag van Salustio aan het controleren voordat hij het op zijn rekening zou storten. Nu zit hij met een tekort van 25.000 dollar.'
Ik hoorde hoe ze een sigaret opstak. Ik zei: 'Hoe kwam je erbij dat je dat ongestraft zou kunnen doen?'
'Het was een impuls. Heb jij nooit eens zoiets gedaan? Een op-

welling gevolgd? Ik heb het gewoon gedaan, punt uit.'

'Nou, je kunt het maar beter teruggeven voordat Beck erachter komt wat er precies gebeurd is.'

'Hoe zou ik dat moeten doen?'

'Hoe moet ik dat weten? Stop het in een envelop die je aan Willard afgeeft. Hij kan hem aan Marty doorgeven of hem zelf naar boven brengen...'

'Maar waarom zou ik überhaupt iets moeten doen? Beck kan toch niks bewijzen? Ik bedoel, wat kan hij nou bewijzen als ik geen vingerafdrukken achtergelaten heb?'

'Om te beginnen heeft hij de tapes van de beveiligingscamera's waarop te zien is hoe jij het gebouw binnen gaat en weer verlaat. Verder hoeft hij helemaal niets meer te bewijzen. Hij hoeft het alleen maar aan Salustio te vertellen en dan ben je in de aap gelogeerd.'

'Maar dat zou hij me toch zeker niet aandoen? Ik bedoel, ik weet dat hij een klootzak is, maar hij zou het toch niet aan Salustio vertellen? Of denk jij van wel?'

'Natuurlijk wel! Salustio verwacht dat Beck de ontbrekende 25.000 ophoest.'

'Shit. Shit, shit, shit.'

'Hoor eens, Reeb, ik zeg het je nogmaals. Vince Turner kan je waarschijnlijk wel helpen als jij hém wilt helpen.'

'Maar daarmee ben ik nog niet van Salustio af.'

'Misschien dat Vince je ergens op een veilige plek kan onderbrengen tot alles achter de rug is.'

'O, man. Dit is klote. Denk je dat ik Beck moet bellen?'

'Je zou er verstandiger aan doen om bij hem uit de buurt te blijven en in plaats daarvan met Vince te praten. Hij wil je sowieso spreken vóór je ontmoeting met de FBI.'

'Ik heb helemaal geen ontmoeting met de FBI. Die vent heeft het laten afweten.'

'Nietwaar. De ontmoeting is verplaatst naar morgenmiddag vier uur. Ik haal je om halfeen op en dan kun je eerst een uur of twee met hem praten.'

'Het zou verdomme tijd worden.'

'Ik heb je gezegd dat het de nodige tijd zou kosten.'

'Nou, hoe dan ook, nu is het te laat.'

'Hoe bedoel je?'

'Ik bedoel dat ik eerst eens goed moet nadenken wat ik hiermee aan moet. Ik bel je wel terug.' Ze hing op.

Hoera voor mijn overredingskracht.

Die avond had Cheney softballtraining, dus ik was alleen. Ik at bij Rosie's, waarna ik terugging naar mijn appartement en de rest van de avond doorbracht met een boek.

Woensdag om kwart over twaalf reed ik in zuidelijke richting over de 101, blij dat ik weer in beweging was. Als ik Reba eenmaal bij Vince op kantoor afgeleverd had, kon hij zich over haar ontfermen en was ik van het probleem af. De rit over Bella Sera was hetzelfde als bij vorige gelegenheden, tot en met de geur van laurier en verdord gras. Het was dertien dagen geleden dat ik deze route gereden had op weg naar mijn afspraak met Nord Lafferty, me afvragend wat hij van me zou willen. Zijn dochter afhalen bij de gevangenis en haar naar huis brengen. Een makkie. Sinds ik haar thuis had afgeleverd, was het met haar geleidelijk aan bergafwaarts gegaan. Het gekke was dat ik haar graag mocht, ondanks alle verschillen tussen ons. Waarschijnlijk waren het de minder fraaie elementen in mijn eigen karakter die daar verantwoordelijk voor waren. Als ik haar bezig zag, was het alsof ik naar een vervormde versie van mezelf keek, alleen sterk uitvergroot en veel gevaarlijker.

Toen ik bij het landgoed aankwam, stond het hek open. Na de bocht in de oprijlaan zag ik dezelfde auto's staan, de Lincoln Continental en de Mercedes-sedan. Ernaast stond een derde voertuig, een fraaie donkergroene Jaguar-cabriolet met karamelkleurig interieur. Ik liet mijn auto onafgesloten achter terwijl ik naar het huis liep. Reba's grote langharige oranje kater Rags kwam aanslenteren om me te begroeten, terwijl hij me aankeek met zijn opvallende blauwe ogen. Ik stak mijn hand naar hem uit en hij snuffelde aan mijn vingers. Hij stond toe dat ik hem over zijn kop aaide, waarbij hij me herhaaldelijk kopjes gaf om aan te geven dat hij dat wel waardeerde.

Ik belde aan en wachtte terwijl hij om mijn benen heen draaide, waarbij hij lange oranje haren op de pijpen van mijn spijkerbroek achterliet. Binnen hoorde ik het gedempte getik van hoge hakken op de marmeren tegelvloer. De deur werd opengedaan door een vrouw, de legendarische Lucinda. Ze zag eruit als halverwege de veertig, dankzij het werk van een eersteklas plastisch chirurg. Dat wist ik omdat haar hals en haar handen vijftien jaar ouder waren dan haar gezicht. Ze had kort haar, doorschoten met verschillende tinten blond alsof het door de zon gebleekt was. Ze was slank en smaakvol gekleed in designkleding die ik herkende, hoewel ik de naam kwijt was. Het zwartwollen deux-pièces was afgezet met witte biezen en het jasje was voorzien van koperen knopen. De tot op de knie vallende rok onthulde benen met knobbelige kuiten. 'Ja?'

'Ik ben Kinsey Millhone. Zou u tegen Reba kunnen zeggen dat ik er ben?'

Ze nam me aandachtig op met haar donkere ogen. 'Ze is niet thuis. Kan ik u misschien ergens mee van dienst zijn?'

'Eh, nee, dat denk ik niet. Ik wacht wel op haar.'

'U moet die privé-detective zijn waar Nord het over had. Ik ben Lucinda Cunningham. Ik ben een vriendin van de familie,' zei ze.

'Prettig kennis met u te maken,' zei ik, terwijl we elkaar een hand gaven. 'Heeft Reba gezegd hoe laat ze terug zou zijn?'

'Helaas niet. Kunt u me vertellen waar het over gaat?'

Opdringerig type, dacht ik bij mezelf. 'Ze heeft vanmiddag een bijeenkomst. Ik heb haar gezegd dat ik haar een lift zou geven.'

Haar glimlach was niet echt warm, maar ze stapte het bordes op en trok de deur achter zich dicht. 'Ik wil niet nieuwsgierig zijn, maar die... eh... afspraak, is die belangrijk?'

'Heel belangrijk. Ik heb haar zelf gebeld om haar ervan op de hoogte te brengen.'

'Tja, dat zou een probleem kunnen opleveren. We hebben Reba niet meer gezien sinds etenstijd gisteravond.'

'Is ze de hele nacht weg geweest?'

'En vanochtend ook. Ze heeft geen briefje achtergelaten en ze heeft ook niet gebeld. Haar vader heeft het niet met zoveel woorden gezegd, maar ik weet dat hij zich ongerust maakt. Toen ik u voor de deur zag staan, nam ik aan dat u nieuws over haar had, hoewel ik bijna bang was om ernaar te vragen.'

'Dat is vreemd. Ik vraag me af waar ze naartoe is.'

'We hebben geen idee. Voorzover ik gehoord heb, kwam ze de avond ervoor pas heel laat thuis. Ze sliep tot tegen de middag en toen kwam er een telefoontje voor haar...'

'Dat was ik waarschijnlijk.'

'O. Nou, hoe dan ook, na dat telefoontje leek ze van streek. Ik geloof dat ze daarna bezoek kreeg. Ze was bijna de hele middag weg en kwam pas weer opdagen toen haar vader al halverwege de avondmaaltijd was. De meeste dagen eet hij vroeg, maar dit was een vrij normale tijd, even na zessen, geloof ik. De kokkin had kippensoep gemaakt en zijn eetlust leek goed. Reba wilde met hem praten en ik vond het beter om te vertrekken, zodat ze onder elkaar zouden zijn.'

'En ze heeft niets tegen hem gezegd?'
'Volgens hem niet.'
'Ik kan maar beter zelf even met hem praten. Dit is verontrustend.'
'Ik begrijp uw bezorgdheid, maar hij rust momenteel. Hij heeft net ademhalingstherapie gehad en hij is doodmoe. Ik wil hem liever niet storen. Waarom komt u niet later in de middag terug? Tegen een uur of vier is hij wel weer op.'
'Dat zal niet gaan, jammer genoeg. Deze bijeenkomst is dringend, en als ze niet komt opdagen, moet ik dat nu weten.'
Ze sloeg haar ogen neer en ik kon bijna zien dat ze zich afvroeg hoe ver haar autoriteit reikte. 'Ik zal kijken of hij wakker is en of hij het aankan. U zou het in elk geval kort moeten houden.'
'Prima.'
Ze deed de deur weer open en gebaarde dat ik binnen kon komen. Ik stapte de hal in. Ik zag dat ze een voet uitstak om te voorkomen dat de kat naar binnen zou glippen. Rags wierp haar een beledigde blik toe. Ik wachtte terwijl ze de deur dichtdeed.
'Deze kant op.'
Ze liep naar de trap en ik volgde in haar kielzog. Terwijl ze de trap op liep, met een hand aan de leuning, zei ze achterom tegen me: 'Ik weet niet precies wat Reba u verteld heeft, maar we hebben eigenlijk nooit met elkaar kunnen opschieten.'
'Dat wist ik niet. Wat vervelend.'
'Er is helaas sprake geweest van een misverstand. Zij verkeerde in de veronderstelling dat ik een oogje op haar vader had, wat volkomen bezijden de waarheid is. Ik zal niet ontkennen dat ik beschermende gevoelens ten opzichte van hem koester. Ik neem ook geen blad voor de mond waar het haar gedrag betreft. Nord schijnt te denken dat als hij maar begrip toont en haar alles geeft wat haar hartje begeert, ze uiteindelijk wel op haar pootjes terechtkomt. Hij heeft nooit begrepen wat ouderschap precies inhoudt. Kinderen moeten verantwoordelijkheid nemen voor hun doen en laten. Dat is mijn mening... niet dat iemand daar ooit naar gevraagd heeft.'
Ik zei niets. Ik wist maar weinig van hun voorgeschiedenis en een reactie leek me niet gepast.
We kwamen uit op een brede overloop en liepen een met tapijt belegde gang in met slaapkamers aan weerszijden. Lucinda klopte zachtjes op een dichte deur, deed die toen open en stak haar hoofd

om de hoek. 'Kinsey is er. Het gaat over Reba. Kan ze binnenkomen?'

Ik hoorde zijn antwoord niet, maar ze deed een stap opzij om me langs te laten. 'Vijf minuten,' zei ze streng.

24

Nord Lafferty lag met een stapel kussens in zijn rug, zijn zuurstofcilinder naast hem. Zijn magere bleke handen trilden op de gehaakte sprei. Ik wist dat zijn vingers ijskoud zouden aanvoelen, alsof zijn energie en warmte zich uit zijn ledematen terugtrokken naar zijn binnenste. Het zou niet lang meer duren voordat de laatste heldere vonk uitgedoofd zou zijn. Ik liep naar de zijkant van zijn bed. 'Precies degene aan wie ik dacht.'

'En hier ben ik dan. Voelt u zich hiertoe in staat? Lucinda zei dat u net een sessie met de ademhalingstherapeut achter de rug hebt. Ze wil niet dat ik u uitput.'

'Nee, nee. Ik heb al wat gerust en het gaat wel weer. Het is vervelend dat ik zoveel tijd in bed moet doorbrengen, maar sommige dagen ben ik nergens anders toe in staat. Ik neem aan dat u mijn cheque ontvangen hebt.'

'Jazeker. De bonus was niet nodig geweest, maar ik waardeer het gebaar.'

'U verdient het ten volle. Reba heeft het met u heel erg naar haar zin en daar ben ik blij om.'

'Lucinda vertelde me dat ze sinds etenstijd gisteravond verdwenen is. Weet u misschien waarheen?'

Hij schudde het hoofd. 'Ze heeft me aan tafel gezelschap gehouden en me daarna naar de bibliotheek geholpen. Ik hoorde dat ze een telefoongesprek voerde. Een halfuur later reed er een taxi voor. Ze zei dat ik me geen zorgen hoefde te maken, gaf me een kus, en dat was de laatste keer dat we elkaar gesproken hebben.'

'Ze heeft vanmiddag om één uur een bijeenkomst en daarna nog een om vier uur. Ik kan me niet voorstellen dat ze gewoon niet op komt dagen. Ze weet hoe belangrijk het is.'

'Daar heeft ze niets over gezegd. Ik neem aan dat ze geen contact met u heeft opgenomen?'

'We hebben gisteren kort met elkaar gepraat. Ze zei dat ze me terug zou bellen, maar dat heeft ze niet gedaan.'

'Er is wel bezoek voor haar geweest. Een man met wie ze vroeger samen heeft gewerkt.'

'Marty Blumberg?'

'Inderdaad. Hij kwam hierheen en ze hebben een hele tijd samen zitten praten. Daarna is ze weggegaan.'

'Lucinda zei dat ze pas heel laat weer thuiskwam.'

'Pas om halfdrie 's ochtends. Ik was nog wakker toen ze eindelijk de oprijlaan op kwam rijden. Ik zag het schijnsel van de koplampen over het plafond glijden en toen wist ik dat ze weer veilig thuis was. Oude gewoontes leer je moeilijk af. De tijd dat ze in de gevangenis zat; dat waren de enige nachten dat ik niet slapeloos lag te wachten tot ze weer thuiskwam. Ik neem aan dat ik zal doodgaan met één oog op de klok, bang dat haar iets overkomen is.'

'Waarom belde ze een taxi? Mankeert er iets aan haar auto?'

Hij aarzelde. 'Ik denk dat ze de stad uit ging en haar auto niet ergens op een parkeerterrein wilde achterlaten.'

'Maar waar zou ze naartoe zijn gegaan?'

Nord schudde hulpeloos het hoofd.

'Heeft ze bagage meegenomen?'

'Dat heb ik Freddy zelf gevraagd en ze zegt van wel. Gelukkig was Lucinda tegen die tijd vertrokken, anders zou ik ongetwijfeld het nodige van haar te horen hebben gekregen. Ze weet dat er iets aan de hand is, maar tot dusver heb ik haar in het ongewisse gelaten. Lucinda weet niet van ophouden, dus wees voorzichtig, want ze zal waarschijnlijk proberen u uit te horen.'

'Die indruk had ik ook al. Welk taxibedrijf?'

'Misschien dat Freddy dat nog weet, als u het haar vraagt.'

'Dat zal ik doen.'

Er werd zachtjes op de deur geklopt en Lucinda verscheen in de deuropening, met twee vingers opgestoken. 'Nog twee minuten,' zei ze, met een glimlach om haar goede bedoelingen duidelijk te maken.

Nord zei: 'Goed hoor,' maar ik zag een vleug van irritatie over zijn gezicht trekken. Zodra ze de deur weer achter zich dicht had gedaan, zei hij: 'Draai die deur maar op slot. En als u toch bezig bent, sluit dan gelijk de deur naar de badkamer even af.' Ik keek hem even aan, liep toen naar de deur en draaide de sleutel om. Rechts naast de slaapkamer bevond zich een grote, witbetegelde badkamer die kennelijk de verbinding vormde tussen zijn slaapkamer en de slaapkamer ernaast. Ik deed de verste badkamerdeur op slot, liet de andere op een kier staan en ging weer terug naar mijn stoel.

Hij duwde zichzelf een stukje omhoog tegen de kussens. 'Dank u. Ik neem aan dat ze het goed bedoelt, maar soms overdrijft ze het. Ze is mijn oppasser niet. Wat Reba betreft, wat stelt u voor?'

'Ik weet het eigenlijk niet. Ik moet haar zo snel mogelijk zien te vinden.'

'Zit ze in moeilijkheden?'

'Ik denk van wel. Zal ik u vertellen wat er aan de hand is?'

'Ik kan het maar beter niet weten. Wat het ook is, ik vertrouw er op dat u doet wat nodig is en me achteraf de rekening stuurt.'

'Ik zal doen wat ik kan. Een paar overheidsinstanties willen graag met haar praten over Becks financiële aangelegenheden. Het is een penibele kwestie en ik verkeer toch al in een lastige positie. De FBI is erbij betrokken en die wil ik liever niet tegen me in het harnas jagen.'

'Daar heb ik alle begrip voor. Ik zou u ook nooit vragen om u in het oog der wet te compromitteren. Dat gezegd hebbende, zou ik dankbaar zijn voor alle eventuele hulp die u haar kunt bieden.'

'Staat haar auto hier nog?'

Hij knikte. 'Hij staat in de garage, die voorzover ik weet niet op slot zit. U kunt er rustig rondkijken, als u wilt.'

Er werd op de deur geklopt en de knop werd omgedraaid. Lucinda rammelde er ongeduldig aan en haar stem klonk gedempt. 'Nord, wat is er aan de hand? Ben je daar?'

Hij maakte een gebaar naar de deur. Ik liep erheen en draaide de sleutel om. Lucinda duwde de deur open en drong zich langs me heen naar binnen. Ze staarde me aan, kennelijk in de veronderstelling dat ik de deur op eigen houtje op slot had gedaan. 'Wat heeft dit te betekenen?'

Met stemverheffing zei Nord: 'Ik heb haar gezegd dat ze de deur op slot moest doen. Ik wilde niet meer gestoord worden.'

De argwaan die uit haar lichaamstaal sprak, maakte plaats voor gekwetstheid. 'Dat had je dan wel even kunnen zeggen. Als jij en juffrouw Millhone privé-aangelegenheden te bespreken hebben, zou ik het niet in mijn hoofd halen om me daarmee te bemoeien.'

'Dank je, Lucinda. Dat stellen we op prijs.'

'Misschien ben ik mijn boekje te buiten gegaan.' Haar toon was ijzig en het was duidelijk dat ze een verontschuldiging of ten minste een geruststelling verwachtte.

Nord bood haar geen van beide. Hij stak een hand op en het was bijna alsof hij haar wegstuurde. 'Kinsey wil graag Reba's kamer zien.'

'Waarom?'

Nord keek mij aan. 'Aan het eind van de gang rechts...'

Lucinda onderbrak hem. 'Ik wil haar met alle plezier naar Reba's kamer brengen. We willen liever niet dat ze in haar eentje gaat rondzwerven.'

Ik keek Nord aan. 'Ik neem nog contact met u op,' zei ik.

Ik volgde Lucinda door de gang. Haar lichaamshouding was stram en ze vertikte het om me aan te kijken. Toen we bij Reba's kamer kwamen, deed ze de deur open en ging toen in de deuropening staan zodat ik gedwongen was me langs haar heen te wringen. Ze volgde me met haar blik. 'Ik hoop dat u tevreden bent. U denkt dat u zo behulpzaam bent, maar u wordt zijn dood nog,' zei ze.

Ik keek haar recht in de ogen, maar zij had veel meer ervaring dan ik in het werpen van vernietigende blikken. Ik wachtte. Ze glimlachte ijzig, en ik wist dat ze het soort vrouw was dat manieren zou vinden om haar gram te halen. Lucinda het kreng, inderdaad. Ze stapte de gang in. Ik deed de deur dicht en draaide de sleutel om, in het besef dat ze de hint zou begrijpen.

Ik draaide me om en leunde tegen de deur terwijl ik de hele kamer in me opnam alvorens mijn speurtocht te beginnen. Het bed was opgemaakt, op het nachtkastje bevonden zich een paar persoonlijke spulletjes: een ingelijste foto van haar vader, een boek, een kladblok, en een pen. Geen rommel. Geen kledingstukken op de vloer. Niets onder het bed. Een telefoon, maar geen adresboekje. Ik doorzocht de bureauladen, waarbij ik spulletjes aantrof die daar al jaren moesten hebben gelegen: schoolschriften, examenbundels, ongeopende doosjes schrijfbenodigdheden, waarschijnlijk cadeautjes – vast niet haar eigen smaak, tenzij ze gek was op poezenkaarten met grappige teksten op de voorkant. Geen persoonlijke correspondentie. De laatjes van de toilettafel waren keurig opgeruimd.

Ik keek in de kast, waar diverse lege hangertjes leken te duiden op het aantal ontbrekende kledingstukken; zes volgens mijn telling. Onder de zaken die ze achter had gelaten, bevonden zich een marineblauwe blazer en een leren bomberjack dat scheef op zijn hangertje hing. Ik had uiteraard geen idee wat ze meegenomen had. Ik wist niet eens hoeveel koffers ze bezat en hoe groot die waren. Ik liet mijn blik over haar garderobe glijden terwijl ik dacht aan de kleren waarin ik haar had gezien. Ik zag haar laarzen niet en ook niet de twee truien die ik me herinnerde: een roodkatoenen en een donkerblauwe met ronde hals. Die had ze allebei de eerste paar dagen na haar thuiskomst gedragen, wat inhield dat het best wel eens haar lievelingstruien konden zijn, kledingstukken die ze graag mee zou willen nemen.

Ik liep de badkamer in, die een tamelijk Spartaanse indruk maakte: geelbruine marmeren vloertegels en planchet, smetteloze spiegels, en de geur van zeep. Het medicijnkastje was gedeeltelijk leeggehaald. Geen deodorant, eau de cologne, of tandpasta. Geen medicijnen. Ik zag een witachtige plek op het marmeren planchet waar de tandenborstel had gelegen. De wasmand zat vol spijkerbroeken, T-shirts en ondergoed; bovenop lag een nog enigszins vochtige badhanddoek. De douchebak was droog. Niets in de prullenmand.

Ik liep weer naar de kast en liet mijn blik over de kledingstukken gaan. Ik haalde het bomberjack van zijn hangertje en voelde in de zakken. Ik vond wat kleingeld en een bonnetje waaruit bleek dat ze betaald had voor een cheeseburger, frites, en een cola. Geen datum en geen naam van het restaurant. Ik stopte het bonnetje in de zak van mijn spijkerbroek en hing het jack weer op. Ik verliet de kamer en keerde op mijn schreden terug. Toen ik bij Nords kamer kwam, bleef ik even staan en ik legde mijn oor tegen de deur. Ik hoorde het gemompel van stemmen, voornamelijk die van Lucinda, en ze klonk verongelijkt. Als ik nog met hem wilde praten, zou dat moeten wachten. Ik ging naar beneden en liep naar de achterkant van het huis.

De huishoudster zat aan de keukentafel. Ze had kranten op het tafelblad uitgespreid, waarop ze twaalf zilveren couverts had uitgestald, twee zilveren waterkaraffen, en een serie zilveren drinkbekers. Sommige van de rijker bewerkte stukken waren behandeld met een poetsmiddel uit een spuitbus dat aan het opdrogen was in een merkwaardige tint roze. De doek die ze voor het tafelzilver gebruikte, was zwart van de aanslag die ze verwijderd had. Ze droeg het piekerige grijze krulhaar getoupeerd tot een paardebloemachtig aureool waar hier en daar haar schedel doorheen scheen.

Ik zei: 'Hallo, Freddy. Ik heb net een tijdje met meneer Lafferty zitten praten. Hij zei dat jij Reba gisteravond nog hebt gezien voordat ze vertrok.'

'Ik heb haar de deur uit zien gaan,' zei ze, haar opmerking tot de lepel in haar hand richtend.

'Had ze bagage bij zich?'

'Twee stuks – een zwarte canvas weekendtas en een grijze schaalkoffer op wieltjes. Ze droeg een spijkerbroek en laarzen en een leren hoed, maar geen jack.'

'Hebben jullie nog met elkaar gepraat?'

'Ze legde haar vinger tegen haar lippen, alsof het ons geheimpje was. Maar daar hoefde ze bij mij niet mee aan te komen. Ik werk al zesenveertig jaar voor meneer Lafferty. Wij hebben geen geheimen voor elkaar. Ik ben meteen naar de bibliotheek gegaan om hem op de hoogte te brengen, maar voordat ik hem uit zijn stoel had kunnen helpen, was ze al vertrokken.'

'Heeft ze nog iets gezegd over wat haar plannen waren? Iets over een reis misschien?'

Freddy schudde het hoofd. 'Er werd druk heen en weer gebeld, maar ze nam steeds zo snel op dat ik niet heb kunnen horen wie er belde. Ik weet niet eens of het een man of een vrouw was.'

'Je weet toch dat ze de staat niet mag verlaten,' zei ik. 'Ze zou terug naar de gevangenis kunnen worden gestuurd.'

'Juffrouw Millhone, hoe dol ik ook op haar ben, ik zou geen informatie achterhouden of haar op een of andere manier de hand boven het hoofd houden. Ze breekt haar vaders hart en daarvoor zou ze zich moeten schamen.'

'Voor wat het waard is, ik weet dat ze gek op hem is, wat uiteraard niets aan de zaak verandert.' Ik haalde een kaartje te voorschijn met mijn privé-telefoonnummer achterop. 'Als je iets van haar mocht horen, zou je me dan willen bellen?'

Ze pakte het kaartje aan en stopte het in de zak van haar schort. 'Ik hoop dat u haar vindt. Hij heeft niet veel tijd meer.'

'Ik weet het,' zei ik. 'Hij vertelde me dat haar auto nog in de garage staat.'

'Neem deze achterdeur maar. Dat is korter dan via de voorkant. De sleutels hangen daar,' zei ze, terwijl ze naar een haakje naast de deur wees.

'Bedankt.'

Ik pakte de sleutels en liep vervolgens over een grote betegelde plaats in de richting van wat oorspronkelijk het koetshuis moest zijn geweest en nu omgebouwd was tot een garage voor vier auto's. Rags kwam om de hoek van het huis te voorschijn. Hij beschouwde het kennelijk als zijn taak om toezicht te houden op aankomende en vertrekkende personen en op alle overige activiteiten rond het huis. Boven de garage zag ik een aantal dakkapellen met dichtgetrokken gordijnen voor de ramen. Het leken me dienstbodekamers of een appartement, mogelijk dat van Freddy. De kanteldeur van de garage stond open en ik stapte naar binnen. Reba's BMW stond aan de zijkant. Ik voelde me verplicht om Rags tekst en uitleg te geven terwijl hij me op de voet volgde. Ik ging achter het stuur zitten, stak het sleuteltje in het contact en keek naar de benzinemeter. De wijzer ging helemaal naar boven, wat op een volle tank duidde.

Ik boog me opzij, maakte het dashboardkastje open en bestudeerde de inhoud, die bleek te bestaan uit een verzameling bonnetjes van tankstations en fastfoodrestaurants en een instructieboekje. In het linkerportiervak vond ik nog een handvol bonnetjes van tankstations. De meeste waren gedateerd drie tot vier maanden voordat Reba naar de gevangenis was gegaan. De enige uitzondering was een bonnetje gedateerd 27 juli 1987: afgelopen maandag. Ze had getankt bij een Chevron-tankstation aan Main Street in Perdido, zo'n vijfendertig kilometer naar het zuiden. Ik stopte het bonnetje in mijn zak, bij het andere. Ik keek onder de voorstoelen, de achterbank, de vloermatten, en in de kofferbak, maar vond verder niets interessants meer. Ik liep de garage uit, bracht de sleutels terug en liep toen naar mijn auto. Toen ik wegreed, zat Rags zich op zijn gemak te wassen op het bordes.

Ik nam de 101 weer en reed zo snel mogelijk terug naar mijn appartement, waar ik net lang genoeg stopte om de foto van Reba op te pikken die haar vader me gegeven had. Ik vouwde hem dubbel en stopte hem in mijn schoudertas voordat ik op weg ging naar Perdido. De vierbaanssnelweg volgt de kustlijn met aan de ene kant de uitlopers van de heuvels en aan de andere kant de Grote Oceaan. De betonnen zeewering is op sommige plekken vrijwel geheel verdwenen, en golven breken op de rotsen in een indrukwekkend vertoon van macht. Surfers parkeren hun auto's in de berm en dragen hun surfplanken naar het strand. In hun nauwsluitende zwarte wetsuits zagen ze er glad en glanzend uit als zeehonden. Ik telde er acht in het water, hun gezichten naar de golven gekeerd terwijl ze wachtten tot de branding de volgende aanval op de kust zou inzetten.

Op de steile heuvels links van me groeiden geen bomen maar des te meer dicht struikgewas. Peddelvormige cactussen bedekten grote stukken van de eroderende bodem. Het weelderige groen van na de winterregens had plaatsgemaakt voor wilde lentebloemen die op hun beurt weer afgestorven waren tot deze tondeldoos van vegetatie, rijp voor de grote najaarsbranden. De spoorbaan liep soms aan de heuvelkant van de weg en dook soms onder de weg door en liep dan evenwijdig aan de branding.

Toen ik de buitenwijken van Perdido bereikte, nam ik de eerste afrit en reed over Main in de richting van het centrum terwijl ik onderweg naar straatnaambordjes keek. Ik zag het Chevron-tankstation op een smalle strook grond bij de afslag naar Perdido Avenue. Ik reed erheen en parkeerde aan de kant waar zich de toiletten bevonden. Een geüniformeerde pompbediende stond de tank van een stationcar te vullen. Hij zag me en liet zijn blik even op me rusten voor hij zich weer op zijn taak concentreerde. Ik wachtte tot de klant het bonnetje had getekend en weggereden was, voordat ik naar de pompen liep. Ik haalde de foto van Reba te voorschijn en was van plan hem te vragen of hij afgelopen maandag had gewerkt en zo ja, of hij zich haar herinnerde. Maar terwijl ik naar hem toe liep, kwam er een ander idee bij me op. Ik zei: 'Hallo. Ik ben op zoek naar een pokerclub genaamd The Double Down. Weet u misschien waar ik die kan vinden?'

Hij draaide zich om en wees. 'Daar rechtsaf en dan twee blokken verderop. Als u bij het verkeerslicht komt, bent u te ver gereden.'

Het liep tegen tweeën toen ik de laatste lege plek op draaide van het parkeerterrein achter een laag, uit gasbetonblokken opgetrokken gebouw dat in een weinig aantrekkelijke tint beige was geschilderd. Boven de ingang toonde een rode neonreclame schoppen, harten, ruiten, en klaveren. Op de voorgevel prijkte in blauwe neonletters THE DOUBLE DOWN. In plaats van een trap liep er een rolstoelhelling naar een raamloze ingang ongeveer een meter boven straatniveau. Ik liep de helling op naar de zware houten deur met zijn rustieke smeedijzeren scharnieren. Een bordje vermeldde de openingstijden: van tien uur 's ochtends tot twee uur 's nachts. Ik duwde de deur open en stapte naar binnen.

Er stonden vier grote tafels, bedekt met groen vilt, elk met acht à tien pokerspelers die op houten regisseursstoelen zaten. Veel van de spelers draaiden zich om en keken naar me, maar geen van hen zette vraagtekens bij mijn aanwezigheid. Tegen de achterwand bevond zich een kombuisachtig keukentje met het menu boven het doorgeefloket. De keuzemogelijkheden stonden vermeld in zwarte plakletters op een witte ondergrond: ontbijtmenu's, sandwiches, en een paar warme gerechten. Ik had nu al een voorkeur voor het ontbijt dat bestond uit een burrito met roerei en worst. Ik keek op het bonnetje dat ik in de zak van Reba's jack had gevonden: cheeseburger, frites en cola. Diezelfde zaken stonden ook vermeld op het menu en de prijzen klopten.

De muren waren bekleed met grenenhout. Over de lengte van het systeemplafond liep een rail die opgetuigd was met slierten nepklimop en waaraan ingelijste reproducties hingen van sportkunst, voornamelijk football. De verlichting was gedempt. Alle pokerspelers waren mannen, met uitzondering van een vrouw achterin die ik op een jaar of zestig schatte. Op een aan de zijwand bevestigd schoolbord stond een lijst namen, vermoedelijk knapen die op een vrije stoel wachtten. Tot mijn verrassing hing er geen sigarettenrook en was er nergens alcohol te zien. Twee in tegenovergestelde hoeken opgestelde kleurentelevisies toonden twee verschillende honkbalwedstrijden zonder geluid. Er werd nauwelijks gesproken, vrijwel het enige geluid was het zacht tegen elkaar tikken van plastic fiches als de gever de winnaars uitbetaalde en de inzetten van de verliezers naar zich toe harkte. Terwijl ik toekeek, veranderden de gevers van tafel en drie mannen maakten van de gelegenheid gebruik om iets te eten te bestellen.

Links van me bevond zich een loket met daarachter een man op een kruk. 'Ik ben op zoek naar de bedrijfsleider,' zei ik. Ik vroeg me af of pokerclubs überhaupt bedrijfsleiders hadden, maar het leek me geen al te gewaagde gok. De man stak zijn hand op zonder van zijn boek op te kijken.

'Wat voor boek leest u?'

Hij hield het omhoog en keek naar het omslag, alsof hij het zelf ook niet precies wist. 'Dit? Poëzie. Kenneth Rexroth. Kent u zijn werk?'

'Nee.'

'Hij is fantastisch. Ik zou het u wel willen lenen, maar het is het enige exemplaar dat ik heb.' Hij legde zijn vinger tussen de pagina's om de plek te markeren waar hij gebleven was. 'Wilt u fiches?'

'Sorry, maar ik kom niet om te spelen.' Ik haalde de foto van Reba uit mijn tas, vouwde hem open, en liet hem aan hem zien. 'Komt die vrouw u bekend voor?'

'Reba Lafferty,' zei hij, alsof het antwoord vanzelfsprekend was.

'Kunt u zich herinneren wanneer u haar voor het laatst hebt gezien?'

'Ja zeker. Maandag. Eergisteravond. Ze zat aan die tafel daar. Kwam om ongeveer vijf uur binnen en bleef tot de zaak om twee uur dichtging. Ze heeft het grootste deel van de avond Hold'Em gespeeld en stapte toen over op Omaha, waar ze totaal geen feeling voor heeft. Ze had ongeveer zo'n rol bankbiljetten,' zei hij, terwijl hij met duim en middelvinger een cirkel maakte. 'Ze is net een week terug uit de bak, volgens de geruchten althans. Bent u haar reclasseringsambtenaar?'

Ik schudde het hoofd. 'Een vriendin. Ik ben degene die haar uit Corona heeft opgehaald en naar huis heeft gebracht.'

'U had zich die rit wel kunnen besparen. Voor je het weet is ze daar weer terug. Zonde. Het is een leuk mens. Zo ongeveer als een wasbeertje ook leuk is voordat hij je een knauw geeft.'

Ik zei: 'Tja, daar zegt u zo wat. Ze is gisteravond verdwenen en we willen haar opsporen. Ik neem aan dat u niet weet waar ze naartoe is?'

'Als ik zou moeten gokken, zou ik zeggen Vegas. Ze heeft hier een smak geld verloren, maar het was duidelijk dat ze nog niet klaar was. Ze had die bepaalde blik in haar ogen. Of het haar nou mee- of tegenzit, zij is het type dat doorgaat tot al het geld op is.'

'Ik begrijp dat niet.'

'Gokt u niet?'

'Nee.'

'Mijn theorie? Die meid voelt zich leeg vanbinnen. Ze gokt voor de kick, denkt dat ze daarmee die leegte op kan vullen. Dat lukt dus nooit. Ze heeft hulp nodig.'

'Dat hebben we allemaal,' zei ik.

Zodra ik op mijn kantoor arriveerde, pakte ik een potlood en een blocnote, haalde het telefoonboek te voorschijn, en koos op goed geluk een reisagent. Ik draaide het nummer en toen ze opnam, vertelde ik haar dat ik informatie wilde over een trip naar Las Vegas.

'Op welke dag?'

'Dat weet ik nog niet. Ik werk tot vijf uur en ik weet niet zeker op wat voor dag ik wil gaan. Wat voor vluchten zijn er op weekdagen na zes uur 's middags?'

'Dat kan ik zo voor u nagaan,' zei ze. Ik hoorde haar op een toetsenbord tikken en na een korte stilte zei ze: 'Ik zie er twee. USAir om vijf voor acht via San Francisco, aankomst Las Vegas om veertien minuten voor halftwaalf, of United Airlines om half-negen via Los Angeles, aankomst om dertien minuten voor half-twaalf.'

'Waar kan ik nog meer pokerclubs vinden?'

'Pardon?'

'Kaartclubs. Poker.'

'Ik dacht dat u naar Las Vegas wilde?'

'Ik hou alle opties open. Is er ook iets dichter bij huis?'

'Gardena of Garden Grove. Dan zou u naar Los Angeles moeten vliegen en vandaar over de weg verder moeten.'

'Dat lijkt me wel te doen. Welke vluchten hebt u naar Los Angeles na zes uur 's middags? Ik weet al die United-vlucht van half-negen. Zijn er verder nog mogelijkheden?'

'Ik heb hier een United om drie minuten voor zeven, aankomst in Los Angeles om kwart voor acht.'

Ik maakte druk aantekeningen terwijl ze praatte. 'O, wauw, bedankt. Dat is geweldig.'

Enigszins wrevelig zei de reisagente: 'Wilt u nu een vlucht boeken of niet?'

'Ik weet het eigenlijk nog niet. Laat eens kijken. Stel dat ik een paar dollar heb en dat het geld in mijn zak brandt. Waar zou ik nog meer naartoe kunnen gaan?'

'Na zes uur 's middags op weekdagen?' zei ze droogjes.

'Precies.'

'U zou het in Laughlin, Nevada kunnen proberen, hoewel er geen vluchten naar Laughlin-Bullhead zijn tenzij u een chartervlucht wilt.'

'Dat lijkt me niet,' zei ik.

'En dan is er altijd nog Reno-Lake Tahoe. Dezelfde luchthaven.'

'Zou u misschien...'

'Ik ben al bezig,' zei ze op zangerige toon, en ik hoorde haar weer op het toetsenbord tikken. United Airlines, vertrek Santa Teresa om vijf voor acht, aankomst San Fran zeven over negen, vertrek tien voor halfelf, aankomst Reno veertien minuten voor half-twaalf. Dat is alles.'

'Ik bel u nog terug,' zei ik, waarna ik ophing. Ik omcirkelde het woord 'Reno', terwijl ik dacht aan Reba's voormalige celgenote Misty Raine, die daar verondersteld werd te wonen. Als Reba op de vlucht was, zou het niet zo gek zijn om bij een vriendin langs te gaan. Natuurlijk was het voor iemand die voorwaardelijk in vrijheid was gesteld, verboden om met een ex-veroordeelde om te gaan, maar ze beging inmiddels de ene overtreding na de andere, dus dit kon er ook nog wel bij.

Ik draaide het nummer van Inlichtingen in Reno, netnummer 702, en vroeg de telefoniste om een opgave van abonnees met de achternaam Raine. Er was er één: voorletter M, maar zonder bijbehorend adres. Ik bedankte haar en hing op. Ik trok nog een cirkel rond het woord 'Raine', terwijl ik me afvroeg of Reba sinds haar vrijlating contact met Misty had opgenomen. Ik pakte de hoorn van de telefoon weer op en draaide het nummer dat ik had gekregen voor M. Raine. Nadat het toestel vier keer was overgegaan, zei een mechanische mannenstem: 'Er is niemand thuis. Spreekt u alstublieft uw nummer in.' Zo weinig mededeelzaam. Ik had echt de pest aan die kerel.

Om halfvijf reed ik terug naar het landgoed van Lafferty. Ik zag tot mijn genoegen dat Lucinda's auto verdwenen was. Rags lag te slapen in een rieten stoel, maar hij schudde zich wakker en sprong op de grond om me te begroeten, waarbij hij beleefd aan mijn voeten bleef zitten terwijl ik aanbelde. Toen Freddy me binnenliet, maakte Rags van de gelegenheid gebruik om naar binnen te glippen. Hij liep achter ons aan terwijl Freddy me voorging naar de bibliotheek waar Nord zich op de bank geïnstalleerd had met een aantal kussens in zijn rug en een plaid over zijn benen. Hij zei: 'Ik heb Freddy gevraagd om me naar beneden te brengen. Ik hield het boven gewoon niet meer uit.' Rags sprong op de bank, trippelde over Nord heen en snoof aan zijn adem.

Ik zei: 'U ziet er beter uit. U hebt weer wat kleur op uw wangen.'

'Dat is maar tijdelijk, maar alles is meegenomen. Ik neem aan dat u iets te weten bent gekomen, anders zou u niet zo snel weer teruggekomen zijn.'

Ik vertelde hem over het bonnetje van het tankstation, mijn rit naar Perdido, mijn bezoek aan de pokerclub en wat ik te horen had gekregen over haar verliezen maandagavond aan de pokertafel. Ik zag er het nut niet van in hem lastig te vallen met de verdenking dat ze 25.000 dollar achterovergedrukt had, dus dat gedeelte liet ik weg. 'Reba had het over een stripper genaamd Misty Raine, een voormalige celgenote van haar. Blijkbaar heeft Misty zich nadat ze haar straf uitgezeten had, in Reno gevestigd. Ik denk dat als Reba weer aan het gokken is geslagen, ze vermoedelijk op zoek zou gaan naar een plek waar ze zich schuil zou kunnen houden...'

'In welk geval ze zou kunnen proberen weer contact met die

vriendin op te nemen,' zei Nord, terwijl hij afwezig de kat streelde.

'Inderdaad. Op die manier zou ze zich het geld voor een hotelkamer kunnen besparen, zodat ze alles aan de pokertafel in kan zetten in de hoop dat het geluk haar goed gezind is. Volgens Inlichtingen woont er een "M. Raine" in Reno, maar ze hadden geen adres.'

'Maar overtreedt ze door naar Reno te reizen niet de bepalingen van haar voorwaardelijke invrijheidsstelling?'

'Dat geldt ook voor het gokken,' zei ik. 'Er is natuurlijk altijd de mogelijkheid dat ze terugkomt voordat ze gemist wordt, maar ik zie haar niet graag dat risico lopen. Is ze wel eens eerder in Reno geweest?'

'Dikwijls,' zei Nord. 'Maar hoe kunt u er zeker van zijn dat ze daar is? Haar vriendin zal haar niet verlinken.'

'Dat denk ik ook niet. Reba heeft het niet over Reno gehad?'

'Met geen woord.'

'Ik vraag me af of u misschien de telefoonmaatschappij zou kunnen vragen of er gedurende de afgelopen week vanuit uw huis interlokale gesprekken zijn gevoerd. Een telefoontje naar Misty's nummer zou op zijn minst suggereren dat die twee contact met elkaar hebben gehad.'

'Ik zal mijn best doen.'

Op zijn aanwijzingen haalde ik het telefoonboek te voorschijn, draaide het nummer voor hem en vroeg naar de administratie voordat ik hem de hoorn overhandigde. Hij noemde zijn naam en telefoonnummer en legde uit wat hij wilde. Op uiterst welbespraakte en overtuigende wijze hing hij een verhaal op over een bezoeker van buiten de stad die een aantal interlokale telefoongesprekken had gevoerd maar had nagelaten naar de kosten te informeren. Na een tijdje met de vrouwelijke medewerker gepraat te hebben, noteerde hij een telefoonnummer met netnummer 702 waarmee drie gesprekken waren gevoerd. Hij bedankte haar voor haar medewerking, hing op en stak mij het stukje papier toe. 'Helaas hebt u hiermee nog steeds geen adres.'

'Ik heb een vriend bij de politie die me waarschijnlijk wel kan helpen.'

25

Tegen de tijd dat ik bij Nord vertrok, was het bijna vijf uur. Het had geen zin om terug te gaan naar kantoor en dus reed ik naar huis. Ik liet mezelf binnen en gooide mijn tas op een stoel. Cheney had twee humeurige berichten ingesproken. Hij wilde weten waar Reba verdomme uithing aangezien ze niet was komen opdagen voor haar afspraken om één uur met Vince en om vier uur met de FBI. Ik belde Cheneys pieper, toetste mijn nummer in, en wachtte tot de telefoon zou overgaan, wat tien minuten later inderdaad gebeurde.

'Je hebt gebeld?'

'Ik wil je om een gunst vragen. Kun je een telefoonnummer in Reno checken en me het bijbehorende adres bezorgen?'

'Van wie?'

'Een vriendin van een vriendin.'

'Gaat het over Reba?'

'Over wie anders?'

Hij dacht er even over na. 'Ze zit al dieper in de narigheid dan ze beseft. Als ze inderdaad daar uithangt, zou het voor iedereen het beste zijn om haar door de politie van Reno op te laten pakken.'

'Dat is één mogelijkheid,' zei ik. 'Aan de andere kant, jullie hebben nog steeds haar medewerking nodig. Ik zit erover te denken om naar Reno te rijden en haar te overreden om terug te komen, vooropgesteld dat ik haar kan vinden.'

'Weet Holloway dat ze verdwenen is?'

'Ik betwijfel het, maar Reba heeft pas maandag weer een afspraak met haar, dus we hebben vijf dagen voordat ze gemist wordt. Ik doe liever niets achter Priscilla's rug om, dus je kunt het haar vertellen als je wilt. Of...'

'Of wát?'

'Je zou het kunnen opnemen met je vriendjes bij de Belastingdienst en zien wat die te zeggen hebben. Misschien is zij wel van zo veel waarde voor hen dat zij iets kunnen regelen met de reclassering. We kunnen het Priscilla altijd nog vertellen nadat de FBI met Reba gesproken heeft.'

'Geef me het nummer in Reno maar, dan bel ik je nog wel terug.'

'Waarom praat je niet eerst met Vince, dan geef ik je daarna het nummer en dan zien we verder wel.'

'Vertrouw je me niet?'

'Jou natuurlijk wel. Híj is degene over wie ik me zorgen maak.'

'Wat doen we vanavond? Zullen we afspreken bij Rosie's? Ik moet nog een paar rapporten schrijven, maar daar ben ik niet al te lang mee bezig.'

'Goed zo.'

'Dan zie ik je daar straks wel.'

Ik liet mijn voordeur op een kier staan en stak de patio over naar Henry's huis. Zijn keukendeur stond open en ik klopte op het kozijn. 'Henry? Ik ben het.'

'Kom verder. Ik kom er zo aan,' zei hij.

Er stond een pan eigengemaakte soep op het fornuis te pruttelen en dat vatte ik op als een goed teken. Henry kookt of bakt maar zelden als hij zich neerslachtig voelt. Zijn glas Black Jack met ijs stond op de keukentafel, de krant lag netjes opgevouwen in zijn schommelstoel. Een pas geopende fles chardonnay stond in een koeler op het aanrecht. Hij kwam uit de hal lopen met een stapel schone keukendoeken. 'Heb je jezelf nog geen glas wijn ingeschonken? Ik heb die fles speciaal voor jou opengemaakt. Er is iets wat ik met je wil bespreken. Heb je een paar minuutjes?' Hij legde de keukendoeken in een la, pakte een wijnglas uit de kast en schonk het voor de helft vol.

'Dank je. Ik heb alle tijd van de wereld. We spreken elkaar de laatste tijd niet zo vaak meer. Hoe is het nou met je?'

'Prima, dank je. En met jou?' Hij ging in zijn schommelstoel zitten en nam een slokje whisky.

'Ook prima,' zei ik. 'Goed, dat weten we dan ook weer. Vertel me dan nu maar eens wat je op je lever hebt.'

Hij glimlachte. 'Ik heb eens goed nagedacht. Ik geloof niet dat het met Mattie nog goed komt. Ik ben niet van plan me aan haar op te dringen als ze niet geïnteresseerd is. Zo gaan die dingen nu eenmaal. We kenden elkaar nog niet zo lang en er zijn allerlei redenen waarom het niets kon worden – leeftijd, woonplaats – de bijzonderheden doen niet ter zake. Wat ik me realiseer, is dat ik het heel prettig vond om iemand in mijn leven te hebben. Dat gaf me nieuwe energie, zelfs op 87-jarige leeftijd. En dus dacht ik bij mezelf dat het misschien helemaal niet zo'n slecht idee zou zijn om een paar telefoontjes te plegen. Er waren verscheidene vrouwen op die cruise die een levendige en sympathieke indruk maakten. Mattie mag dan een unieke vrouw zijn, maar dat doet nu even niet ter zake.' Hij zweeg even. 'Tot zover mijn gedachten, maar ik zou graag willen weten hoe jij daarover denkt.'

'Het lijkt me een fantastisch idee. Ik weet nog dat na die cruise allerlei vrouwen boodschappen op je antwoordapparaat inspraken.'

'Dat vond ik gênant.'

'Waarom?'

'Ik ben een ouderwets iemand. Ik heb altijd geleerd dat mannen het initiatief horen te nemen.'

'De tijden zijn veranderd.'

'Ten goede?'

'Misschien wel. Als je iemand ontmoet die je aardig vindt, waarom zou je dan niet een poging wagen? Daar is niets mis mee. Als het goed uitpakt, prima, en zo niet, pech gehad.'

'Zo denk ik er ook over. Er is een zekere Isabelle die hier in de stad woont. Ze is tachtig, wat een beetje dichter in de buurt komt van mijn eigen leeftijd. Ze is gek op dansen, wat ik al in geen eeuwigheid meer gedaan heb. En dan is er ook nog ene Charlotte. Ze is 78 en nog altijd actief in de onroerendgoedbranche. Ze woont in Olvidado, redelijk dichtbij,' zei hij. 'Wat denk je, eentje tegelijk maar?'

'Wat is er mis met alle twee? Wat kan jou het schelen? Hoe meer zielen, hoe meer vreugd.'

'Oké, dan doe ik dat.' Hij tikte met zijn glas tegen het mijne. 'Wens me succes.'

'Alle succes van de wereld.' Ik boog me voorover en gaf hem een kus op zijn wang.

Ik zat aan mijn favoriete tafeltje in Rosie's, achterin, waar ik van een glas wijn kan nippen terwijl ik de hele zaak in de gaten houd. Ik ben er al zeven jaar stamgast en ik weet nog steeds de namen niet van de dagdrinkers of de andere vaste klanten. Rosie's is het enige wat we met elkaar gemeen hebben, en ik vermoed dat als de andere stamgasten en ik onze wederzijdse bevindingen zouden vergelijken, we allemaal dezelfde klacht zouden hebben. We zouden mopperen over de manier waarop ze ons tiranniseert, maar evengoed zouden we ons allemaal zelfvoldaan voelen, en de manier waarop ze ons behandelt opvatten als een teken dat we een heel speciale plaats in haar hart innemen. William stond achter de bar. Hij had een glas wijn voor me ingeschonken zodra hij me zag binnenkomen. Hij had het druk, anders had hij me ongetwijfeld uitgebreid verslag gedaan van het laatste nieuws op het gebied van zijn gezondheid.

Ik nam een slokje witte wijn die zo zuur was dat ik het spul bijna zou afzweren. Cheney had binnen enkele minuten teruggebeld om me te vertellen dat Vince een voorkeur had voor de persoonlijke benadering. Zijn zegen had ik, zolang hij dat telefoonnummer in Reno ook maar kreeg. Ik gaf Cheney het nummer dat Nord los had weten te krijgen van de telefoonmaatschappij. Ik nam aan dat Vince Turner die informatie voor zichzelf zou houden, maar ik maakte me zorgen dat de FBI lucht van de zaak zou krijgen en voor problemen zou zorgen.

Daarna had ik Nord gebeld om hem te vertellen dat ik de volgende ochtend zou vertrekken. Hij had aangeboden alle kosten voor zijn rekening te nemen en ik had dat aanbod geaccepteerd, waarbij eventuele charitatieve impulsen mijnerzijds al snel de kop werden ingedrukt door de noodzaak om mijn rekeningen te betalen. Ik had een zakatlas meegebracht en bladerde heen en weer tussen zuidelijk Californië en de westgrens van Nevada om een route uit te stippelen. Het lag voor de hand om Highway 101 te nemen tot aan de 126, in oostelijke richting te rijden tot aan Highway 5, en vervolgens in noordelijke richting naar Sacramento, vanwaar ik de 80 in noordoostelijke richting kon nemen die me rechtstreeks naar Reno zou brengen. Als het Cheney niet lukte me Misty's adres te bezorgen, zou ik mijn toevlucht nemen tot de ouderwetse methode: in de openbare bibliotheek de gids raadplegen waarin telefoonnummers in numerieke volgorde staan vermeld en gekoppeld zijn aan de corresponderende adressen.

Voordat ik op weg ging, zou ik even bij de autoclub langsgaan voor een paar behoorlijke routekaarten. Ik had ze niet echt nodig, maar het gaf me het gevoel dat ik iets terugkreeg voor mijn jaarlijkse contributie. Ik stelde in mijn hoofd een lijstje op van kleren en toiletartikelen die ik in moest pakken. Ik voelde een hand op mijn schouder en keek glimlachend op, in de verwachting dat het Cheney was.

Beck ging tegenover me zitten. 'Je lijkt blij me te zien.'

'Ik dacht dat je iemand anders was.' Ik nam hem in me op: katoenen broek, net overhemd met daaroverheen een windjack.

Hij lachte, in de veronderstelling dat ik een grapje maakte. Nonchalant sloeg ik de atlas dicht, legde hem op de stoel naast me en boog me een stukje opzij alsof ik de ingang in de gaten hield. 'Is Reba niet bij je?'

'Nee. Daarom kwam ik langs. Ik ben naar haar op zoek.' Zijn blik bleef op de atlas rusten. 'Ga je op reis?'

'Alleen in mijn fantasie. Ik heb het veel te druk om ergens heen te gaan.'

'O ja, dat is waar ook. Je bent privé-detective. Waar ben je momenteel zoal mee bezig?'

Ik wist dat hij totaal niet geïnteresseerd was in mijn bezigheden, tenzij hij daar zelf bij betrokken was. Ik nam aan dat hij aan het vissen was, zich afvragend of ik deel uitmaakte van de overheidssamenzwering om hem te grazen te nemen. Ik zei: 'Het gebruikelijke. Het opsporen van iemand die van huis is weggelopen, wat antecedentenonderzoeken voor de Bank of Santa Teresa, dat soort dingen.' Ik praatte nog wat door, waarbij ik ter plekke het een en ander uit mijn mouw schudde. Ik zag dat hij wat glazig begon te kijken en ik hoopte oprecht dat ik hem dodelijk verveelde.

Toen ik opkeek, zag ik Rosie door de klapdeurtjes van de keuken verschijnen. Ze richtte haar blik op Beck als een terriër die een rat zag. Ze kwam regelrecht op ons af, nauwelijks in staat haar opgetogenheid te onderdrukken. Beck kwam overeind, stak haar zijn hand toe, boog zich toen voorover en kuste haar op de wang. 'Rosie, je ziet er geweldig uit. Je bent naar de kapper geweest.'

'Ik heb het zelf gedaan. Een thuispermanent,' zei ze.

Voorzover ik kon zien, zag haar kapsel eruit zoals altijd: slecht geverfd, slecht geknipt.

Ze sloeg haar blik ingetogen neer. 'Ik weet nog wat u drinkt. Scotch. Een dubbele met ijs en een glaasje water erbij. De whisky van 24 jaar oud, niet die van 12.'

'Uitstekend. Geen wonder dat je zulke trouwe klanten hebt.'

Ik dacht dat ze door de vleierij heen zou kijken, maar het ging erin als zoete koek, en ze maakte bijna een revérence voordat ze zich naar de bar haastte om zijn drankje te halen. Hij ging weer zitten en keek haar na met een toegeeflijke glimlach, alsof het hem ook maar iets interesseerde. Hij liet zijn blik weer op mij rusten. Hij was een ijskoude man. De ontbrekende 25.000 dollar had hem op scherp gezet. Hij was er nu op uit erachter te komen wie zijn vijanden waren.

Ik sloeg mijn armen over elkaar en leunde voorover zodat mijn ellebogen op het tafeltje rustten. Het had iets rustgevends om in het gezelschap te verkeren van iemand aan wie ik zo'n hekel had. Ik hoefde geen indruk op hem te maken, waardoor ik me op het spel kon concentreren. 'Hoe was het in Panama City?'

'Goed. Prima. De problemen begonnen zodra ik weer thuiskwam. Ik heb gehoord dat jij en Reba nogal in de weer zijn geweest tijdens mijn afwezigheid.'

'Ik? Wat heb ik nu weer gedaan?'

'Je weet niet waar ik het over heb?'

'We zijn wezen winkelen in het nieuwe winkelcentrum, maar ik neem aan dat je dat niet bedoelt.'

'Die ontmoeting met Marty. Wat had dat te betekenen?'

Ik knipperde twee keer met mijn ogen alsof ik niet begreep waar hij het over had, en deed toen of me een licht opging. 'Vrijdagavond? We liepen hem in het winkelcentrum tegen het lijf. Na sluitingstijd van de winkels zijn we naar Dale's gegaan en hebben die chili besteld waarvan je gegarandeerd diarree krijgt. Jezus. Niet te vreten gewoon...'

'Ja, ja, laat maar. Ga verder.'

'Sorry. Dus op een gegeven moment komt Marty binnen. Hij was blij Reba weer te zien. Ze stelde ons aan elkaar voor en we hebben een tijdje zitten kletsen. Einde verhaal.'

Hij keek me nadenkend aan, kennelijk nog niet helemaal tevredengesteld. 'Waar hebben jullie het over gehad?'

'Niks bijzonders. Ik maak kennis met de man. Ik maak een vriendelijk praatje met hem. Meer niet. Wat interesseert jou dat?'

'Jullie hebben niet over mij gepraat?'

'Over jou? Helemaal niet. Je naam is niet één keer genoemd.'

'En toen?'

'Hoe bedoel je: "En toen?"'

'Waar hebben jullie verder over gepraat?'

Ik haalde mijn schouders op. 'Over het kantoor. Marty was helemaal vol van de nieuwe kantoorruimte en heeft ons uiteindelijk een korte rondleiding gegeven. Hij zei dat jij pisnijdig zou zijn als je het te weten kwam. Gaat het daar soms over?'

'Ik geloof niet dat dat het hele verhaal is. Is er niet nog iets anders?'

'Eh, eens zien. O, ja. Dit is echt wereldschokkend. Ik heb mijn tas op het dakterras laten liggen en we moesten de volgende dag terug om hem te zoeken. God, wat een gedoe.'

Rosie kwam aanlopen met Becks scotch op een dienblaadje. We lieten het onderwerp rusten en glimlachten minzaam terwijl ze een onderleggertje neerlegde en zijn glas erop zette. Beck bedankte haar zonder haar verder in het gesprek te betrekken.

Ze aarzelde, hopend op nog een rondje vleierij en complimentjes, maar zijn aandacht was uitsluitend op mij gericht. Ik wilde dat ze zou gaan zitten en de rest van de avond tegen ons zou blijven praten. In plaats daarvan wierp ze me een blik toe alsof ze vermoedde dat er een romance aan het opbloeien was. Ze had er geen flauw benul van dat ik wanhopig probeerde in te schatten hoeveel Beck wist en hoe hij aan die informatie gekomen was. Als hij opnamen van de beveiligingscamera's had gezien, moest ik ervoor zorgen dat ik een geloofwaardig verhaal had over ons komen en gaan. Ik was me ervan bewust dat het feit dat ik me zo bijdehand gedroeg hem op zijn zenuwen werkte, maar ik kon er niets aan doen. Rosie praatte nog wat over koetjes en kalfjes en vertrok toen. Ik keek naar Beck en wachtte op zijn volgende zet.

Hij pakte zijn glas op en nam een slokje, terwijl hij me over de rand van zijn glas aankeek. 'Je hebt overal een verklaring voor, maar evengoed zou ik zweren dat je liegt dat je barst.'

'Mijn reputatie moet me vooruit zijn gesneld. Ik ben goed in liegen,' zei ik.

Hij zette zijn glas op het tafeltje en maakte een kring met het vocht aan de onderkant van het glas. 'Dus waar is ze nou?'

'Reba? Geen idee. We zijn geen Siamese tweeling.'

'Je meent het. Je bent voortdurend in haar gezelschap geweest en nu heb je plotseling geen idee? Ze zal toch wel íéts gezegd hebben?'

'Beck, ik denk dat je de situatie verkeerd inschat. We zijn geen vriendinnen. Haar vader heeft me betaald om haar op te halen en dat heb ik gedaan. Ik heb haar naar haar reclasseringsambtenaar gereden en naar het bureau voor de afgifte van rijvaardigheidsbewijzen. Ze voelde zich een beetje eenzaam. We hebben samen gegeten...'

'Vergeet Bubbles niet.'

'O, ja. We zijn naar Bubbles geweest. Ik had met haar te doen. Ze heeft geen vriendinnen, afgezien van Onni, die haar behandelt als een stuk vuil.'

Daar dacht hij even over na en toen gooide hij het over een andere boeg. 'Wat heeft ze je over mij verteld?'

Ik probeerde net zulke grote ogen op te zetten als Reba toen ze de vermoorde onschuld probeerde uit te hangen. 'Over jou? Nou, gossie. Ze heeft me verteld dat je haar laatst in de auto suf geneukt hebt. Ze wilde me in geuren en kleuren over het formaat van je piemel vertellen, maar ik heb bedankt voor de eer. Je moet het me maar niet kwalijk nemen, maar ik vind je nou eenmaal lang niet zo fascinerend als zij. Met uitzondering van deze conversatie dan. Waar ben je nou eigenlijk precies op uit?'

'Nergens op. Misschien heb ik je verkeerd beoordeeld.'

'Nou, dat betwijfel ik, maar wat dan nog? Volgens mij zit jij in de problemen en projecteer je dat op ons.' Ik was misschien iets te ver gegaan, want de blik waarmee hij me aankeek beviel me helemaal niet.

'Waarom zeg je dat?'

'Omdat je me met al die flauwekul aan boord komt en ik geen idee heb wat je nou eigenlijk van me wilt. Vanaf het moment dat je hier kwam zitten, heb je me met vragen bestookt.'

Hij zweeg gedurende ongeveer vijftien seconden, een lange tijd in dit soort conversatie. Toen zei hij: 'Ik geloof dat ze geld van me heeft gestolen toen ze die avond in het kantoor was.'

'Ah. Op die manier. Dat is een ernstige beschuldiging.'

'Inderdaad.'

'Waarom schakel je de politie dan niet in?'

'Ik kan het niet bewijzen.'

Ik schudde het hoofd. 'Ik geloof er niks van. Ik was bij haar toen we het kantoor bekeken en ze heeft niets aangeraakt. Ikzelf trouwens ook niet. Ik hoop dat je niet denkt dat ik er iets mee te maken heb, want ik zweer dat dat niet het geval is.'

'Over jou maak ik me geen zorgen. Wel over haar.'

'Je maakt je zorgen?'

'Ik denk dat ze in de problemen zit. Ik zou niet graag willen dat het fout met haar ging.'

'Waarom heb je dat dan niet meteen gezegd?'

'Je hebt gelijk. Het spijt me. Ik heb dit helemaal verkeerd aangepakt en ik bied je mijn verontschuldigingen aan. Wapenstilstand?'

'Die hebben we niet nodig. Ik maak me net zo goed zorgen over haar. Ze rookt inmiddels weer een pakje per dag en god mag weten wat nog meer. Vanochtend had ze het over sterke borrels en

goktenten. Ik kreeg het er behoorlijk benauwd van.'
'Ik wist niet dat je haar gesproken had.'
'Ja zeker. Ik dacht dat ik dat gezegd had.'
'Nee, maar dat maakt niet uit. Ik heb niets meer van haar gehoord sinds ik terug ben. Meestal hangt ze meteen aan de telefoon. Je kent Reeb. Ze heeft de neiging om zich aan mensen vast te klampen.'
'Zeg dat wel. Hoor eens, ze had het erover om morgen samen te gaan lunchen. Als ik haar nou eens zeg dat ze jou moet bellen?'
Hij glimlachte aarzelend. Hij wilde me maar al te graag geloven, maar tegelijkertijd voelde ik dat hij me niet helemaal vertrouwde. Gelukkig ben ik een doorgewinterde leugenaarster die tijdens een leugendetectortest een moord zou kunnen ontkennen terwijl het bloed nog van mijn vingers droop. Hij stak zijn arm uit en klopte me op mijn hand, iets wat ik hem ook bij haar had zien doen. Ik vroeg me af wat dat gebaar betekende, een soort 'tikkie... jij bent 'm'. 'Ik hoop dat ik niet buiten mijn boekje ben gegaan. Je bent een beste meid,' zei hij.
'Dank je. En jij bent ook een beste kerel.' Ik klopte hem op mijn beurt op zijn hand.
Hij kwam overeind. 'Ik zal je niet langer lastigvallen. Ik heb al genoeg van je tijd in beslag genomen. Sorry als ik onbeschoft ben geweest. Het was niet mijn bedoeling om er een kruisverhoor van te maken.'
'Hé, maakt niet uit. Neem nog een borrel als je zin hebt.'
'Nee, ik moet er weer eens vandoor. Zeg maar tegen Reba dat ik op zoek naar haar ben.'
'Ben je morgen de hele dag op kantoor?'
'Reken maar. Ik wacht op haar telefoontje.'
Veel succes, dacht ik bij mezelf. Ik keek hem na terwijl hij naar de uitgang liep, en probeerde hem te zien zoals de eerste keer. Ik had hem knap en sexy gevonden, maar die eigenschappen waren verdwenen. Nu zag ik hem zoals hij werkelijk was, een kerel die gewend was zijn zin te krijgen. De wereld draaide om hem en anderen waren er alleen maar om naar zijn pijpen te dansen. Ik vroeg me af of hij in staat zou zijn om iemand te vermoorden. Waarschijnlijk wel, dacht ik. Misschien niet eigenhandig, maar hij zou het kunnen laten doen. Ik voelde een warm druppeltje zweet over mijn rug lopen. Ik haalde diep adem, en tegen de tijd dat Cheney binnenkwam, voelde ik me weer kalm, zij het lichtelijk verward.
Hij ging naast me zitten en schoof een opgevouwen velletje pa-

pier naar me toe. 'Zeg niet dat ik je nooit gematst heb. Het adres is een huurwoning. Misty woont er al dertien maanden.'

'Bedankt.' Ik keek naar het adres en stopte het velletje papier in mijn zak.

Hij zei: 'Wat heeft die glimlach te betekenen? Je ziet er zelfingenomen uit.'

'Hoelang ken ik je nou al? Een jaar of twee, niet?'

'Zo ongeveer. Je kent me pas echt sinds vorige week.'

'Weet je wat ik me zojuist realiseerde? Ik heb nog nooit tegen je gelogen.'

'Dat mag ik hopen.'

'Ik meen het serieus. Ik ben een geboren leugenaar, maar tot dusver heb ik tegen jou nog niet gelogen. Dat plaatst jou in een aparte categorie... nou ja, samen met Henry dan. Ik kan me niet herinneren dat ik ooit tegen hem gelogen heb, althans niet over iets belangrijks.'

'Leuk om te horen. Vooral dat "tot dusver". Jij bent de enige die ik ken die zoiets kan zeggen en het ook nog als een compliment beschouwt.'

Rosie kwam weer te voorschijn en toen ze Cheney in het oog kreeg, wierp ze me een snaakse blik toe. Ze zag me maar zelden met een man, laat staan met twee op dezelfde avond. Cheney bestelde een biertje. Toen ze weer verdwenen was, liet ik mijn kin op mijn vuist rusten en keek hem aan. Zijn gezicht was glad, afgezien van een uiterst fijn web van lijntjes bij zijn ooghoeken. Donker suède jasje, de kleur van koffiedik. Beige overhemd, bruine zijden enigszins scheef hangende stropdas. Ik stak een hand uit en trok hem recht. Hij pakte mijn hand beet en kuste mijn wijsvinger.

Ik glimlachte. 'Heb je het ooit wel eens eerder met een oudere vrouw aangelegd?'

'Heb je het over jezelf? Ik heb nieuws voor je, meisje: ik ben ouder dan jij.'

'Dat ben je niet.'

'Ik ben 39. April 1948.' Hij haalde zijn portefeuille te voorschijn, sloeg hem open, haalde er zijn rijbewijs uit en hield dat omhoog.

'Even serieus nou. Ben je van 1948?'

'Hoe oud dacht je dat ik was?'

'Iemand vertelde me dat je 34 was.'

'Leugens. Allemaal leugens. Je kunt geen woord geloven van wat je op straat hoort.' Hij stopte zijn rijbewijs weer in zijn portefeuille, die hij vervolgens dichtsloeg en weer in zijn achterzak stopte.

'In dat geval ben je nog beter geconserveerd dan ik dacht. Zeg de datum nog eens. Ik heb niet zo goed gekeken.'

'28 april. Ik ben een Stier, net als jij. Daarom kunnen we het zo goed met elkaar vinden.'

'Is dat zo?'

'Natuurlijk. De Stier is een aards sterrenbeeld. Wij zijn de padvinders van de zodiak. Vastberaden, praktisch, betrouwbaar, eerlijk, evenwichtig; met andere woorden, zo saai als de pest. Aan de negatieve kant zijn we jaloers, dominant, koppig en eigengereid. We houden niet van verandering. We houden er niet van in de rede gevallen te worden. We houden er niet van achter onze broek gezeten te worden.'

'Geloof jij echt in die flauwekul?'

'Nee, maar je moet toegeven dat er een kern van waarheid in zit.'

Rosie kwam weer naar ons tafeltje met Cheneys bier. Het was duidelijk dat ze graag nog wat zou blijven rondhangen, in de hoop iets van ons gesprek op te kunnen vangen. We zwegen allebei tot ze weer vertrok.

Toen zei ik: 'Beck was hier.'

'Je verandert van onderwerp. Ik wil het liever over ons hebben.'

'Een beetje voorbarig.'

'Laten we het dan over jou hebben.'

'Geen sprake van.'

'Het bevalt me bijvoorbeeld dat je geen make-up gebruikt.'

'Dat heb ik twee keer gedaan. Die eerste dag bij de lunch en laatst nog een keer 's avonds.'

'Dat weet ik. Daarom dacht ik ook dat ik je tussen de lakens kon krijgen.'

'Cheney, we moeten het over Reba hebben. Ik ga morgenochtend vroeg naar Reno. We moeten wel één lijn trekken.'

De uitdrukking op zijn gezicht werd wat ernstiger. 'Oké, maar hou het zo kort mogelijk. We hebben nog meer te doen.'

'Zaken gaan voor.'

'Goed, mevrouw.'

De volgende tien minuten spraken we over Reba en Beck; wat hij gezegd had, wat ik gezegd had, en wat dat eventueel te betekenen had. Cheney was van plan om de volgende ochtend Priscilla Holloway te bellen en haar op de hoogte te brengen van de situatie. Het leek hem beter open kaart met haar te spelen dan het risico te lopen dat ze er op een andere manier achter zou komen. Hij zou haar naar Vince Turner verwijzen en dan moesten die twee maar tot een akkoord zien te komen. Als Holloway Reba wilde laten oppakken, des te beter voor hem. Vince zou in zijn nopjes zijn als hij haar achter slot en grendel had.

Ten slotte zei Cheney: 'Kunnen we nu gaan? Ik raak helemaal opgewonden van al dat gepraat over criminelen.'

26

De rit van Santa Teresa naar Reno nam negen uur in beslag, met inbegrip van twee sanitaire stops en een lunchpauze van een kwartier. De eerste zeven uur brachten me tot in Sacramento, waar Highway 80 de 5 kruist en zijn langzame klim naar de Donner Summit begint, 2200 meter boven de zeespiegel. Ten gevolge van een serie kreupelhoutbranden in het Tahoe National Forest was de lucht doortrokken van een lichtbruine nevel die me volgde tot over de staatsgrens met Nevada. Rond etenstijd bereikte ik de buitenwijken van Reno en ik reed een tijdje door de stad rond om me enigszins te oriënteren.

De meeste gebouwen telden twee of drie verdiepingen en vielen geheel in het niet bij de hier en daar opdoemende kolossale hotels. Behalve casino's zag ik vooral de nodige pandjeshuizen, goedkope eetgelegenheden en vuurwapenwinkels. Ik nam een onaantrekkelijk uitziend, twee verdiepingen tellend motel in het centrum van de stad, met als voornaamste attractie dat het zich naast een McDonald's-restaurant bevond. Ik schreef me in, zocht mijn kamer op de eerste verdieping op en zette mijn weekendtas op het bed. Voor ik weer wegging, pakte ik het telefoonboek van Reno dat in de la van het nachtkastje lag. Ik ging naar beneden, legde het telefoonboek in mijn auto en liep toen naar McDonald's, waar ik een plekje aan het raam vond en mezelf trakteerde op twee quarterpounders.

Volgens de kaarten die ik opgepikt had bij de autoclub, lag Carson City – de laatst bekende woonplaats van mijn vroegere vlam Robert Dietz – slechts vijftig kilometer hiervandaan. Dankzij Cheney dacht ik aan Dietz zonder verbittering, maar ook zonder veel interesse. Terwijl ik rijkelijk van ketchup voorziene frietjes naar binnen werkte, sloeg ik de plattegrond van Reno open en zocht de straat op waar Misty Raine tegenwoordig woonde. Het was niet ver uit de buurt en mijn volgende programmapunt zou een bezoek aan haar huis zijn.

Ik deponeerde mijn blad op de daarvoor bestemde plek en liep terug naar mijn auto. Met de plattegrond tegen het stuur ging ik op weg. Mijn route voerde me door woonwijken met dennenbomen, metalen hekwerken en bungalows met gestuukte of bakstenen gevels. Zelfs om zeven uur 's avonds was het nog helder licht. De lucht was warm en droog en rook naar dennenhars en verkoold eikenhout van de bosbranden in Californië. Ik wist dat de temperatuur zou dalen zodra de zon onderging. De gazons die ik passeerde, waren verdord, het gras verschroeid tot een zacht geelbruin. De bomen, daarentegen, waren verrassend groen, het dichte gezonde gebladerte een welkome afwisseling in het onverbiddelijke fletse beige van het omringende landschap. Misschien was dit alles wel ontworpen om alle gokkers binnenshuis te houden waar bonte kleuren de boventoon voerden, de temperatuur van de lucht constant was, en de verlichting dag en nacht bleef branden.

Ik vond het huis waarnaar ik op zoek was, het was een geel geschilderd houten bungalowtje van één verdieping met drie kleine ramen aan de voorkant. De raam- en deurkozijnen waren bruin en de garagedeur was beschilderd met drie verticale rijen gele driehoeken op een bruine ondergrond. Bij de hoeken van het huis stonden spichtige groene heesters en de bloembedden langs het garagepad stonden vol uitgedroogde plantenstengels. Ik parkeerde aan de overkant van de straat ongeveer vier huizen verderop waar ik een goed zicht had op het garagepad. Als je op de uitkijk zit, is er altijd het risico dat een van de buren de politie belt om zijn beklag te doen over een verdacht voertuig dat voor zijn huis staat geparkeerd. Bij wijze van afleidingsmanoeuvre haalde ik twee oranje plastic pylonen uit de kofferbak en ik liep ermee naar de achterkant van de auto, waar ik de motorkap opendeed. Ik plaatste de pylonen een eindje verderop ten teken van motorpech, voor het geval er iemand nieuwsgierig mocht worden.

Ik stond naast de auto en liet mijn blik over de omringende huizen gaan. Er was niemand te zien. Ik stak de straat over naar Misty's voordeur en belde aan. Ik wachtte drie minuten en klopte toen op de deur. Geen reactie. Ik hield mijn oor tegen de deur. Stilte. Ik liep het garagepad op en bekeek de met een hangslot afgesloten garage, die met het huis in verbinding stond via een binnendoorgang. Allebei de ramen van de garage waren afgesloten en het glas was dichtgeschilderd. Ik liep om het huis heen. Een houten hek aan de achterkant gaf toegang tot een achtertuin die deprimerend kaal was. Geen spoor van huisdieren, geen speelgoed, geen tuinmeubilair, geen barbecue. De ramen die uitkeken op de patio waren donker. Ik hield mijn handen tegen het glas, tuurde naar binnen en zag een als kantoor ingericht vertrek, uitgerust met het gebruikelijke bureau plus draaistoel, een computer, een telefoon, en een kopieerapparaat. Geen spoor van Misty of Reba. Ik was teleurgesteld, omdat ik mezelf aangepraat had dat Reba bij haar logeerde. Wat nu?

Ik liep terug naar de auto en ging zitten wachten, terwijl ik de tijd doodde met het doorbladeren van het bedrijvengedeelte van het geleende telefoonboek. Toen dat me begon te vervelen, pakte ik de eerste van de drie pockets die ik speciaal voor dit doel had meegenomen. Het was een prettige bijkomstigheid dat het in de meeste huizen in de directe omgeving donker bleef, wat erop leek te duiden dat de bewoners aan het werk waren. Om tien over acht kwam er een Ford Fairlane aanrijden die vaart minderde en Misty's garagepad op draaide. In het vervagende daglicht was duidelijk te zien dat de bestuurderskant van de auto in de grondverf was gezet. Er stapte een vrouw uit, gekleed in een wit haltertopje, strakke spijkerbroek en op hoge hakken. Ze pakte twee grote boodschappentassen van de achterbank, liep naar de voordeur en liet zichzelf binnen. Ik zag diverse lampen aangaan terwijl ze door het huis liep. Dit moest Misty Raine wel zijn.

Tot dusver had niemand vraagtekens geplaatst bij mijn aanwezigheid in de straat. Ik stapte uit, pakte de oranje pylonen op en legde ze weer in de auto, om op alle eventualiteiten voorbereid te zijn. Ik las weer verder met behulp van een staaflantaarntje dat ik uit mijn tas opdiepte. Af en toe keek ik op, maar het bleef rustig in het huis en er ging niemand naar binnen of naar buiten. Om tien over halftien ging een krachtige buitenlamp aan, die het garagepad overspoelde met een hard wit licht. Misty kwam naar buiten, stapte in haar grote Ford en reed achteruit het garagepad af. Ze had de lichten in huis laten branden. Ik wachtte vijftien seconden, startte de VW en reed achter haar aan.

Toen we eenmaal bij de eerste kruising kwamen, was er voldoende verkeer om voor de nodige dekking te zorgen, hoewel ik niet geloofde dat ze enige reden had om te vermoeden dat ze gevolgd werd. Ze reed met een rustig gangetje en onthield zich van plotselinge of onverhoedse manoeuvres die erop zouden kunnen duiden dat ze zich zorgen maakte over de dertien jaar oude lichtblauwe VW die drie auto's achter haar reed.

We reden naar het centrum. Op East 4th sloeg ze rechts af en even later draaide ze een klein parkeerterrein op dat tussen een Aziatisch restaurant en een kleine supermarkt lag. Ik minderde vaart en zette mijn auto langs het trottoir. Ik liet de motor draaien terwijl ik mijn plattegrond van Reno uitspreidde en bestudeerde. Ik weet niet waarom ik me zoveel moeite getroostte om mijn werkelijke bedoeling te camoufleren. Misty scheen zich niet bewust van mijn aanwezigheid en verder was er sowieso niemand in Reno die het iets kon schelen of ik misschien verdwaald was. Ik zag haar het supermarktje binnen gaan en maakte van haar afwezigheid gebruik om mijn auto op hetzelfde parkeerterrein te zetten. Ik parkeerde zo dicht mogelijk bij de ingang. Elke plek was genummerd, en een bord aan de muur van de supermarkt vermeldde dat het hier betaald parkeren betrof. Plichtsgetrouw begaf ik me naar de parkeerautomaat en gooide er een paar dollar in. Ik werd zo in beslag genomen door dit vertoon van burgerlijke gehoorzaamheid dat ik Misty pas in het oog kreeg toen ze halverwege de straat was. Ze liep op een of andere reep te kauwen en ze had een slof sigaretten onder haar arm.

Haar bestemming bleek zich even verderop te bevinden, een uitgaansgelegenheid voor volwassenen, genaamd het Flesh Emporium. Onder de dubbele rij gloeilampen die de naam van de tent vormden, flitste een knipperende neonreclame: GIRLS, GIRLS, GIRLS... NAAKT, ONDEUGEND, EN PIKANT. En in kleinere letters: TATOEAGES EN PIERCINGS TERWIJL U WACHT. En nog kleiner: BOEKEN, VIDEO'S, LIVESHOWS. De portier gebaarde dat ze door kon lopen. Ik wachtte een poosje en stak toen de straat over. De entree was twintig dollar, een bedrag dat ik met tegenzin ophoestte terwijl ik bedacht hoe ik het op mijn onkostendeclaratie zou kunnen opvoeren.

Ik betrad een casino van bescheiden afmetingen waar een nevel van sigarettenrook hing. Overal knipperden lichtjes van wel honderd gokautomaten die ruggelings tegen elkaar aan waren geplaatst. Het lage, geluiddempende plafond was bezaaid met spotjes, beveiligingscamera's, rookalarms en sprinklerkoppen. Er zat bijna niemand aan de gokautomaten, maar verderop, voorbij de blackjacktafels, kon ik een schemerige bar onderscheiden met ernaast drie felverlichte podiums waarop naaktdanseressen zich kronkelend en paraderend onledig hielden met het tonen van lichaamsdelen. Niets van wat ze deden maakte een bijzonder ondeugende of pikante indruk op me. Ik nam plaats aan een tafeltje achterin, terwijl ik me niet bepaald op mijn gemak voelde. De meeste klanten waren mannen. Allemaal dronken ze en de meesten besteedden weinig of geen aandacht aan de parade van borsten en billen die zich voor hen voltrok.

Nergens een spoor van Misty, maar een serveerster met de naam Joy kwam naar mijn tafeltje en legde een cocktailservetje voor me neer. Lovertjes ter grootte van pepermuntjes onttrokken kuis haar tepels aan het oog van het publiek, en ze droeg een glinsterend vijgenblad over wat mijn tante Gin haar 'schaamdeel' zou noemen. Ik bestelde een flesje Bass, vanuit de gedachte dat de bedrijfsleiding dat onmogelijk zou kunnen aanlengen. Toen Joy terugkwam met het bier en een mandje geel gekleurde popcorn, voldeed ik de rekening van vijftien dollar en gaf haar vijf dollar fooi. 'Ik ben op zoek naar Misty. Is ze er?'

'Ze is zich net aan het verkleden. Ze komt zo wel opdagen. Bent u een vriendin van haar?'

'Zo'n beetje,' zei ik.

'Als u me vertelt hoe u heet, zal ik haar zeggen dat u er bent.'

'Ze kent me niet van naam. Een wederzijdse vriendin zei dat ik haar op moest zoeken als ik hier ooit in de buurt kwam.'

'Hoe heet die vriendin?'

'Reba Lafferty.'

'Lafferty. Ik zal het tegen haar zeggen.'

Ik dronk van mijn bier en at wat van de koude, taaie popcorn, blij met de afleiding aangezien ik niet echt geïnteresseerd was in het kijken naar kronkelende naakte vrouwen, ook al was het van een afstandje. Ik had me weelderige, showgirlachtige lijven voorgesteld, maar slechts een van de drie had de daarvoor vereiste tieten van voetbalformaat. Ik nam aan dat de andere twee daar nog voor aan het sparen waren.

Misty bleek zich niet zozeer verkleed als wel ontkleed te hebben. Ze droeg nu alleen nog maar een string en hoge hakken. Ze was lang en slungelachtig, met gitzwart haar, prominente sleutelbeenderen, en lange, dunne armen. Bij wijze van contrast waren haar borsten van indrukwekkende afmetingen, het soort waarvan je rugklachten krijgt en waarvoor je een beha nodig hebt met zulke strakke bandjes dat je er blijvende sporen op je schouders aan overhoudt, als in rots uitgesleten groeven. Niet dat een dergelijk lot mij ooit beschoren is geweest, maar ik heb vrouwen erover horen klagen. Ik kon me niet voorstellen dat iemand bewust met dergelijke joekels rond zou gaan zeulen. Haar ogen waren groot en groen met donkere wallen eronder die zelfs met een dikke laag make-up niet gecamoufleerd konden worden. Ik schatte haar op in de veertig.

'Joy zegt dat je een vriendin van Reba bent.'

Ik was niet op de hoogte van de etiquette met betrekking tot het begroeten van strippers, maar ik stond op en gaf haar een hand. 'Kinsey Millhone. Ik kom uit Santa Teresa.'

'Net als Reba,' zei ze. 'Hoe is het tegenwoordig met haar?'

'Ik hoopte dat jij me dat zou kunnen vertellen.'

'Sorry. Ik heb haar al in geen jaren meer gezien. Ben je hier op vakantie of zo?'

'Ik ben naar haar op zoek.'

Misty haalde haar schouders op. 'Voorzover ik weet zit ze nog steeds vast, in de vrouwengevangenis van Californië.'

'Inmiddels niet meer. Ze is de twintigste van deze maand vrijgekomen.'

'Meen je dat? Ik zal haar een briefje schrijven. Je kunt het zwaar te verduren krijgen in de echte wereld als je er niet meer aan gewend bent,' zei ze. 'Ik hoop dat ze het redt.'

'De vooruitzichten zijn niet al te gunstig. Aanvankelijk ging het goed, maar de laatste tijd gaat het beduidend minder.'

'Het spijt me dat te horen, maar waarom kom je daarmee naar mij toe?'

'Min of meer op goed geluk,' zei ik.

'Dat moet haast wel. Ik werk hier net een week. Ik begrijp niet hoe je erin geslaagd bent me te vinden.'

'Kwestie van eliminatie. Reba heeft me verteld dat je als exotische danseres werkte. Met een naam als de jouwe was het niet zo moeilijk.'

'Ach, kom nou. Weet je hoeveel striptenten er hier in de stad zijn?'

'Vijfendertig. Dit is de dertiende waar ik mijn geluk heb beproefd. Dat moet mijn geluksgetal zijn. Kunnen we even praten?'

'Waarover? Ik moet over twee minuten op. Ik heb tijd nodig om me te concentreren. Dit soort werk valt niet mee, tenzij je je hersens erbij houdt.'

'Ik zal je niet lang ophouden.'

Ze ging voorzichtig zitten en ik vroeg me af of de houten stoelzitting koud aanvoelde aan haar blote billen. Het kon niet echt een prettig gevoel zijn, maar ze gaf geen krimp. Ze zei: 'Wat wil je weten?'

'Ik heb gehoord dat ze hier in de stad is. Ik hoop haar te kunnen overreden om terug te gaan naar Californië voordat ze opgepakt wordt wegens overtreding van de bepalingen van haar voorwaardelijke invrijheidsstelling.'

'Dat gaat mij niets aan.'

'Ik heb gehoord dat jullie celgenoten waren.'

'Ongeveer een halfjaar. Ik kwam eerder vrij dan zij; nou ja, dat lijkt me wel duidelijk.'

'Ze heeft me verteld dat jullie contact met elkaar hebben gehouden.'

'Waarom ook niet? Het is een aardige meid en je kunt met haar lachen.'

'Wanneer heb je voor het laatst iets van haar gehoord?'

Ze deed alsof ze nadacht. 'Dat moet met kerst zijn geweest. Ik heb haar een kaart gestuurd en zij stuurde er een terug.' Ze wierp een blik achterom. 'Sorry dat ik er nu een eind aan moet maken, maar die muziek is het teken dat ik op moet.'

'Mocht ze nog contact met je opnemen, zeg haar dan dat ik in Reno ben. We moeten echt met elkaar praten.' Ik had de naam van mijn motel, het telefoonnummer, en mijn kamernummer op een stukje papier geschreven dat ik haar toestak terwijl ze overeind kwam.

Ze pakte het aan, hoewel ze geen plek had om het op te bergen, tenzij ze het tussen haar billen stak. 'Door wie word je betaald?'

'Door haar vader.'

'Leuke opdracht. Net zoiets als een premiejager, niet?'

'Het is meer dan een opdracht. Ik ben een vriendin en ik maak me zorgen over haar.'

'Daar zou ik niet wakker van liggen als ik jou was. Je kunt van Reba zeggen wat je wilt, maar ze kan haar eigen boontjes doppen.'

Ik keek haar na terwijl ze naar de bar liep. De twee halvemanen van haar achterste wiebelden nauwelijks terwijl ze liep, en ik kon haar dijbeenspieren zich bij elke stap zien spannen en weer ontspannen. Dit soort werk moest beter voor de conditie zijn dan aerobics, plus het feit dat ze geen sportschoolcontributie hoefde te betalen. Nadat ik eerst even gebruik had gemaakt van het damestoilet, ging ik terug naar mijn auto.

Ik startte de motor en zat met de portierraampjes omlaag gedraaid, terwijl ik om de tijd te doden luisterde naar de radio. Een uur later begon ik me zorgen te maken dat (1) mijn benzine op zou raken, of (2) dat ik zou stikken in mijn eigen uitlaatgassen. Ik zette de radio uit, evenals de motor en staarde naar de bakstenen muur voor me. Die vormde het perfecte scherm om recente herinneringen aan Cheney Phillips op te projecteren, waarschijnlijk niet zo'n heel goed idee omdat hij zich vele kilometers verderop bevond.

Ongemerkt doezelde ik weg. Het licht van de koplampen van een langsrijdende auto flitste over mijn voorruit en ik schrok wakker. Ik draaide mijn hoofd naar rechts terwijl Misty's auto achter me langs reed en vaart minderde. Ze reed het parkeerterrein af en sloeg rechts af. Ik startte de auto en volgde even later haar voorbeeld. Een blik op mijn horloge vertelde me dat het 04.00 uur was. Kennelijk draaide ze een dienst van zes uur in plaats van de gebruikelijke acht van de gemiddelde werknemer. Anderzijds vond ik het nauwelijks voorstelbaar dat iemand langer dan twee uur achtereen op hoge hakken kon paraderen.

Ik bewaarde zo veel mogelijk afstand tot de Ford Fairlane zonder hem helemaal uit het oog te verliezen. Er was nu minder verkeer op de weg en veel van de winkelpuien waren donker. De grote casino's deden nog steeds goede zaken. Misty stopte voor de ingang van het Silverado Hotel. De brede overkapping die de acht banen tellende oprit overdekte, was zo dicht bezaaid met gloeilampen dat de lucht leek te zinderen van kunstmatige hitte. Misty stapte uit en overhandigde haar autosleutels aan een parkeerbediende. De grote glazen deuren gleden automatisch open bij haar nadering en sloten zich weer achter haar.

Er stonden twee auto's tussen haar auto en de mijne. Ik stapte haastig uit en gooide mijn sleuteltjes naar een geïrriteerd kijkende parkeerbediende die met een collega stond te kletsen. 'Zou je de auto in de buurt kunnen houden? Je kunt twintig dollar verdienen. Ik ben waarschijnlijk zo weer terug.'

Zonder op antwoord te wachten, liep ik op een drafje naar de ingang en betrad de enorme lobby, waarin zich op dat tijdstip niet veel mensen bevonden. Ik keek snel om me heen. Geen spoor van Misty. Ze zou in een lift kunnen zijn gestapt, het damestoilet rechts van me of het casino recht vooruit kunnen zijn binnen gegaan. Maak een keuze, dacht ik bij mezelf. Ik stapte het casino in, waar een lichte nevel van sigarettenrook me als een tere sluier omhulde. De tinkelende geluiden en de riedeltjes van de gokautomaten klonken als een serie vallende muntstukken, het geluid van geld dat in een bodemloze put verdwijnt. De apparaten zelf straalden helder rood, groen, geel en diepblauw licht uit. Ik werd getroffen door het geduld van de weinige nachtelijke gokkers, als mieren die in de weer waren met bladluizen aan de onderkant van een blad.

Onder het lopen keek ik links en rechts, op zoek naar Misty, wier lengte en gitzwarte haren ongetwijfeld zouden opvallen. In het achtergedeelte bevonden zich restaurants. Ik zag een coffeeshop, een sushibar, een pizzeria, en een 'authentieke' Italiaanse bistro die zes soorten pasta en een verscheidenheid aan sauzen, inclusief een Caesarsalade, aanbood voor $ 2,99. Ik kreeg Misty in het oog in de lounge, hoewel mijn blik in eerste instantie langs haar heen gleed en bleef rusten op de man die tegenover haar aan het tafeltje zat. Hij was roodharig en broodmager, en zijn blozende gezicht zat onder de acnelittekens. Geen van beiden zag me. Zo onopvallend mogelijk betrad ik de lounge, die aan twee kanten open was. Ik ging een eindje verderop aan de bar zitten en keek toe terwijl de twee met elkaar in gesprek waren. De barman kwam op zijn gemak naar me toe en ik bestelde een glas chardonnay. Er waren op dat tijdstip niet veel klanten, en ik maakte me zorgen dat ik in mijn eentje de aandacht zou trekken.

In het casino barstte een luid gejuich en geschreeuw los, en even later kwam er een groepje van vijf vrouwen binnen, aangeschoten en triomfantelijk. Een van hen zwaaide met een emmertje vol kwartdollarmunten na het winnen van een jackpot van vijfhonderd dollar. Mijn gezichtsveld werd belemmerd door hun luidruchtige aanwezigheid, maar ze zorgden wel voor de nodige afleiding. Misty en de man waren in een langdurig gesprek gewikkeld en beiden bogen zich voorover terwijl ze iets wat op het tafeltje lag bestudeerden. Ten slotte, tevredengesteld, overhandigde ze hem een dikke witte envelop waarvan ik durfde wedden dat die een pak bankbiljetten bevatte. In ruil daarvoor stopte hij het betreffende voorwerp weer in een bubbeltjesenvelop en overhandigde die aan haar. Ik keek toe terwijl ze de envelop in haar tas stopte. Ik legde een biljet van vijf dollar naast mijn lege glas, klom van mijn barkruk en verliet de bar in afwachting van haar vertrek. Ik wachtte bij de liften tot ze aan kwam lopen en zich naar de uitgang haastte. Ik volgde haar op enige afstand.

Ze gaf de parkeerbediende haar ticket en terwijl ze op haar auto wachtte, liep ik een stukje naar links, waarbij ik mijn hoofd afgewend hield en haar mijn rug toe draaide. Mijn auto stond vlak bij de ingang geparkeerd. Ik vroeg om mijn sleutels, gaf de bediende zijn fooi en ging achter het stuur zitten. Twee minuten later werd haar auto voorgereden en de parkeerbediende stapte uit. Ze gaf hem een fooi en stapte in. Ik wachtte tot ze wegreed en volgde haar toen, ditmaal met slechts één auto tussen ons in. Zodra ik ervan overtuigd was dat ze op weg naar huis was, sloeg ik links af en nam een parallelweg waar ik er flink de vaart in zette. Ik arriveerde enkele seconden eerder dan zij, doofde de koplampen en zakte zo ver onderuit dat ik nog maar net over het stuur heen kon kijken. Ze parkeerde haar auto op het garagepad, stapte uit, liep naar haar voordeur en ging naar binnen.

Het licht boven de voordeur ging uit. Ik bleef nog een tijdje zitten, terwijl de verleiding steeds groter werd om terug te gaan naar mijn motel en in bed te kruipen. Het was zeer onwaarschijnlijk dat ze vannacht nog weg zou gaan. Ik was moe, ik verveelde me en ik had alweer honger. Ik stelde me een ontbijt voor in een dag en nacht geopende cafetaria: jus d'orange, een portie roerei met bacon, toast met boter en aardbeienjam. En daarna slapen. Er was nooit een garantie geweest dat Reba in Reno was. Ik had het erop gewaagd omdat het logisch leek, in aanmerking genomen wat ik van haar wist. Beide vrouwen hadden ongetwijfeld contact met elkaar gehad, waarom zou haar nummer anders voorkomen op Nord Lafferty's telefoonrekening? Maar dat zei nog niets over haar huidige verblijfplaats. Ik ging rechtop zitten en staarde naar Misty's halfdonkere huis en het smalle streepje licht dat aan de onderkant van haar garagedeur zichtbaar was.

Waarom zou ze haar auto op het garagepad laten staan als ze de beschikking over een garage had? Plotseling drong het voor de hand liggende antwoord zich aan me op. Als Misty alleen was, zou ze vermoedelijk niet twee volle boodschappentassen en een slof sigaretten in huis hebben gehaald. De boodschappen zouden nog voor de hele week kunnen zijn, maar ze rookte niet. Gedurende de tijd dat we hadden zitten kletsen, zouden de meeste rokers wel een excuus gevonden hebben om er een op te steken. In feite was het dat dunne streepje licht onder aan de garagedeur dat mijn nieuwsgierigheid wekte. Ik stapte uit de auto en stak de straat over.

27

Eerst keek ik door de ramen van de garage. Krassen in de bruine verf waarmee het glas dichtgeschilderd was, onthulden een geïmproviseerde logeerkamer: een stoel, een ladekast, een tweepersoonsbed, en een lamp op een verhuisdoos die als bijzettafeltje fungeerde. Het verfomfaaide beddengoed duidde erop dat de ruimte momenteel in gebruik was, wat nog eens bevestigd werd door de rode katoenen trui op het voeteneinde van het bed, die ik herkende als een trui van Reba. Een grijze koffer lag open op de vloer bij de ladekast. De opengeritste weekendtas stond op de stoel met kledingstukken die er half uit hingen.

Ik liep om het huis heen, zoals ik al eerder had gedaan. De klink van het houten hek maakte nauwelijks geluid toen ik de achtertuin in stapte en het verlichte raam vanaf de zijkant naderde. Ik dook ineen en gluurde over de vensterbank. Reba en Misty zaten samen aan het bureau met hun rug naar me toe. Ik kon niet zien wat ze aan het doen waren en hun stemmen waren te gedempt om te kunnen horen waar ze het over hadden, maar voorlopig was het genoeg om te weten dat Reba zich binnen mijn bereik bevond.

Ik stelde mezelf de vraag of ik naar mijn motel durfde terug te keren zonder de confrontatie met hen aan te gaan. Ik verlangde verschrikkelijk naar mijn bed, maar ik was bang dat als ik tot de volgende ochtend zou wachten, een of beide vrouwen verdwenen zou zijn. Natuurlijk zou ik elke keer dat ik Reba uit het oog verloor, geconfronteerd worden met hetzelfde dilemma. Voorlopig voelde ik er weinig voor om afstand te doen van het enige voordeel dat ik had, namelijk dat ik wist waar ze was, terwijl zij niet wist dat ik dat wist.

Terwijl ik toekeek, verzamelde Misty de spullen die ze hadden zitten bekijken en stopte ze in de bubbeltjesenvelop die ik al eerder had gezien. Reba liep de kamer uit en Misty liep achter haar aan, waarbij ze en passant het licht uitdeed. Ik liep naar de voorkant van het huis en hield me op in de schaduw van de heesters. Tien minuten later ging het licht in de woonkamer uit. Ik liep stilletjes langs de voorkant van het huis naar het garagepad. Er ging nog eens een kwartier voorbij en toen verdween ook het streepje licht onder de garagedeur. Ik nam aan dat beide dames hun bed hadden opgezocht.

Ik reed terug naar mijn motel door een stad die weliswaar klaarwakker maar toch rustig was. De zon zou pas over een uur of zo opkomen, maar de hemel had inmiddels al een parelgrijze tint aangenomen. Ik parkeerde, nam de trap naar de eerste verdieping en maakte mijn deur open. De kamer was ongezellig maar redelijk schoon, zolang je je niet met een vergrootglas op handen en knieën liet zakken. Ik kleedde me uit, nam een lange hete douche, en trok daarna zo goed en kwaad als het ging de gordijnen dicht. Die waren van een zwaar soort plastic, donkerrood, en uiterst smaakvol gevelouteerd. Voeg daaraan toe vinylbehang met zilverkleurige en zwarte bliksemflitsen en je had een ronduit verbazingwekkend decor. Ik sloeg de roze chenille sprei terug en kroop tussen de lakens, deed het licht uit en viel als een blok in slaap.

Op een gegeven moment stootte mijn onderbewustzijn me zachtjes aan. Ik herinnerde me dat Reba me had verteld hoe bedreven Misty was in het vervalsen van paspoorten en andere nepdocumenten. Was dat misschien de reden van Misty's ontmoeting met die knaap in het Silverado? Zelfs in mijn slaap voelde ik een onbestemde angst. Misschien was Reba van plan ervandoor te gaan.

Om tien uur de volgende ochtend ging de telefoon. Ik pakte de hoorn en hield hem tegen mijn oor zonder mijn hoofd te bewegen. 'Ja.'

'Kinsey, je spreekt met Reba. Heb ik je wakker gemaakt?'

Ik draaide me op mijn rug. 'Dat maakt niet uit. Ik ben blij dat je belt. Hoe is het met je?'

'Goed, totdat ik hoorde dat jij ook in de stad was. Hoe heb je me gevonden?'

'Ik heb jou niet gevonden, ik heb Misty gevonden,' zei ik.

'Hoe heb je dat voor elkaar gekregen?'

'Speurwerk, liefje. Dat is wat ik doe voor de kost.'

'O. Dat verbaast me.'

'Hoezo?'

'Ik nam aan dat pa je in kon huren omdat je een amateur was. Je had kennelijk niet veel werk, waarom zou je anders zo'n stomme opdracht aannemen? Zijn dochter uit de gevangenis ophalen en thuis afleveren?'

'Bedankt, Reeb. Heel sympathiek van je.'

'Ik wil maar zeggen dat ik het mis had. Om je de waarheid te zeggen, ik schrok me een ongeluk toen Misty zei dat jij was komen opdagen. Ik snap nog steeds niet hoe je hem dat geflikt hebt.'

'Ik heb zo mijn methoden. Ik hoop dat je voor iets belangrijkers belde dan om me geluk te wensen met het feit dat ik minder incompetent ben dan je dacht.'

'We moeten praten.'

'Zeg maar waar en wanneer.'

'We zijn tot twaalf uur vanmiddag bij Misty thuis.'

'Prima. Geef me het adres maar, dan kom ik zo naar jullie toe.'

'Ik dacht dat je het adres inmiddels al wel zou hebben.'

'Tja, ik ben ook weer niet volmaakt,' zei ik, hoewel ik dat in feite natuurlijk wel was. Ze gaf me het adres en ik deed alsof ik het noteerde.

Zodra ze opgehangen had, kwam ik mijn bed uit en liep naar het raam. Ik duwde de gordijnen opzij en kneep even mijn ogen dicht tegen de felle woestijnzon. Mijn kamer keek uit op de achterkant van een ander armoedig motel van twee verdiepingen, dus qua uitzicht viel er niet veel te beleven. Door mijn voorhoofd tegen het glas te drukken, kon ik de neonreclame van het casino verderop in de straat nog steeds uitnodigend zien knipperen. Hoe kon iemand drinken of gokken op dit tijdstip?

Ik poetste mijn tanden en nam weer een douche, in een poging mezelf op gang te krijgen. Ik kleedde me aan, ging op de rand van het bed zitten en draaide het nummer van Reba's vader. Freddy nam op, vertelde hem dat ik aan de lijn was en hij nam het gesprek aan in zijn kamer. Zijn stem klonk zwak. 'Hallo, Kinsey. Waar ben je?'

'In het Paradise. Dat is een motel in Reno. Ik dacht dat ik u maar even bij moest praten. Reba heeft zojuist gebeld. Ik ga zo dadelijk naar Misty's huis om met haar te praten.'

'Dus je hebt haar gevonden. Daar ben ik blij om. Dat heb je snel gedaan.'

'Ik heb vals gespeeld. Iemand gaf me Misty's adres voordat ik uit Santa Teresa vertrok. Ik heb haar huis urenlang in de gaten gehouden, maar ik dacht niet dat Reba daar was. Misty heeft een veelbelovende carrière als naaktdanseres in een striptent genaamd het Flesh Emporium. Ik ben haar gevolgd naar haar werk en heb even met haar gepraat voordat ze op moest treden. Toen ik naar Reba informeerde, vertrok ze geen spier. Ze beweerde glashard dat ze sinds afgelopen Kerstmis geen contact meer met elkaar hadden gehad. Ik gaf haar het telefoonnummer van mijn motel en wis en waarachtig, Reba belde me.'

'Ik hoop dat je haar zult kunnen overreden om terug naar huis te komen.'

'Ja, dat hoop ik ook. Wens me maar succes.'

'Je kunt me bellen wanneer je maar wilt. Ik waardeer de inspanningen die je je voor haar getroost.'

'Ik ben blij dat ik me verdienstelijk kan maken.'

We praatten nog wat en ik stond op het punt een eind aan het gesprek te maken toen ik een zachte klik hoorde. Ik zei: 'Hallo?'

'Ik ben er nog.'

Ik aarzelde. 'Is Lucinda er?'

'Ja. Ze is beneden. Wilde je haar spreken?'

'Nee, nee. Ik was alleen maar nieuwsgierig. Ik bel u weer zodra ik weet hoe de zaak ervoor staat.'

Nadat ik opgehangen had, bleef ik even naar de telefoon zitten staren. Ik was er bijna zeker van dat Lucinda meegeluisterd had. Freddy zou zich nooit schuldig maken aan een dergelijke indiscretie. Lucinda, daarentegen, was duidelijk iemand die zich overal mee moest bemoeien, die van alles op de hoogte wilde zijn zodat ze de touwtjes in handen had. Ik herinnerde me hoe ze geprobeerd had me informatie te ontfutselen, hoe verontwaardigd ze was geweest toen ze uit Nords kamer buitengesloten was toen hij en ik met elkaar overlegden. Onder het mom van o zo bezorgd te zijn, had ze danig huisgehouden in Reba's leven, en dat zou ze opnieuw doen als ze de kans kreeg. Ze was het soort vrouw dat je niet graag de rug toekeert als je een kamer verlaat.

Ik stak het parkeerterrein van het motel over naar de McDonald's, waar ik drie grote bekers koffie, drie bekers jus d'orange, drie porties aardappelbolletjes en drie Egg McMuffins om mee te nemen bestelde. Volgens mijn berekeningen zouden Misty, Reba en ik – aangenomen dat we ons bord leeg aten – elk 680 calorieën, 85 gram koolhydraten, en 20 gram vet tot ons nemen. Ter afronding voegde ik nog drie kaneelbroodjes aan mijn bestelling toe.

Ik reed naar Misty's huis, waar ik mijn auto op het garagepad parkeerde. Reba stond me al op te wachten toen ik aanklopte. Ze was blootsvoets en droeg een rode korte broek en een witte tanktop zonder beha. Ik stak haar de zak van McDonald's toe. 'Een zoenoffer.'

'Waarvoor?'

'Omdat ik inbreuk heb gemaakt op je persoonlijke levenssfeer. Ik ben waarschijnlijk de laatste persoon ter wereld die je wilde zien.'

'De op een na laatste, na Beck. Kom nou maar binnen,' zei ze. Ze pakte de zak van me aan en liep door de gang naar de keuken, het aan mij overlatend om de voordeur dicht te doen. In het voorbijgaan wierp ik even een blik in de woonkamer. Het vertrek was spaarzaam gemeubileerd: een kale linoleumvloer, een salontafel van houtlaminaat, zo'n bank met bruine wollen bekleding die je tot een bed kunt uitklappen. Een stoel met dezelfde bekleding, een bijzettafeltje, een lamp met een geplooide lampenkap. De volgende kamer aan de rechterkant van de gang was de kantoorruimte die ik had gezien. Ertegenover bevond zich een slaapkamer van bescheiden afmetingen.

Misty zat aan de keukentafel in een zwarte, satijnen ochtendjas die met een ceintuur rond de taille bijeengehouden werd. Het scheelde niet veel of haar borsten puilden uit de halsopening. Het verbaasde me dat het gewicht ervan haar niet uit haar evenwicht bracht zodat ze voorover in haar bord viel.

Er lag een brandende sigaret in de asbak die Reba voor zich had staan. Ze dronk een Bloody Mary.

Ook dat nog, dacht ik bij mezelf.

'Wil jij er ook een?'

'Waarom niet? Het is per slot van rekening al na tienen,' zei ik. Ik stak mijn hand in de McDonald's-zak en stalde de lekkernijen op de keukentafel uit terwijl Reba een borrel voor me inschonk en het glas voor me neerzette. Ik keek Misty aan. 'Neem jij geen borrel?'

'Hier zit bourbon in,' zei ze, terwijl ze met een roodgelakte nagel naar haar koffie wees.

Ik ging zitten en deelde porties aardappelbolletjes en Egg McMuffins rond, terwijl ik de kaneelbroodjes, de jus d'orange, en de koffie midden op de tafel liet staan. 'Sorry als ik direct aanval, maar ik sterf van de honger.' Geen van beiden scheen er aanstoot aan te nemen dat ik aan mijn Egg McMuffin begon.

Gedurende enkele gelukzalige minuten werd er door ons drieën alleen maar gegeten. Het leek me dat de zaken wel even konden wachten. Ik had trouwens überhaupt geen idee waar we eigenlijk mee bezig waren.

Reba was het eerst klaar. Ze veegde haar mond af met een papieren servet dat ze tot een prop verfrommelde en in haar hand hield. 'Hoe is het met pa?'

'Niet al te best. Ik hoop je te kunnen overreden om terug naar huis te gaan.'

Ze nam een trek van haar sigaret. Het huis voelde kil aan en ik verbaasde me over haar blote armen en benen. Ik nam een slokje van de Bloody Mary, voornamelijk wodka met een klein scheutje tomatensap, als menstruatiebloed in de toiletpot. Ik keek bijna scheel toen ik de brandende vloeistof door mijn slokdarm voelde glijden. Ze zei: 'Weet Holloway het?'

'Wat? Dat je de staat verlaten hebt? Ik neem aan van wel. Cheney vertelde me dat hij contact met haar zou opnemen.'

'Gelukkig dan maar dat ik hier in elk geval een hoop lol heb.'

'Mag ik je vragen waarom je ervandoor bent gegaan?'

'Ik had geen zin meer om een braaf meisje te zijn.'

'Dat moet een record zijn. Je hebt het tien dagen volgehouden.'

Ze glimlachte. 'In werkelijkheid was ik helemaal niet zo braaf, maar ik begon me evengoed te vervelen.'

'Is Misty op de hoogte?'

'Je bedoelt of we kunnen praten waar zij bij is? Ze is mijn beste vriendin. Je kunt vrijuit praten.'

'Je hebt al het geld erdoorheen gejaagd, niet? Salustio's 25.000 dollar.'

'Niet alles,' zei ze.

'Hoeveel?'

Ze haalde haar schouders op. 'Iets meer dan twintigduizend. Nou ja, misschien meer in de buurt van de tweeëntwintig. Ik heb nog een paar duizend over. Ik neem aan dat het geen zin heeft om met hem te praten als ik de rest niet heb. Wat moet ik? Hem kleine maandelijkse aflossingen aanbieden totdat ik de schuld helemaal heb afbetaald?'

'Je zult íéts moeten doen. Hoelang denk je dat je iemand als Beck kunt ontlopen?'

'Maak je nou maar geen zorgen. Ik ben ermee bezig. Ik bedenk wel iets. En trouwens, misschien zit ik wel weer in de bak voordat hij me te pakken krijgt.'

'Dat is een positieve gedachte,' zei ik. 'Ik begrijp niet waarom je niet terug kunt gaan naar Santa Teresa om met Vince te praten. Er is nog steeds een kans dat de FBI je kan matsen.'

'Ik hoef niet gematst te worden door de FBI. Ik heb een ander potje op het vuur staan.'

Ik wendde me tot Misty. 'Ze is niet goed wijs, oké? Ik bedoel, hoe gek kun je zijn?'

'Laat haar nou maar met rust. Het is nou eenmaal zo dat je alleen jezelf kunt redden.'

'In dat opzicht moet ik het wel met je eens zijn,' zei ik, en toen tegen Reba: 'Hoor eens, ik wil alleen maar dat je mee teruggaat naar Santa Teresa voordat de pleuris uitbreekt.'

'Dat begrijp ik.'

'Dus laten we het volgende afspreken. Je weet waar ik logeer. Ik blijf hier tot morgenochtend zeven uur. Als ik tegen die tijd niets van je gehoord heb, rij ik in mijn eentje terug naar huis. Maar ik moet je waarschuwen, op dat moment bel ik de politie van Reno en vertel ze waar ze jou kunnen vinden. Redelijk?'

'Nou, bedankt. Noem je dat redelijk? De politie van Reno op mijn dak sturen?'

'Een beter aanbod kan ik je niet doen. Je zou er goed aan doen om zo veel mogelijk tijd met je vader door te brengen nu het nog kan.'

'Dat is ook de enige reden waarom ik terug zou gaan, aangenomen dat ik dat doe.'

'Je motief interesseert me niet, zolang je maar mee teruggaat.'

Ik reed terug naar het motel waar ik een van de prettigste dagen sinds tijden doorbracht. Ik las het eerste boek uit en begon aan het tweede. Ik deed een dutje. Om halfdrie liet ik McDonald's links liggen en at in een concurrerend fastfoodrestaurant. Daarna had ik eigenlijk een eind willen wandelen, maar het interesseerde me niet echt wat er allemaal te zien was. Reno is waarschijnlijk een zeer levendige stad, maar het was een bloedhete dag en mijn kamer mocht dan wel wat deprimerend zijn, het was er in elk geval uit te houden. Ik trok mijn schoenen uit en las nog wat. Rond etenstijd belde ik Cheney en vertelde hem hoe de zaken ervoor stonden.

Ik ging om tien uur naar bed en stond de volgende ochtend om zes uur op, nam een douche, kleedde me aan en pakte mijn weekendtas in. Toen ik bij mijn auto kwam, zat Reba op haar koffer te wachten met de weekendtas aan haar voeten. Ze had dezelfde rode korte broek en witte tanktop aan die ze de vorige ochtend gedragen had. Blote benen. Slippers.

Ik zei: 'Dat is een verrassing. Ik had je eerlijk gezegd niet verwacht.'

'Ja, nou ja, het kwam voor mezelf eigenlijk ook als een verrassing. Ik ga met je mee op één voorwaarde.'

'Geen voorwaarden, Reba. Je gaat mee of je gaat niet mee. Ik ben niet van plan met je te gaan onderhandelen.'

'Hé, kom op. Luister nou even naar me. Het heeft niets om het lijf.'

'Oké, wat?'

'Ik moet een tussenstop maken in Beverly Hills.'

'Ik wil geen omweg maken. Waarom Beverly Hills?'

'Ik moet iets afgeven in het Neptune Hotel.'

'Het Neptune op Sunset?'

'Inderdaad. Ik zweer dat het nauwelijks tijd zal kosten. Dat is toch niet zoveel gevraagd? Hè, toe?'

Ik onderdrukte mijn irritatie, dankbaar dat ze überhaupt mee terug wilde gaan. Ik maakte het portier aan de passagierskant open, klapte de rugleuning van de stoel naar voren en gooide mijn weekendtas achterin. Terwijl Reba haar twee stuks bagage inlaadde, zag ik dat haar weekendtas voorzien was van een label van United Airlines en een kleine groene sticker die aangaf dat de tas de veiligheidscontrole was gepasseerd. Ik had het dus bij het rechte eind gehad in mijn veronderstelling dat ze naar Reno was gevlogen.

'We kunnen maar beter een stevig ontbijt nemen voor we op weg gaan. Ik trakteer,' zei ze.

We hadden de McDonald's voor onszelf. We propten ons vol met de gebruikelijke zaken, hoewel ik nog tijdens het eten besloot junkfood voor de rest van mijn leven af te zweren, of ten minste tot de lunch. Na ons kwamen er nog twee mannen binnen en niet veel later begon de zaak vol te lopen met mensen op weg naar hun werk. Tegen de tijd dat we na een bezoek aan het damestoilet in de auto stapten, was het vijf over zeven. Ik tankte bij het dichtstbijzijnde Chevron-station en even later reden we de stad uit. 'Als je in mijn auto rookt, vermoord ik je,' zei ik.

'Jezus nog aan toe.'

Reba ontfermde zich over de wegenkaart. Ze dirigeerde me naar de 395, die in zuidelijke richting naar Los Angeles liep. Op de een of andere manier wist ik gewoon dat de omweg buitengewoon irritant zou zijn, maar ik voelde me zo opgelucht dat ze bij me in de auto zat, dat ik er verder maar geen ophef over wilde maken. Misschien was ze eindelijk tot het inzicht gekomen dat ze verantwoordelijkheid voor haar eigen leven moest nemen. Onberekenbaar als ze was, leek het me het beste mijn observaties en meningen voor me te houden.

Er werd niet veel gesproken. Het probleem in de omgang met mensen die stuurloos zijn, is dat je zo weinig keuzen hebt; twee om precies te zijn: (1) je kunt voor hulpverlener spelen, vanuit de gedachte dat misschien niemand (behalve jijzelf) ooit dat zeldzame staaltje wijsheid te berde heeft gebracht dat iemand eindelijk het licht doet zien. Of (2) je kunt de aanklager spelen, vanuit de gedachte dat een flinke dosis realiteit (eveneens door jou verzorgd) de betreffende persoon ertoe zal brengen haar leven drastisch om te gooien. In beide gevallen zit je ernaast, maar de verleiding om een van beide rollen op je te nemen, is zo sterk dat je je echt moet inhouden om niet met preken en het opgeheven vingertje te komen. Ik hield mijn mond, maar het kostte me wel de nodige moeite. Gelukkig hield ze zich rustig, misschien omdat ze zich bewust was van mijn worsteling om me met mijn eigen zaken te bemoeien.

28

Onderweg zocht Reba net zolang op de autoradio tot ze een zender had gevonden die niet klonk alsof hij van Mars uitzond. We luisterden naar countrymuziek terwijl ik een soort tikkertje speelde met steeds dezelfde drie auto's: een pick-up met camperopbouw, een camper, en twee studenten in een verhuisbusje. Af en toe haalden een of twee van die voertuigen me in en dan haalde ik er weer een in, een soort gemotoriseerd haasje-over. In mijn achterhoofd vroeg ik me af of we misschien gevolgd werden, maar ik kon me niet voorstellen hoe Beck of Salustio ons op het spoor zou kunnen komen.

Waar de 395 en Highway 14 elkaar kruisten, reden de knapen in het verhuisbusje rechtdoor terwijl wij Highway 14 in zuidwestelijke richting namen, die na verloop van tijd aansloot op de San Diego Freeway die recht naar het zuiden liep. Inmiddels was de camper verdwenen en zag ik ook de pick-up met de camperopbouw niet meer. Evengoed bleef ik me nerveus voelen.

Het was bijna drie uur toen ik de afslag naar Sunset Boulevard nam. Aan het eind van de afrit sloeg ik links af en vervolgde mijn weg in oostelijke richting, via Bel Air naar Beverly Hills. Reba speelde voor navigator, hoewel dat eigenlijk helemaal niet nodig was. Een eindje voorbij Doheny doemde het Neptune Hotel op, een art-decowonder dat op het oog een vage gelijkenis vertoonde met het Empire State Building. Ik had een artikel over het hotel gelezen in een nummer van het *Los Angeles Magazine*. Het complex was recentelijk uitgebreid met een groot stuk grond aan weerszijden, wat de aanleg van een indrukwekkende entree en aanvullende parkeerruimte voor de gasten mogelijk had gemaakt. Een naamsverandering en de vele miljoenen dollars kostende renovatie hadden het oude hotel weer een vooraanstaande positie bezorgd. Nu was het de populaire nieuwe bestemming voor rocksterren, acteurs en naïeve toeristen die hoopten voor hip te worden aangezien.

Ik reed de brede, halfronde oprijlaan op en nam mijn plaats in als zesde in de rij achter twee verlengde limo's, een Rolls, een Mercedes, en een Bentley. Het was duidelijk inchecktijd. Een parkeerbediende en twee of drie geüniformeerde piccolo's verdrongen zich rond elk van de voertuigen om de gasten te helpen bij het uitstappen en koffer na koffer uit geopende bagageruimten te tillen en op koperen bagagekarren te deponeren. Een portier in livrei en met witte handschoenen aan wenkte een taxi die me links passeerde en voor me kroop. Twee als zwervers geklede hotelgasten stapten in en de taxi trok op.

Reba zei: 'Dit is belachelijk. Zal ik gewoon maar even naar binnen hollen?'

'Geen sprake van. Ik wil je niet uit het oog verliezen.'

'Ach, doe me een lol,' zei ze. 'Wat denk je nou, dat ik stiekem via de achterdeur verdwijn en jou hier laat zitten?'

Aangezien dat precies was wat ik dacht, nam ik niet de moeite om antwoord te geven. Toen het onze beurt was, overhandigde ik de sleuteltjes aan de parkeerbediende terwijl Reba hem een stralende glimlach toewierp en hem een opgevouwen bankbiljet in de hand stopte. 'Hallo, hoe is het ermee? We zijn zo weer terug.'

'Ik zal zorgen dat de auto klaarstaat.'

'Bedankt.' Ze liep naar de ingang en de knaap werd zozeer in beslag genomen door haar wiegende borsten en haar slanke blote benen onder de rode korte broek dat hij de autosleuteltjes bijna uit zijn handen liet vallen.

De lobby van het hotel was een allegaartje van donkergroen marmer en spiegels, armluchters, kandelabers, en potpalmen. De vloerbedekking was uitgevoerd in groene en blauwe tinten, gestileerde golven, deel uitmakend van het nautische motief. Niet verrassend was de Romeinse god Neptunus afgebeeld in een serie indrukwekkende bas-reliëfpanelen, uitgevoerd in met goudverf beschilderd stucwerk, waarop hij zijn strijdwagen over de wateren reed, zijn drietand schudde om vloedgolven te bedwingen en een maagd redde van een sater. Kunstlicht gloeide op vanuit een uit vijf lagen bestaande glazen fontein. De stoelen waren van lichtgekleurd hout, de bijzettafeltjes waren zwartgelakt. Een brede marmeren trap liep met een bocht naar de entresol, waar ik zwarte piëdestals in groene nissen zag staan, elk voorzien van een vaas met verse bloemen.

Langs de gewelfde wanden van de lobby stonden banken die bekleed waren met een materiaal dat wuivend zeegras nabootste. Er klonk swingmuziek, zo zacht dat het nauwelijks te horen was. Er hadden zich twee rijen gevormd voor de in marmer uitgevoerde receptie, gasten die aan het inchecken waren, berichten ophaalden, met het personeel in gesprek waren.

Reba bleef even staan om zich te oriënteren en zei toen: 'Wacht hier maar even.'

Ik nam plaats in een fauteuil, een van een groepje van vier dat rond een salontafel met geëtst glazen blad stond opgesteld. In het midden stond een kristallen schaal waarin gardenia's dreven. Ik keek haar na terwijl ze naar de gerant liep, een man van middelbare leeftijd in smoking achter een fraai bureau van ingelegd hout, afgezet met chroom en voorzien van een groen glazen blad, dat van onderaf subtiel werd verlicht. Ze haalde een dikke bruine envelop uit haar tas, schreef iets op de voorkant en overhandigde de envelop aan de gerant. Nadat ze enkele woorden hadden gewisseld, legde hij de envelop op een plank tegen de wand achter zijn bureau. Ze vroeg hem iets. Hij raadpleegde zijn paperassen en haalde een witte envelop te voorschijn die hij aan haar overhandigde. Ze stopte hem in haar tas, liep toen naar de huistelefoon en nam de hoorn op. Ze praatte even met iemand en kwam toen naar me terug. 'We ontmoeten elkaar in de cocktailbar.'

'O, joepie. Mag ik mee?'

'Doe niet zo bijdehand. Natuurlijk.'

De cocktailbar bevond zich aan de andere kant van de lobby, tegenover de liften. De bar zelf was een halvemaanvormige schemerige ruimte, bekleed met glazen panelen waarop koraalriffen, zeedieren en godinnen in diverse stadia van ontkleding waren geëtst. De indirecte verlichting werd aangevuld door een votiefkaars in het midden van elk tafeltje. Er zat vrijwel niemand, maar ik had zo'n idee dat de bar binnen het uur vol zou beginnen te lopen met hotelgasten, filmsterretjes, prostituees en plaatselijke zakentypes.

Reba nam een tafeltje vlak bij de deur. Het was pas tien over drie, maar Reba kennende zou ze ongetwijfeld aan een drankje toe zijn. Een serveerster in een nauwsluitend goudkleurig satijnen gilet, bijpassende shorts en goudkleurige netkousen, bracht een bestelling naar een naburig tafeltje en kwam daarna naar het onze toe.

Reba zei: 'We verwachten nog iemand.'
'Wilt u nu alvast bestellen of wilt u liever nog even wachten?'
'Nu maar.'
De serveerster keek mij aan.
'Koffie, graag,' zei ik, met de rit die ik nog voor de boeg had in gedachten. Het was zaterdag, dus we zouden in elk geval geen last hebben van spitsuurverkeer, maar evengoed zouden we nog wel een uur of twee onderweg zijn, na de zevenenhalf die we er al op hadden zitten.
'En voor u?'
'Een wodka-martini met drie olijven en een dubbele whisky voor mijn vriend.'
De serveerster liep terug naar de bar.
'Ik snap het niet,' zei ik. 'Je weet dat je niet mag drinken. Als Holloway erachter komt, ben je nog niet jarig.'
'Ach, kom. Ik gebruik geen drugs.'
'Maar verder doe je zo'n beetje alles wat God verboden heeft. Is je vrijheid je dan niets waard?'
'Hé, zal ik je eens wat zeggen? Ik was vrij toen ik in de bajes zat. Ik dronk niet, ik rookte niet, ik gebruikte geen drugs, en ik legde het niet aan met stomme hufters. Weet je wat ik daar deed? Ik heb een computercursus gevolgd. Ik heb stoelen leren bekleden, iets waarvan ik wel zeker weet dat jij het niet kunt. Ik heb boeken gelezen en vriendschap gesloten met vrouwen die hun leven voor me zouden willen geven. Ik realiseerde me pas hoe gelukkig ik daar was toen ik weer in deze klotewereld terechtkwam. Holloway kan wat mij betreft de boom in. Ze ziet maar wat ze doet.'
'Mij best. Het is jouw leven,' zei ik.
Reba staarde gemelijk naar de liften recht tegenover ons. Boven elke lift bevond zich een ouderwetse koperen halvemaan met een bewegende koperen pijl die de op- of neergaande beweging van de lift aangaf. Ik zag dat de laatste lift van de rij even stil bleef staan op de zevende verdieping en toen naar beneden kwam. De deuren gleden open en Marty Blumberg stapte naar buiten. Reba zwaaide en hij liep onze kant op. Toen hij bij ons tafeltje kwam, hield ze haar hoofd schuin zodat hij haar op de wang kon kussen. 'Je ziet er goed uit,' zei hij.
'Dank je. Jij ook.'
Marty trok een stoel bij en keek mij aan. 'Leuk je weer te zien,' zei hij. Hij richtte zijn aandacht weer op Reba. 'Alles in orde?'

'Ja zeker. Ik heb iets voor je achtergelaten bij de gerant. Bedankt hiervoor,' zei ze, terwijl ze op haar tas klopte.
Hij stak zijn hand in de zak van zijn colbert en haalde een bagagereçu te voorschijn dat hij over het tafeltje naar haar toeschoof.
'Waar is dat voor?'
'Verrassing. Een klein extraatje,' zei hij.
Reba bekeek het reçu en stopte het toen in haar tas. 'Ik hoop dat het iets leuks is.'
'Ik denk dat je het wel op prijs zult stellen,' zei hij. 'Hoe zit het met je tijdschema? Kun je lang genoeg blijven om met me te dineren?'
Ik deed mijn mond open om bezwaar te maken, maar Reba verraste me door te zeggen: 'Nee, beter van niet. Kinsey wil graag naar huis. Misschien een andere keer.'
'We zien wel.'
Marty haalde een pakje sigaretten te voorschijn en legde het op het tafeltje. Zonder het te vragen pakte Reba er een en stak hem tussen haar lippen. Marty pakte een doosje hotellucifers van het tafeltje, stak er een aan, gaf haar vuur en stak er toen zelf ook een op.
De serveerster kwam terug met onze bestelling en legde de rekening naast Marty's elleboog. Reba nam een slokje martini en sloot haar ogen, zo duidelijk genietend van de smaak van de wodka dat ik het bijna zelf kon proeven. Zij en Marty begonnen een onsamenhangend gesprek. Af en toe werd ik er even bij betrokken, maar het was alleen maar gebabbel over onderwerpen die voorzover ik kon beoordelen niet veel om het lijf hadden. Ik dronk twee koppen koffie terwijl zij hun borrel achteroversloegen en nog een rondje bestelden. Geen van beiden toonde ook maar het geringste teken van lichte dronkenschap. Marty's gezicht was wat roder dan eerst, maar hij had zichzelf volledig in de hand. Uiteindelijk begon hun sigarettenrook me op de zenuwen te werken. Ik excuseerde me en ging naar het damestoilet, waar ik zo lang als ik maar durfde bleef zitten alvorens terug te gaan naar het tafeltje. Ik ging weer zitten en wierp een besmuikte blik op mijn horloge. We zaten hier nu al drie kwartier en ik wilde wel weer eens gaan rijden.
Reba boog zich voorover en legde een hand op Marty's arm. 'We moeten er onderhand weer eens vandoor. Ik ga nog even naar de wc en dan zie ik jullie zo wel bij de liften.' Ze sloeg het laatste restje van haar borrel achterover en liep kauwend op een olijf in de richting van het damestoilet.

Marty vroeg de serveerster om de drankjes op rekening van kamer 817 te zetten en gaf haar een fooi. 'Hoelang ben je hier al?' vroeg ik.

'Twee dagen.'

'Ik neem aan dat je niet met ons mee terugrijdt.'

'Ik dacht het niet,' zei hij geamuseerd.

Zelf zag ik er de humor niet van in, maar wat het ook was wat hij en Reba samen bekokstoofd hadden, hij had er een zelfvoldaan gevoel aan overgehouden.

'Hoe zat het nou met je telefoon? Werd die afgeluisterd of niet?'

'Weet ik niet. Ik vond het beter om niet te blijven afwachten tot ik daarachter kwam.'

Hij stak de kopie van het bonnetje in zijn zak, stond toen op en schoof hoffelijk mijn stoel achteruit. We liepen in de richting van de liften waar we zwijgend op Reba wachtten. Aan de overkant van de lobby zag ik haar uit het damestoilet te voorschijn komen. Marty's blik volgde die van mij en dwaalde toen naar links. Twee mannen kwamen met gezwinde pas onze richting uit. Ik dacht dat ze op weg waren naar de cocktailbar. Ik keek achterom om te zien wat de reden was voor hun haast. Marty deed een stap opzij om hun vrij baan te geven. Een van de mannen stapte de dichtstbijzijnde lift in net toen de deuren dicht begonnen te glijden en stak zijn arm weer naar buiten alsof hij de deuren open wilde houden voor zijn metgezel. De tweede man botste tegen Marty op, die 'Hé, kijk uit!' zei.

De man greep Marty's arm beet, dwong hem mee te lopen naar de klaarstaande lift en duwde hem naar binnen. Marty sloeg om zich heen en worstelde om zichzelf te bevrijden. Dat zou hem misschien ook nog wel gelukt zijn, maar een van beide mannen schopte zijn voeten onder hem vandaan. Marty viel op zijn rug en sloeg zijn armen voor zijn gezicht om de woeste trap af te weren die hij aan zag komen. De schoen maakte contact en met een weemakend geluid spleet zijn wang open. De andere man drukte op de liftknop. Net voordat de deuren dichtgleden, wierp Marty me een blik toe.

Ik zei: 'Marty?'

Toen sloten de deuren zich en de pijl boven de lift bewoog zich naar boven.

Twee andere mensen in de lobby draaiden zich om om te zien wat er aan de hand was, maar tegen die tijd leek alles weer normaal. Het hele voorval had niet meer dan vijftien seconden in beslag genomen.

Reba holde naar me toe, haar ogen wijd opengesperd, alle kleur weggetrokken uit haar gezicht. 'We moeten maken dat we wegkomen.'

Ik stond als aan de grond genageld te staren naar de koperen pijl die langzaam naar de zevende verdieping ging en daar tot stilstand kwam. De deuren van een van de andere liften gleden open. Ik greep haar bij de arm en draaide haar in de richting van de lobby. 'Waarschuw de beveiligingsdienst van het hotel en zeg dat we hulp nodig hebben.'

Ze rukte zich los uit mijn greep. 'Lul niet. Laat Marty zijn eigen boontjes maar doppen.'

Ik had geen tijd om met haar in discussie te gaan. Ik gaf haar een harde duw in de richting van de receptie, stapte in de lift en drukte op het knopje voor de zevende verdieping. Ik had er geen enkel vertrouwen in dat ze zou doen wat ik haar opgedragen had. Mijn hart ging tekeer terwijl de adrenaline door mijn aderen joeg. Ik had behoefte aan een plan de campagne, maar ik had geen idee wat me te wachten stond. Terwijl de lift omhoogging, doorzocht ik mijn schoudertas, hoewel ik al wist dat daar geen wapens in zaten. Geen vuurwapen, geen zakmes, geen pepperspray.

Op de zevende verdieping gleden de liftdeuren open. Ik stapte de gang in en holde naar de T-kruising waar de lange en de korte gang op elkaar uitkwamen. Ik zag het bordje waarop aangegeven stond welke kamernummers zich aan de linkerkant en welke zich aan de rechterkant bevonden, maar ik kon er nauwelijks wijs uit worden. Ik praatte tegen mezelf, een litanie van vloeken en instructies aan mezelf. Ik hoorde een gedempte kreet van pijn, iemand die ergens links van me tegen een muur gesmakt werd. Ik holde die kant op en nam in het voorbijgaan de kamernummers in me op. De gang had iets claustrofobisch. Nijlgroen schilderwerk, een laag plafond met een middenpaneel dat een gedempt kunstlicht verspreidde. Om de ongeveer zes meter bevonden zich dezelfde soort nissen in de muur die ik had gezien toen ik vanuit de lobby omhoogkeek naar de entresol. In elke nis stonden twee zwartgelakte houten stoelen aan weerszijden van een rond tafeltje met glazen blad met daarop een vaas verse bloemen. Ik pakte een stoel op en hield die voor me uit, op zoek naar kamernummer 817 in een tempo dat me deed denken aan dromen die ik wel eens had: ik kon nauwelijks vooruit komen.

De deur van Marty's kamer stond op een kier. Ik trapte hem open, maar de twee mannen waren al op weg naar buiten, waarbij ze Marty tussen zich in meesleepten. Ik zei: kies er een uit kies er een uit kies er een uit, tegen mezelf, dus nam ik de kerel rechts van me en ramde de stoel naar voren, waarbij ik hem met een van de poten vol in het gezicht raakte. Hij slaakte een woeste kreet maar de klap scheen hem niet te deren. Hij greep de stoel beet en wrong hem uit mijn handen. Ik zag zijn vuist op me af komen, laag en snel, en hij raakte me in de maag met een verlammende stoot die me op mijn achterste deed belanden. Ik proefde de zure smaak van omhooggekomen koffie in mijn keel in een overstelpende aanval van misselijkheid. Ik kreeg geen lucht meer en heel even dacht ik dat ik ter plekke zou stikken. Ik keek op tijd op om de stoel op me af te zien komen. Ik voelde de klap en registreerde de schok, maar geen pijn. Ik verloor het bewustzijn.

29

Ik lag op een bed en hoorde mensen praten, kennelijk over mij. Het deed me denken aan autotochtjes als kind, waarbij ik luisterde naar de gedempte conversatie van volwassenen die op de voorbank praatten terwijl ik achterin lag te dommelen. Ik ervoer dezelfde prettige zekerheid dat als ik me maar stil zou houden, deed alsof ik sliep, anderen de verantwoordelijkheid voor de reis zouden nemen. Er werd iets ijskouds tegen de zijkant van mijn hoofd gedrukt, wat zo'n stekende pijn veroorzaakte dat ik een sissend geluid maakte. Iemand stopte me de in een handdoek gewikkelde ijszak in mijn hand en moedigde me aan die zelf tegen de zere plek te houden.

De hotelarts arriveerde en besteedde een buitensporige hoeveelheid tijd aan het controleren van mijn vitale functies, zich ervan overtuigend dat ik nog steeds wist hoe ik heette en wat voor dag het was en hoeveel vingers hij opstak, een aantal dat hij varieerde in een poging me voor de gek te houden. Er werd gesproken over ambulanceverpleegkundigen, wier diensten ik afsloeg. Even later kwamen er nog twee mannen de kamer binnen. Een van hen was kennelijk het hoofd van de beveiligingsdienst van het hotel, een stevig gebouwde man in een kostuum met wijkende revers. Ik ving een glimp van leer op waarvan ik hoopte dat het een schouderholster was en geen orthopedisch hulpmiddel. Het idee van een man met een vuurwapen was geruststellend. Hij was in de zestig, kalend en met een vlezig gezicht en een dikke grijze snor. Ik vermoedde dat de man die bij hem was, deel uitmaakte van het hotelmanagement. Ik draaide mijn hoofd een beetje. Er verscheen een derde man in de deuropening met een walkietalkie in zijn hand. Hij was slank, in de veertig, en droeg duidelijk een toupet. Hij kwam binnen en overlegde met de twee anderen.

De man met het vlezige gezicht en de snor zei tegen me: 'Mijn naam is Fitzgerald, hotelbeveiliging. Dit is mijn collega, de heer Preston, en de manager, de heer Shearson. Hoe voelt u zich?'

Ik zei: 'Prima,' wat belachelijk was, gezien het feit dat ik plat op mijn rug lag met een uiterst gevoelige buil op mijn hoofd. Iemand had mijn schoenen uitgetrokken en een deken over me heen gelegd die niet echt warm genoeg was.

De manager boog zich naar Fitzgerald over en sprak tegen hem alsof ik er niet was. 'Ik heb het hoofdkantoor op de hoogte gebracht. De advocaat raadde ons aan haar een verklaring te laten ondertekenen die ons ontslaat van elke aansprakelijkheid...' Hij keek naar mij en liet toen zijn stem dalen.

Er kwam een krakend geluid uit de walkietalkie. Preston liep naar de gang, zodat ik het gesprek niet kon volgen. Toen hij even later de kamer weer binnen kwam, praatte hij even met Fitzgerald, maar op zo'n zachte toon dat ik niet kon volgen waar het over ging. De manager excuseerde zich en na even overlegd te hebben met Fitzgerald, vertrok Preston eveneens.

Ik probeerde me te oriënteren. Ze hadden me kennelijk naar een leegstaande hotelkamer gebracht, hoewel ik me niet herinnerde hoe ik daar terechtgekomen was. Voorzover ik wist hadden ze me wel aan mijn enkels door de gangen kunnen slepen. Ik zag een bureau, een bank, twee gestoffeerde stoelen, en het art-decokastje met ingebouwde minibar en tv. Ik had nog nooit in een dergelijk luxehotel gelogeerd dus het was allemaal nieuw voor me. Het management van het Paradise in Reno kon nog heel wat opsteken van het Neptune op het gebied van interieurontwerp. Ik drukte de ijszak weer tegen mijn hoofd en zei: 'Wat is er met Marty gebeurd?'

Fitzgerald zei: 'Dat weten we niet. Ze hebben hem het gebouw uit weten te krijgen zonder dat iemand iets gezien heeft. Ik heb de bewaker van het parkeerterrein naar zijn auto laten uitkijken, maar iemand had hem al opgehaald. Niemand kan zich de chauffeur herinneren, dus we weten niet of de heer Blumberg in zijn eentje vertrokken is of in het gezelschap van de mannen die hem ontvoerd hebben.'

'Arme kerel.'

'De politie praat momenteel met de vrouw die bij u was. Ze zouden u graag een paar vragen willen stellen als u zich daartoe in staat voelt.'

'Best, maar ik kan me niet veel herinneren,' zei ik. In werkelijkheid had ik helemaal geen zin om met wie dan ook te praten. De zijkant van mijn hoofd klopte pijnlijk bij elke polsslag. Mijn middenrif deed zeer. Ik had geen idee wat Reba hun zou vertellen, maar ik had zo'n vermoeden dat ze niet helemaal open kaart zou spelen. De hele situatie was te gecompliceerd om uit te leggen, zeker omdat ik niet wist hoeveel de FBI als vertrouwelijk beschouwde. Ik was ziek van ongerustheid over Marty. Bij de laatste glimp die ik van hem opgevangen had – de opengespleten wang, het bloed dat langs zijn gezicht droop – had hij de indruk gemaakt in zijn lot te berusten, als iemand die naar de gaskamer wordt gebracht met een priester aan zijn zijde. Het was de angst in zijn ogen die me niet losliet, alsof hij wist dat hem iets nog veel ergers te wachten stond. Ik wilde de film terugspoelen en me de gebeurtenissen weer voor de geest halen, zodat ik een manier kon vinden om hem te helpen.

Fitzgerald zei weer iets, maar het drong niet tot me door. Ik bekeek de doorweekte badstof van de ijszak met de vage bloedsporen. Ik huiverde, maar ik kon mezelf er niet toe brengen Fitzgerald om een tweede deken te vragen. 'Sorry. Wat zei u?'

'Had u die mannen ooit eerder gezien?'

'Voorzover ik weet niet. Ik dacht dat ze op weg waren naar een afspraak met iemand anders. Ze kwamen recht op ons af, maar het is net als met een onbekende die in jouw richting zwaait. Je kijkt achterom, omdat je aanneemt dat het voor iemand anders bedoeld is. Misschien dat Reba zich meer herinnert dan ik. Kan ik met haar praten?'

Hij overlegde even bij zichzelf. Hij wilde graag meer informatie uit me loskrijgen, maar probeerde tegelijkertijd een meelevende en bezorgde indruk te maken, vermoedelijk met het oog op de eventuele aansprakelijkheid van het hotel. 'Zodra de politie met haar gesproken heeft, zal ik haar hierheen laten komen.'

'Bedankt.'

Ik deed mijn ogen weer dicht. Ik was moe en ik dacht niet dat ik dit bed ooit nog wilde verlaten. Ik voelde dat iemand mijn arm aanraakte. Reba zat nu in een stoel die ze vlak naast het bed had geschoven. Fitzgerald was verdwenen.

'Waar is Fitzgerald gebleven?'

'Geen idee. Ik heb de politie verteld dat ze Cheney moesten bellen en dat die hen verder wel op de hoogte zou brengen. Ik wilde geen stommiteiten begaan, niet als de FBI erbij betrokken is. Hoe is het met je hoofd?'

'Dat doet pijn. Als je me even een handje helpt, kunnen we zien of ik rechtop kan gaan zitten zonder dat ik ga kotsen of van mijn stokje ga.' Ze pakte mijn uitgestoken hand en trok me voorzichtig in een zittende positie. Ik duwde de deken van me af en steunde met mijn andere hand op het nachtkastje. Het viel allemaal nogal mee.

'Je bent toch niet van plan om ergens heen te gaan, hoop ik?'

'Niet voordat ik weet hoe ik er precies aan toe ben. Heb jij die kerels ooit eerder gezien?'

Ze aarzelde. 'Ik geloof van wel. In die pick-up op de terugweg vanuit Reno. Het zijn waarschijnlijk mannetjes van Salustio. Beck moet hem verteld hebben dat ik zijn 25.000 heb gejat.'

'Maar waarom zouden ze Marty dan ontvoeren? Hij had er niets mee te maken.'

'Dat snap ik ook niet. Shit, ik wou dat ik Marty nooit verteld had dat de FBI op het punt stond om toe te slaan. Dat heeft alleen maar tot gevolg gehad dat hij in paniek raakte en ervandoor ging. Hij was beter af geweest als ze hem gearresteerd hadden. Dan zou hij in elk geval veilig zijn.'

'Hoe zit het met dat bagagereçu dat hij je gegeven heeft? Wat was daar de bedoeling van?'

Ze knipperde met haar ogen. 'Geen idee. Dat was ik helemaal vergeten.' Ze zocht in haar tasje, haalde het reçu te voorschijn en draaide het om in haar hand. 'Ik denk dat ik maar even naar beneden ga om te zien wat het is. Red jij het wel even alleen? Ik ben waarschijnlijk zo weer terug.'

'Natuurlijk. Waarom wacht je beneden niet op me? Zodra ik met de politie heb gepraat, zie ik je wel in de lobby.'

'Prima.'

Ik wachtte tot ze verdwenen was en ging toen de badkamer in, waar ik mijn gezicht waste en mijn hoofd onder de kraan hield om het geronnen bloed uit mijn haar te spoelen. Ik pakte een handdoek en depte mijn haar voorzichtig droog genoeg om het te kunnen kammen. Ik voelde me een stuk beter dan ik verwacht had nu ik weer op de been was.

Tegen de tijd dat de geüniformeerde agent de kamer binnen kwam, zat ik in een stoel op hem te wachten en voelde ik me weer min of meer de oude. Het was een gladgeschoren knaap van in de twintig met een ernstige manier van doen. Hij lispelde een beetje, wat ik wel aandoenlijk vond. Ik herhaalde wat ik wist, terwijl ik toekeek hoe hij in zijn opschrijfboekje krabbelde. We namen de volgorde van de gebeurtenissen door tot hij ervan overtuigd leek dat ik hem alles verteld had wat ik me kon herinneren. Ik gaf hem mijn adres in Santa Teresa en mijn telefoonnummer, evenals dat van Cheney. Hij overhandigde me een kaartje en zei dat ik een exemplaar van het politierapport kon opvragen door een briefje te sturen naar de administratie, maar dat ik er rekening mee moest houden dat het wel een dag of tien kon duren.

Zodra hij de deur achter zich dichtgetrokken had, trok ik mijn schoenen aan. Het vooroverbuigen om mijn veters te strikken was wat minder geslaagd, maar het lukte me. Ik pakte mijn schoudertas, stapte de gang in, vond de liften en ging naar beneden.

In de lobby keek ik naar de receptie in de verwachting Reba daar te zien, maar ze was in geen velden of wegen te bekennen. Mijn gesprek met de agent had ruim tien minuten in beslag genomen, dus het zou heel goed kunnen dat ze inmiddels datgene had opgepikt wat Marty voor haar had achtergelaten. Ik liep wat rond, keek in de cocktailbar, het damestoilet en de gang bij de openbare telefoons. Ze was ook niet in de cadeauwinkel of bij de krantenkiosk bij de ingang van het hotel. Waar was ze verdomme gebleven? Ik verwachtte elk moment haar in het oog te krijgen, en het irriteerde me mateloos dat ze verdwenen was zonder een bericht voor me achter te laten. Ik wachtte zes of zeven minuten in de lobby en liep toen naar buiten. De chasseur was bezig een stel koffers van een label te voorzien. Toen hij daarmee klaar was, zei ik: 'Ik ben op zoek naar mijn vriendin... klein, tenger, donker haar. Ze kwam hier even geleden met een bagagereçu voor...'

'Natuurlijk. Ze heeft de koffer in ontvangst genomen en is toen vertrokken.'

'Weet u waar ze heen is gegaan?'

Hij schudde het hoofd. 'Sorry. Helaas kan ik u niet van dienst zijn.' Hij excuseerde zich om zich om een zojuist gearriveerde gast te bekommeren en liet mij in verwarring achter. Wat nu?

Er reed een auto voor en de parkeerbediende stapte uit en overhandigde de sleuteltjes aan een wachtende hotelgast. Terwijl de bediende het portier dichtdeed, wierp hij me een blik toe. Ik realiseerde me dat het dezelfde knaap was die zich over mijn auto ontfermd had toen we bij het hotel arriveerden. 'Zoekt u uw vriendin?'

'Inderdaad.'

'U hebt haar net gemist,' zei hij.

'Hoe bedoel je, "haar gemist"?'

'De portier heeft een paar minuten geleden een taxi voor haar aangeroepen.'

'Je bedoelt dat ze vertrokken is? Waarnaartoe?'

'Dat heb ik niet gehoord. Ze zei iets tegen de chauffeur en toen reed de taxi weg.'

'Was ze alleen?'

'Zo te zien wel. Ze had haar koffer bij zich, dus misschien ging ze naar het vliegveld.'

'Bedankt.'

Wat nu?

Ik had geen idee wat ze van plan was. Ik wilde graag naar huis gaan, maar hoe kon ik het hotel verlaten als ik niet wist waar ze was en of ze van plan was terug te komen? Was ze in een impuls vertrokken of was ze vanaf het moment dat we uit Reno vertrokken al van plan geweest me te dumpen? Hoe het ook zij, ik had het gevoel dat ik nog een tijdje moest blijven, in elk geval tot ik ervan overtuigd was dat ze definitief verdwenen was.

Ondertussen moest er toch íéts zijn wat ik kon doen. Ik liep terug naar de lobby en nam plaats in dezelfde stoel waarin ik gezeten had toen we net gearriveerd waren. Ik deed mijn ogen dicht en liet alle gebeurtenissen de revue nog eens passeren. Ik haalde me Reba voor de geest die naar de receptie liep. Ze had een bubbeltjesenvelop uit haar tas gehaald, iets op de voorkant geschreven en hem bij de gerant achtergelaten. Vervolgens had ze naar een envelop gevraagd en die gekregen. Wat moest ik daarvan denken?

Ik stond op en liep naar het bureau van de gerant. Er had maar één man dienst – Carl, volgens zijn naamplaatje – en hij was bezig een tafeltje in een restaurant te reserveren voor een goedgeklede oudere heer. Ik wachtte. Zodra de heer vertrokken was, wierp Carl me een blik toe, waarbij zijn ogen naar de zijkant van mijn hoofd dwaalden, waar ik me plotseling een buil ter grootte van een paasei voorstelde. 'Kan ik u ergens mee van dienst zijn?'

'Zou ik de manager even kunnen spreken?'

'Ik zal even voor u informeren. Bent u een gast van het hotel?'

'Dat niet, maar het lijkt erop dat ik een probleempje heb waarmee hij me zou kunnen helpen.'

'Juist. En weet hij waar het over gaat?'

'Waarschijnlijk niet. U kunt hem zeggen dat mijn naam Millhone is.'

Hij nam de hoorn van zijn telefoon en toetste een nummer in terwijl zijn blik op me gericht bleef. Toen er aan de andere kant opgenomen werd, wendde hij zich van me af en voerde zijn gesprek met een hand voor zijn mond, als iemand die in een openbare gelegenheid met een tandenstoker in de weer is. 'Hij komt zo bij u.'

'Bedankt.'

Hij glimlachte en zijn blik gleed langs me heen terwijl hij verderging met zijn bezigheden. Gedurende enkele minuten was hij druk in de weer met een register en de telefoon. Ik schraapte mijn keel en maakte aanstalten om iets te zeggen, maar hij stak een vinger omhoog – wat zoveel wilde zeggen als: een ogenblikje, graag – en ging toen verder met wat hij aan het doen was. Werd ik aan het lijntje gehouden? Ik herinnerde me de opmerking die de manager had gemaakt over de aansprakelijkheid van het hotel met betrekking tot Marty's (vermeende) ontvoering en het lichamelijk letsel dat mij was toegebracht. Misschien had hij een telefoontje gepleegd met het hoofdkantoor en had zijn baas, of de baas van zijn baas, hem gewaarschuwd verder contact met mij te vermijden. Alles wat gezegd werd, zou in een rechtszaak tegen het hotel kunnen worden gebruikt. Ik had net zo goed een neonboodschap op mijn voorhoofd kunnen dragen: RECHTSZAAK * RECHTSZAAK * RECHTSZAAK. 'Neemt u me niet kwalijk. Meneer?'

'Als u misschien even plaats wilt nemen, de manager komt zo bij u.' Zijn stem klonk vriendelijk, maar ditmaal keek hij me helemaal niet aan. Hij pakte een stapeltje papieren op en liep ermee het kantoortje in alsof het een missie betrof waar de nationale veiligheid mee gemoeid was.

Geïrriteerd merkte ik dat mijn kwade geest inmiddels op mijn schouder zat en zwijgend ergens naar wees. Ik zag de bubbeltjesenvelop die Reba eerder achtergelaten had. Hij lag nog steeds op de plank tegen de achterwand, nog geen anderhalve meter bij me vandaan. Vanaf de plek waar ik stond, kon ik Marty's met zwarte blokletters geschreven naam lezen. Daar gaat hij dan... Ik liep een stukje verder en trok de aandacht van een receptionist die op dat moment niets te doen had, een knul van een jaar of twintig, waarschijnlijk nog in opleiding. Hij zei: 'Ja, mevrouw. Kan ik u ergens mee van dienst zijn?'

'Dat hoop ik. Ik ben mevrouw Blumberg. Mijn man en ik logeren in het hotel. Hij zei dat hij een pakje voor me zou achterlaten en volgens mij is dat het.' Ik wees naar de envelop.

Hij pakte hem op. 'U bent Marty?'

'Inderdaad.'

Hij overhandigde me de envelop, blij me van dienst te kunnen zijn.

Ik was ook blij. 'Bedankt.'

Ik liep naar het damestoilet, waar ik mezelf in een hokje opsloot. Ik ging zitten, ondanks het feit dat het toilet niet voorzien was van een wc-bril. In gevangenissen worden de wc-brillen verwijderd ter voorkoming van zelfmoordpogingen, hoewel ik niet zo gauw zou weten hoe je jezelf met behulp van een toiletzitting zou kunnen ophangen. Ik zette mijn voeten schrap tegen de deur, voor het geval de receptionist binnen zou komen stormen en moord en brand zou gaan schreeuwen over onrechtmatig verkregen bezit. De envelop had de omvang en het gewicht van twee paperbacks. De flap was zelfklevend, maar ik pulkte net zolang tot ik hem open had. Ik wierp er een blik in.

Kijk, dit was nu de reden waarom het onmogelijk is mij te genezen van de leugentjes die ik soms ophang. Jokken en aanverwante vormen van misleiding leveren dikwijls de meest opmerkelijke resultaten op. Binnenin trof ik het volgende aan.

Een Amerikaans paspoort op naam van een zekere Garrisen Randolph, met een pasfoto van Martin Blumberg.

Een door de staat Californië verstrekt rijbewijs op naam van Garrisen Randolph, met een iets kleinere versie van dezelfde pasfoto. Als woonplaats stond vermeld Los Angeles, postcode 90024, oftewel Westwood. Geslacht: M. Haarkleur: bruin. Ogen: bruin. Lengte: 1,80. Gewicht: 123 kg. Geboortedatum: 25-8-42, dat laatste in rood gedrukt. Boven de pasfoto, eveneens in rood, stond de vervaldatum: 25-8-90.

Verder waren er nog een American Expresscard, een Visacard en een MasterCard op naam van dezelfde Garrisen Randolph, plus een door Inyo County, Californië, afgegeven geboorteakte van Garrisen Randolph.

Dit waren natuurlijk versies van de vervalste documenten die Reba ontvreemd had uit het geheime laatje in het bureau van Alan Beckwith. De naam op deze documenten was een variatie op de naam Garrison Randell, waarschijnlijk om te voorkomen dat er bij een computercontrole iets uit zou rollen. Met deze documenten kon Marty het land verlaten wanneer hij maar wilde zonder dat er een haan naar zou kraaien. Dit was ongetwijfeld het werk van Misty Raine. Ik herinnerde me dat Reba me verteld had dat Misty's recent ontdekte vervalserscapaciteiten haar het geld hadden opgeleverd voor dat opmerkelijke stel tieten. De man die ze in de lounge van het Silverado had ontmoet, leverde haar waarschijnlijk nagemaakt officieel papier, stempels, of blanco creditcards.

Maar wat had dit te betekenen?

Vervalste documenten van deze kwaliteit kostten een hoop geld. Reba was degene die alles geregeld had, maar in ruil waarvoor? Klaarblijkelijk hadden zij en Marty een deal gesloten. Ik begreep wel wat dat hem opleverde, maar wat werd zij er beter van? Ik dacht na over de envelop die ze van de gerant ontvangen had. Misschien had hij haar de 25.000 dollar gegeven die ze nodig had om Salustio terug te betalen. Ik keek op mijn horloge. Het was nu bijna zes uur. Ik stopte de envelop in mijn schoudertas en verliet het damestoilet.

Ik nam de lift naar de zevende verdieping. Zoals ik al had gehoopt, stonden er hier en daar karretjes van de kamermeisjes in de gang. Veel gasten waren op weg naar het diner. De kamermeisjes gingen nu de kamers langs om prullenbakken te legen, handdoeken te verwisselen, zeepjes en shampoos en dergelijke artikelen aan te vullen, en het beddengoed terug te slaan. Ik wachtte tot het kamermeisje Marty's kamer binnen ging en haastte me toen de gang door. Ik bleef even staan bij haar karretje, waar een doos latex wegwerphandschoenen in lag. Ik stopte een paar in mijn schoudertas en klopte op de open deur. Ik vroeg me af of de politieagent Marty's kamer doorzocht had. Waarschijnlijk niet, want er was geen sprake van een afzetlint.

Het meisje keek op van het bed waar ze de zware gewatteerde sprei aan het opvouwen was.

Ik zei: 'Sorry dat ik stoor, maar zou je dit misschien later kunnen afmaken? Ik heb over twintig minuten een dinerafspraak en ik moet me nog omkleden.'

Ze mompelde een verontschuldiging, pakte haar plastic mandje met toiletartikelen op en liep de kamer uit.

Ik hing het kaartje met NIET STOREN S.V.P. aan de knop aan de buitenkant van de deur, trok de latex handschoenen aan en begon aan een grondig onderzoek. Marty moest zijn portefeuille, kamersleutel en andere zaken bij zich hebben gehad toen zijn belagers hem haastig wegvoerden. Ik doorzocht de koffer die hij open op het bagagerek had laten staan. Ondergoed, overhemden, sokken, een paar toiletartikelen die hij niet naar de badkamer had overgebracht. Ik deed de kastdeur open en voelde in de zakken van de broeken die daar hingen. Leeg. Ik doorzocht systematisch de hangende kledingzak, maar daarin bevond zich niets anders dan wat je zou verwachten: pakken, broeken, broeksriemen, schoenen. Afgezien van de door het hotel beschikbaar gestelde kamerjas hing er verder geen kleding in de kast en ook was er geen spoor te zien van het gebruikelijke hotelkluisje met viercijferig combinatieslot.

Ik doorzocht de badkamer, met inbegrip van de binnenkant van het deksel van de stortbak van het toilet, en vond niets. Ik trok de laden van de toilettafel open. Leeg. Ik trok elke la er helemaal uit om te zien of er misschien iets onder of achter bevestigd was. Hetzelfde deed ik met het nachtkastje. Ik haalde de Gideonbijbel uit de la. Tussen de pagina's bevond zich een ticket van Delta Air Lines, eersteklas naar Zürich, op naam van Garrisen Randolph. Het was een enkele reis en de vlucht vertrok de volgende ochtend om halftien.

Ik stopte het ticket weer tussen de pagina's, legde de bijbel terug in de la en deed die dicht. Ik geloofde niet dat Marty nog terug zou komen, maar mocht dat wel het geval zijn, dan zou het ticket voor hem klaarliggen. Ik trok mijn handschoenen uit, haalde het NIET STOREN-kaartje van de deurknop en hing het weer aan de binnenkant van de deur. Ik nam de lift naar beneden. Ik liep naar de kiosk en kocht voor drie dollar aan postzegels, die ik op de bubbeltjesenvelop plakte. Ik schreef mijn huisadres onder Marty's naam en plakte toen de flap weer dicht. Ik ging zitten op een plek waarvandaan ik het bureau van de gerant kon zien en keek of Carl nog steeds dienst had. Er gingen tien minuten voorbij en hij was in geen velden of wegen te bekennen. Een elegant geklede vrouw met een naamplaatje op haar revers had het kennelijk van hem overgenomen.

Ik liep naar het bureau toe. Ze maakte een capabele indruk en schonk me een afstandelijke en professionele glimlach. 'Ja, mevrouw?'

Ik legde de envelop op het bureaublad. 'Ik wil deze graag achterlaten voor de heer Blumberg in kamer 817, maar ik vraag me af of u er misschien een notitie bij zou kunnen doen. Als hij de envelop morgen tegen het eind van de middag nog niet heeft opgehaald, zou ik graag willen dat hij per post naar hem opgestuurd wordt.'

'Natuurlijk.'

Ze schreef de desbetreffende notitie en bevestigde die aan de bovenrand van de envelop. Ik zei: 'O, en hebt u misschien een nietapparaat? De envelop sluit niet meer zo goed.'

'Ja hoor.' Ze haalde een nietapparaat te voorschijn en drukte een serie nietjes door de bovenrand van de envelop waardoor die weer stevig dicht kwam te zitten. Ze legde de envelop op de plank waar hij al eerder gelegen had. Ik bedankte haar en zei een schietgebedje voor Marty, dat hij het maar mocht overleven.

Om kwart over zeven betaalde ik 25 dollar aan de chasseur en ik kreeg in ruil daarvoor mijn VW terug. Ik volgde Sunset in westelijke richting tot aan de oprit van de 405 in noordelijke richting, die op een gegeven moment aansloot op de 101 die me rechtstreeks naar huis zou brengen.

30

Om negen uur die avond reed ik Santa Teresa binnen. De zomerse temperatuur was flink gedaald terwijl de zon langzaam naar de horizon zakte. Langs Cabana Boulevard waren de straatlantaarns aangefloept en de brede strook oceaan had een zilverwitte kleur aangenomen. Ik stopte voor mijn appartement, waar ik mijn spullen naar binnen bracht en haastig een briefje aan Henry krabbelde om hem te laten weten dat ik weer thuis was. Ik liet een bericht met dezelfde strekking achter op Cheneys antwoordapparaat, en voegde eraan toe dat ik hem zo snel mogelijk verslag zou uitbrengen.

Tegen tien voor halftien zat ik weer in mijn auto en reed in zuidelijke richting naar Montebello en het landgoed van Lafferty. Ik voelde voorzichtig aan de buil op mijn hoofd; nog steeds pijnlijk en nog steeds even groot. Gelukkig was de hoofdpijn verdwenen en het leek me een veilige veronderstelling dat ik aan de beterende hand was. Het leek me verstandiger de eerste paar dagen niet te gaan joggen, maar ik kon in elk geval weer helder denken.

De rit vanaf Los Angeles had me de kans gegeven om na te denken. Ik had nog steeds geen idee hoe die twee kerels ons in Reno gevonden hadden. Beck mocht dan een weerzinwekkend heerschap zijn, ik kon me niet voorstellen dat hij gangsters op de loonlijst had staan, wat inhield dat ze door Salustio Castillo gestuurd moesten zijn. Het was me een compleet raadsel waarom ze Marty ontvoerd hadden. Het feit dat Reba Salustio's 25.000 dollar gestolen had, maakte háár tot het logische doelwit. Tenzij Marty een nog grotere stommiteit had uitgehaald dan zij. Maar wat dan? Ik vroeg me af of hij het restant van Salustio's geld in de koffer had gestopt. Maar waarom zou hij dat doen? Afgaand op wat hij die avond in Dale's had gezegd, had hij voldoende geld opzijgezet om zich voor de rest van zijn leven geen zorgen meer te hoeven maken. Dus waarom zou hij dan nog méér stelen en het gestolen geld doorgeven aan Reba als dat alleen maar tot gevolg zou hebben dat ze nog meer gevaar liep dan toch al het geval was? En ondertussen, waar was ze?

Het leek me zeer wel mogelijk dat ze bij Misty een vervalst paspoort en andere documenten voor zichzelf en ook voor Marty besteld had. Als dat het geval was, zou ze onderweg kunnen zijn om het land te verlaten, hoewel ik me niet kon voorstellen dat ze zou vertrekken zonder afscheid te nemen van haar vader. Ze zou hem misschien niet vertellen waar ze heen ging, maar ze zou beslist een manier vinden om hem te laten weten dat alles goed met haar was. Niet voor het eerst dacht ik dat er aan mijn relatie met Reba een eind was gekomen. Ze zou haar voorwaardelijke invrijheidsstelling aan haar laars lappen en het erop wagen als voortvluchtige.

Toen ik de ingang van het landgoed bereikte, was het hek dicht. Ik stopte naast het bedieningspaneel, draaide mijn raampje omlaag, en drukte op de meldknop.

Ik kon het toestel binnen horen rinkelen. Een keer. Twee keer. Freddy nam op. Haar stem klonk krasserig over het intercomsysteem.

Ik stak mijn hoofd uit het raampje en riep: 'Freddy? Ik ben het, Kinsey. Kun je me binnenlaten?'

Ik hoorde een serie piepjes en toen een zacht zoemend geluid terwijl het hek openzwaaide. Ik deed mijn groot licht aan en reed in een bedaard tempo over de oprijlaan. Door de bomen heen kon ik de lichten in het huis zien twinkelen. Na de laatste bocht zag ik dat de bovenverdieping in het donker gehuld was maar dat in veel benedenvertrekken aan de voorkant van het huis wel licht brandde. Lucinda's auto stond op zijn gebruikelijke plek geparkeerd en ik sloeg mijn ogen ten hemel bij het vooruitzicht haar weer te ontmoeten. Terwijl ik uitstapte, zag ik ergens rechts van me iets bewegen. Rags kwam aankuieren over de oprijlaan in een tempo dat perfect gecalculeerd was om me de pas af te snijden. Toen hij me bereikte, boog ik me voorover en krabbelde hem tussen zijn oren. Zijn lange, oranje vacht was zacht als zijde, en zijn gespin werd luider toen hij zijn grote kop tegen mijn hand omhoogduwde. 'Hoor eens, Rags. Ik zou je met alle plezier mee naar binnen willen nemen, maar als Lucinda opendoet, kunnen we dat wel vergeten.'

Hij liep met me mee naar het huis, waarbij hij soms voor mijn voeten ging lopen om me tot nog wat meer aaien en conversatie te bewegen. Ik stak mijn hand uit naar de bel, maar de voordeur zwaaide al open. Lucinda stond in de deuropening, gekleed in een pittige gele doorknoopjurk, met lichte kousen en bijpassende gele pumps. Ze zag er gebruind en fit uit, en haar blonde kapsel wekte de indruk dat het permanent blootgesteld was aan de wind. Ze zei: 'O! Freddy zei dat er iemand bij het hek had aangebeld, maar ik realiseerde me niet dat jij het was. Ik dacht dat je de stad uit was.'

'Dat was ik ook. Ik ben net terug en ik moet meneer Lafferty dringend spreken.'

Dat liet ze even bezinken. 'Je moest maar even binnenkomen.' Ze stapte opzij om me langs te laten en fronste geïrriteerd het voorhoofd toen ze Rags in het oog kreeg. Ze versperde hem met een snelle voetbeweging de weg en duwde hem opzij. Zo'n type was ze nou, een kattenschopster. Wat een kreng. Terwijl ik de hal in stapte, viel mijn oog op een weekendtas die naast de deur stond. Ze had haar handtas op het haltafeltje gelegd en ze bleef even staan om haar uiterlijk in de spiegel te controleren, waarbij ze een oorbel en een verdwaalde haarlok een beetje verschikte. Ze deed haar tasje open, kennelijk op zoek naar haar sleutels. 'Nord is er niet. Hij is vanochtend ingestort en ik heb een ambulance moeten bellen. Hij is opgenomen in Saint Terry's. Ik ga er nu heen om hem zijn toiletspullen en zijn ochtendjas te brengen.'

'Wat is er gebeurd?'

'Nou ja, hij is natuurlijk doodziek,' zei ze, alsof ik een domme vraag had gesteld. 'Al dat gedoe met Reba heeft zijn tol geëist.'

'Is ze hier?'

'Natuurlijk niet. Ze is er nooit als hij haar nodig heeft. Dat laat ze aan Freddy of aan mij over.' Haar glimlach was zelfvoldaan en broos, haar manier van doen kwiek. 'Maar goed. Wat kunnen we voor je doen?'

'Mag hij bezoek ontvangen?'

'Je hebt me zeker niet goed gehoord. Hij is ziek. Het is beter dat hij niet gestoord wordt.'

'Dat vroeg ik niet. Op welke afdeling ligt hij?'

'De afdeling Hartbewaking. Als je er op staat, neem ik aan dat je met zijn privé-verpleegster zou kunnen spreken. Wat wil je precies van hem?'

'Hij heeft me ingehuurd om een opdracht uit te voeren. Ik wil hem daar graag verslag van uitbrengen.'

'Ik zou liever hebben dat je dat niet deed.'
'Maar ik werk niet voor jou. Ik werk voor hem,' zei ik.
'Ze zit weer in de problemen, is het niet?'
'Dat zou je inderdaad kunnen zeggen.'
'Je begrijpt niet hoe dit hem aangegrepen heeft. Hij heeft haar zijn leven lang al uit de puree moeten halen. Reba manipuleert hem steeds opnieuw in dezelfde positie. Ze weet het zo voor elkaar te krijgen dat ze, als hij niet tussenbeide komt, ten ondergang gedoemd is, dat zou ze hem althans graag willen laten geloven. Ze zal het ongetwijfeld ontkennen, maar eigenlijk is ze nog steeds een kind dat al het mogelijke doet om aandacht van haar vader te krijgen. Als haar iets zou overkomen, zou hij dat zichzelf nooit vergeven.'
'Hij is haar vader. Hij heeft het volste recht om haar te helpen als hij dat wil.'
'Nou, misschien dat ik daar een eind aan heb gemaakt.'
'Hoe bedoel je?'
'Ik heb Priscilla Holloway gebeld, Reba's reclasseringsambtenaar. Ik vond dat ze moest weten wat er aan de hand is. Ik weet zeker dat Reba weer aan het drinken is en waarschijnlijk ook weer aan het gokken. Ik heb mevrouw Holloway verteld dat Reba de staat verlaten heeft, en ze was woedend.'
'Straks wordt ze nog teruggestuurd naar de gevangenis.'
'Dat hoop ik maar. Dat zou voor iedereen het beste zijn, ook voor haarzelf.'
'Geweldig. Fantastisch. Tegen wie heb je nog meer uit de school geklapt?' Ik bedoelde het sarcastisch, maar de stilte die volgde leek er op te duiden dat ik in de roos geschoten had. Ik staarde haar aan. 'Is Beck er op die manier achter gekomen waar ze was?'
Ze sloeg haar ogen neer. 'Daar hebben we het over gehad.'
'Je hebt het hem vertéld?'
'Inderdaad. En ik zou het weer doen.'
'Wanneer was dat?'
'Donderdag. Hij kwam hiernaartoe. Nord lag te slapen, dus heb ik hem zelf te woord gestaan. Hij was naar haar op zoek geweest en hij maakte zich ernstig zorgen. Hij zei dat hij geen problemen wilde veroorzaken, maar hij dacht dat ze iets weggenomen had. Hij voelde zich er heel ongemakkelijk onder en het kostte me heel wat moeite om hem te overreden mij te vertellen wat dat was. Uiteindelijk vertrouwde hij me toe dat ze 25.000 dollar van hem gestolen had. Hij zei dat hij haar niet in moeilijkheden wilde bren-

gen, maar dat vond ik onzin en ik heb hem verteld waar ze was.'
'Hoe ben je aan Misty's adres gekomen?'
'Ik had haar adres niet. Ik had jouw adres. Nord had dat opgeschreven de avond dat je belde. Het Paradise Motel. Ik zag het op de blocnote op zijn nachtkastje.'
'Lucinda, Beck heeft je gemanipuleerd. Begrijp je dat dan niet?'
'Ach, welnee. Hij is een bijzonder sympathieke man. Na datgene wat zij hem heeft aangedaan, zou ik het hem ook verteld hebben als hij er niet naar had gevraagd.'
'Heb je enig idee wat je aangericht hebt? Door jouw toedoen is er een man ontvoerd.'
Ze lachte terwijl ze haar tasje onder haar arm stak en de weekendtas oppakte. 'Er is helemaal niemand ontvoerd,' zei ze, alsof het een absurd idee was. 'Je bent al net als zij. Een drama creëren terwijl er niets aan de hand is. Alles is een crisis. Alles is het einde van de wereld. Zelf heeft ze nooit iets gedaan. Zij is altijd het slachtoffer, en ze verwacht altijd dat iemand anders de kastanjes voor haar uit het vuur haalt. Nou, ditmaal zal ze haar eigen verantwoordelijkheid moeten nemen. En als je me nu wilt excuseren, ik wil graag naar het ziekenhuis om deze spullen voor Nord af te geven.'
Ze deed de deur open en trok hem met een klap weer achter zich dicht. Ze was zo vân haar gelijk overtuigd geweest dat ik niet eens de kans had gekregen om iets tegen haar mening in te brengen of ook maar wat te zeggen. Er school een element van waarheid in wat ze gezegd had, maar het was niet de volledige waarheid.
'Juffrouw Millhone?'
Toen ik me omdraaide, stond Freddy in de hal achter me. 'Heb je haar gehoord? Wat een afschuwelijk mens,' zei ik.
'Nu ze weg is, wilde ik u even zeggen dat Reba hier geweest is. Ze arriveerde kort voordat mevrouw Cunningham langskwam om meneer Lafferty's spullen op te halen.'
'Waar is ze naartoe?'
'Dat weet ik niet. Ze kwam met een taxi en ze is hier net lang genoeg geweest om haar auto en wat schone kleren op te pikken. Ze zei dat ze naar het ziekenhuis zou gaan om haar vader op te zoeken, maar ze zou het zo plannen dat ze mevrouw Cunningham niet tegen het lijf zou lopen. Ze zal contact opnemen met de arts van meneer Lafferty en met hem regelen dat er alleen nog maar familie bij hem op bezoek mag, en ikzelf, natuurlijk.' Freddy permitteerde zich een sluw glimlachje. 'Dat was mijn idee.'

'Net goed voor Lucinda. Hoe ernstig is zijn toestand?'

'De dokter zegt dat het allemaal weer in orde komt. Hij was uitgedroogd en zijn elektrolyten waren uit balans. Ik geloof dat hij ook bloedarmoede heeft. De dokter is van plan hem een paar dagen te houden.'

'Mooi zo. Dat is één ding minder om ons zorgen over te maken, zeker als de verpleging Lucinda bij hem vandaan weet te houden. Heeft Reba helemaal niets gezegd over waar ze heen zou gaan?'

'Ze ging bij een vriend logeren.'

'Ze heeft geen vriend. Hier in de stad?'

'Volgens mij wel. Het was een man die ze ontmoet had nadat ze weer thuisgekomen was.'

Ik dacht even na.'Misschien iemand van de AA... Alhoewel, nu ik het zeg, lijkt me dat niet erg waarschijnlijk. Ik zie haar in dit stadium geen AA-bijeenkomst bijwonen. Is ze op een of andere manier te bereiken? Heeft ze een telefoonnummer achtergelaten?'

Freddy schudde het hoofd. 'Ze zei dat ze om negen uur langs zou komen, maar ze was bang dat meneer Beckwith haar weer zou vinden.'

'Dat kan ik me voorstellen. Lucinda heeft links en rechts uit de school geklapt,' zei ik. 'Hoor eens, als je iets van haar hoort, zeg dan tegen haar dat het belangrijk is dat we met elkaar praten. Heeft ze toevallig een koffer achtergelaten?'

'Nee, maar ze had er wel een bij zich. Die heeft ze in de kofferbak van haar auto gelegd voordat ze vertrok.'

'Nou, laten we maar hopen dat ze iets van zich laat horen.' Ik keek op mijn horloge. 'De komende paar uur ben ik op mijn kantoor en daarna ga ik naar huis.'

Mijn kantoor voelt 's avonds altijd vreemd aan. De tekortkomingen en de groezeligheid worden alleen nog maar versterkt door het kunstlicht. Terwijl ik aan mijn bureau zat, was het enige wat ik door het raam zag de weerspiegeling van haveloosheid. Stof en vuil van jaren belemmerden het uitzicht op de straat. Gedurende de weekends is dit gedeelte van Santa Teresa na zes uur 's middags uitgestorven, de gemeentelijke instellingen zijn gesloten, de rechtbank en de openbare bibliotheek zijn donker. De bungalow waarin mijn kantoor gevestigd was, was de middelste van een groepje van drie; identieke panden waarin ooit gezinnen een bescheiden huisvesting hadden gevonden. Sinds ik erin getrokken was, waren de bungalows aan weerszijden van de mijne leeg gebleven. Dat

verschafte me enerzijds de rust waar ik zoveel prijs op stelde, terwijl het anderzijds een verontrustend gevoel van isolement opriep.
Ik nam de stapel post door die de postbode door mijn brievenbus had geduwd. Veel reclame, een paar rekeningen, waarvoor ik ter plekke cheques uitschreef. Ik voelde me rusteloos en wilde het liefst naar huis, maar ik had het gevoel dat ik moest blijven, in de hoop dat Reba zou bellen. Ik werkte mijn administratie bij. Ik ruimde mijn la met schrijfbenodigdheden op. Het waren gezochte karweitjes, maar het gaf me het gevoel iets nuttigs te doen. Ik keek voortdurend naar de telefoon, alsof ik het apparaat door wilskracht kon dwingen te gaan rinkelen, dus toen er iemand op mijn zijraam klopte, schrok ik me een ongeluk.
Reba stond buiten, verdekt opgesteld in de donkere ruimte tussen mijn bungalow en de bungalow ernaast. Ze had haar korte broek ingewisseld voor een spijkerbroek en haar witte T-shirt leek me hetzelfde exemplaar dat ze aan had gehad toen ik haar uit de gevangenis ophaalde. Ik deed het schuifraam van het slot en schoof het omhoog. 'Wat doe je daar?'
'Kun jij in die garages aan de achterkant?'
'Ja zeker, de garage die bij dit huis hoort. Ik heb hem nog nooit gebruikt, maar de huisbaas heeft me wel de sleutel gegeven.'
'Pak die dan en maak hem open. Mijn auto moet van de straat af. Die gangsters zitten al achter me aan sinds ik van huis vertrok.'
'Dezelfden die we in Los Angeles zagen?'
'Ja, alleen heeft een van de twee nu een blauw oog, alsof hij tegen een deur aan is gelopen.'
'O, jeetje. Ik vraag me af of ik dat misschien op mijn geweten heb,' zei ik. 'Hoe ben je ze kwijtgeraakt?'
'Gelukkig ken ik deze stad een stuk beter dan zij. Ik heb ze een tijdje achter me aan laten rijden, heb toen gas gegeven, mijn koplampen uitgedaan, ben een klein zijweggetje ingeslagen en achter een hoge heg gaan staan. Zodra ik hun auto voorbij zag rijden, ben ik gekeerd en hiernaartoe gereden.'
'Waar heb je al die tijd uitgehangen?'
Ze maakte een geagiteerde indruk. 'Vraag dat nou maar niet. Ik ben druk in de weer geweest met vanalles en nog wat. Schiet nou op. Ik heb het koud.'
'Ik kom eraan.'
Ik schoof het raam weer dicht en sloot het af. Uit mijn onderste bureaula haalde ik twee sleutels die met een paperclip bij elkaar werden gehouden. Uit mijn schoudertas diepte ik mijn ver-

trouwde penlight op. Ik controleerde of hij het nog deed en liep toen de gang door en de achterdeur uit. Een smal strookje stoppelig gras scheidde de bungalows van het rijtje van drie garages erachter. Reba had haar auto geparkeerd in de schaduw van een vuurdoorn die de lak van het rechterportier waarschijnlijk een paar lelijke krassen had bezorgd. Ze zat achter het stuur een sigaret te roken terwijl ze op me wachtte.

Er bevond zich een lichtpunt met een gloeilamp van 40 watt aan de houten balk boven de middelste garage, die bij mijn bungalow hoorde. De lamp gaf net genoeg licht om iets te kunnen zien als je goede ogen had. Ik morrelde aan het hangslot en wist het ten slotte open te krijgen. Ik haalde het uit de beugel en trok de kanteldeur omhoog met veel gekreun van hout en roestige scharnieren. Ik liet het licht van mijn penlight over de kale muren en de vloer schijnen, die naar motorolie en roet roken. Overal zaten spinnenwebben.

Reba knipte haar sigaret uit het raampje en startte de motor. Ik deed een pas opzij terwijl ze de garage in reed. Ze stapte uit, sloot haar portier af en liep naar de achterkant van de auto. Ze maakte de kofferbak open en haalde er een koffertje uit van het formaat dat je als handbagage mee het vliegtuig in kon nemen, hoewel het enig passen en meten zou vergen om het in de bagageruimte boven de stoelen kwijt te raken. Het koffertje was voorzien van wieltjes en een uitschuifbaar handvat. Ze maakte een afwezige indruk en ik kon haar stemming onmogelijk peilen.

'Alles goed met je?' vroeg ik.

'Prima.'

'Ga je me nog vertellen wat erin zit?'

'Wil je het zien?'

'Ja zeker.'

Ze legde het koffertje plat neer, trok de rits open en sloeg het deksel terug.

Ik keek naar een metalen doos van zo'n 45 bij 35 bij 20 centimeter. 'Wat is dat in vredesnaam?'

'Dat meen je toch niet? Weet je dat echt niet?'

'Als ik het wist, zou ik het niet vragen, Reeb. Dan zou ik kreten van vreugde en verrassing slaken.'

'Het is een computer. Marty heeft die van hem meegenomen toen hij vertrok. Hij is ook bij de bank langsgegaan en heeft alle diskettes uit het safeloket gehaald. Je kijkt naar Becks bedrijfsadministratie, de schaduwboekhouding. Sluit er een toetsenbord en een monitor op aan en je hebt toegang tot alles: bankrekeningen, deposito's, lege vennootschappen, betaalde steekpenningen, elke stuiver die hij voor Salustio witgewassen heeft.'

'En dat ga je overdragen aan de FBI?'

'Waarschijnlijk wel. Zodra ik klaar ben... hoewel, je weet hoe moeilijk ze doen over gestolen bewijsmateriaal.'

'Maar je kunt er zelfs niet over dénken dit zelf te houden. Daarom zijn die kerels achter Marty aan gegaan, om het terug te krijgen. Toch?'

'Precies. Dus laten we Beck bellen en hem een deal aanbieden. Wij krijgen Marty, hij krijgt dit.'

'Ik dacht dat je zei dat je het aan de FBI zou overdragen?'

'Je hebt niet goed geluisterd. Ik zei "waarschijnlijk wel". Ik betwijfel of dat stomme onderzoek van hen Marty's leven waard is.'

'Je kunt dit niet in je eentje aan. Onderhandelen met Beck? Ben je gek geworden? Je moet Vince op de hoogte brengen. De politie of de FBI inschakelen.'

'Geen sprake van. Dit is mijn enige kans om het die klootzak betaald te zetten.'

'Ah, ik snap het. Dit gaat helemaal niet over Marty. Het gaat over jou en Beck.'

'Natuurlijk gaat het over Marty, maar het gaat ook over het vereffenen van een rekening. Het is een soort test. Laten we maar eens zien uit welk hout Beck gesneden is. Volgens mij is het geen slechte deal, Marty in ruil voor dit hier. Het feit dat de FBI het dolgraag wil hebben, maakt het zo waardevol.'

'Er zijn belangrijker zaken in het leven dan wraak,' zei ik.

'Gelul. Noem er dan eens een,' zei ze. 'Trouwens, ik heb het niet over wraak. Ik heb het over het vereffenen van een rekening. Dat zijn twee verschillende dingen.'

'Niet waar.'

'Wel waar. Wraak wil zeggen jij doet mij pijn en ik neem jou dusdanig te grazen dat je zou willen dat je dood was. Het vereffenen van een rekening herstelt de balans in het universum. Jij doodt hem, ik dood jou. Nu staan we quitte. Dat is toch ook de essentie van de doodstraf? Bij het vereffenen van een rekening is het gewoon een kwestie van leer om leer. Jij doet mij pijn, dan doe ik jou ook pijn.'

'Waarom zet je het hem niet betaald door hem uit te leveren aan de Belastingdienst?'

'Dat is zakelijk. Dit is iets persoonlijks, iets tussen hem en mij.'

'Ik begrijp niet waar je op uit bent.'
'Ik wil dat hij zegt dat hij spijt heeft van wat hij me heeft aangedaan. Ik heb twee jaar van mijn leven voor hem opgeofferd. Nu heb ik iets wat hij graag wil hebben, dus laat hem er maar om smeken.'
'Dat is belachelijk. Goed, dan trekt hij een lang gezicht en zegt dat het hem spijt. Wat maakt dat nou voor verschil? Je weet hoe hij is. Je kunt nooit zakendoen met iemand als hij. Je kunt erop rekenen dat hij je belazert.'
'Dat weet je niet.'
'Dat weet ik wél. Reba, luister nou eens naar me. Zodra hij de kans krijgt, neemt hij je te grazen.'
Haar gezicht stond vastberaden. 'Waarom rijd je je auto niet hiernaartoe? Ik wacht hier wel op je.'
Ik zweeg en sloot mijn ogen. Wat had het voor zin om in discussie te gaan als ze haar besluit toch al genomen had? 'Heb je hulp nodig met de garagedeur?'
'Dat red ik wel.'
Ik liep terug naar mijn kantoor. Ik draaide de achterdeur achter me op slot en liep de gang door terwijl ik onderweg lichten uitdeed. Ik pakte mijn schoudertas, stapte de voordeur uit en draaide die op slot. Ik bleef even staan en speurde de donkere straat af. Alle auto's die ik zag, behoorden toe aan buren, voertuigen die ik al eerder had gezien en die ik herkende. Ik stapte in mijn auto en startte de motor. Ik draaide de hoek om en reed voorzichtig de steeg in.
Reba had de garagedeur dichtgetrokken en hem met het hangslot afgesloten. Ze deed het portier aan de passagierskant open, legde het koffertje op de achterbank en stapte in. Ik stak mijn arm naar achteren en pakte mijn spijkerjack. 'Hier, trek dit maar aan voordat je kouvat.'
'Bedankt.' Ze trok het jack aan en klikte de autogordel dicht.
'Waar gaan we heen?'
'De dichtstbijzijnde telefooncel.'
'Waarom bel je niet vanuit mijn kantoor, nu we hier toch zijn?'
'Ik wil niet dat jij hier op een of andere manier bij betrokken raakt.'
'Waarbij?'
'Ga nou maar op zoek naar een telefoon,' zei ze.

31

Reba wilde dat ik Beck zou bellen. We vonden een telefooncel buiten een supermarkt. De winkel was een helder verlicht eiland, en het koude tl-licht werd weerspiegeld in de glanzende lak van de ongeveer tien auto's op het parkeerterrein aan de voorkant. Dit was de winkel waar ik mijn wekelijkse boodschappen deed, en ik zou niets liever willen dan melk en eieren kopen en vervolgens op huis aan gaan.

Reba legde een handvol kleingeld en een strookje papier met Becks nummer thuis en dat van zijn kantoor op het metalen rek onder het toestel. 'Probeer eerst zijn nummer thuis maar. Als Tracy opneemt, denkt ze misschien dat hij een vriendin heeft,' zei ze.

'Dat is ook zo. Haar naam is Onni.'

'Daar is ze waarschijnlijk wel van op de hoogte. Ik bedoel een nieuwe vriendin. Laten we haar maar eens lekker jennen nu we toch bezig zijn.'

'Dat is niet erg aardig van je. Ik dacht dat vrouwen verondersteld werden aardig te zijn.'

'Daar zou ik maar niet al te zeer op rekenen als ik jou was.'

Ik nam de hoorn van de haak. 'Wat wil je dat ik tegen hem zeg?'

'Zeg hem maar dat hij over een kwartier op het parkeerterrein van East Beach moet zijn. Zodra hij Marty aan ons overdraagt, krijgt hij zijn computer.'

Ik hield de hoorn tegen mijn borst. 'Doe dit nou niet. Ik smeek het je. Wat weerhoudt hem ervan om het verdomde ding gewoon uit je handen te rukken? Je hebt niet eens een vuurwapen.'

'Natuurlijk heb ik geen vuurwapen. Ik heb een veroordeling achter de rug. Ik mag helemaal geen vuurwapen dragen,' zei ze, alsof het idee alleen al haar tegenstond.

'En als Beck er nu wel een bij zich heeft?'

'Hij bezit niet eens een vuurwapen. Bovendien kan iedereen die over Cabana Boulevard rijdt ons zien. Kom hier met die hoorn.'

Ze pakte de hoorn uit mijn hand en hield die tegen mijn oor, pakte wat munten op en stopte ze in de gleuf. Ik had durven zweren dat ik behalve de kiestoon ook het gezoem hoorde van elektriciteit die door me heen joeg. Mijn hart begon steeds sneller te kloppen en mijn ingewanden voelden aan als een stoppenkast waarin zojuist alle stoppen waren doorgeslagen. Ze toetste Becks nummer thuis in om de zaak wat te bespoedigen. Toen het toestel voor de eerste keer overging, legde Reba haar hoofd tegen het mijne en ze draaide de hoorn een beetje zodat ze mee kon luisteren. Ik zei: 'Ik heb het gevoel alsof ik weer op de middelbare school zit. Ik haat dit.'

'Stil nou!' siste ze.

Nadat de telefoon drie keer was overgegaan, nam hij op. 'Hallo.'

Mijn mond was droog. 'Beck, je spreekt met Kinsey.'

'Godverdomme. Waar is Reba? Dat kutwijf. Ik wil mijn eigendom terug en wel zo snel mogelijk.'

Reba griste de hoorn uit mijn hand, een en al beminnelijkheid nu ze hem bij de kloten had. 'Hé, liefje. Hier ben ik. Hoe is het ermee?'

Ik kon Becks reactie niet verstaan, maar ze lachte opgetogen. 'Goeie genade! Je hoeft niet zo grof te zijn. Ik dacht dat we misschien maar een afspraak moesten maken om een babbeltje te maken.'

Ik wachtte en staarde naar het parkeerterrein terwijl ze hem het voorstel voor de ruil deed. Daarna steggelden ze over de plaats van samenkomst, alleen maar om te zien wie er aan het langste eind zou trekken. Het badhuis van East Beach, op de hoek van Cabana en Milagro, was het punt waar ik altijd keerde als ik 's ochtends ging joggen. Zelfs 's avonds laat is het er overzichtelijk en goed verlicht, met de Santa Teresa Inn aan de overkant van de straat tegenover de ingang van het parkeerterrein. Aan de andere kant van het gebouw bevindt zich nog een wat kleiner parkeerterrein, maar ze had het terrein dat vanaf de openbare weg het best zichtbaar was voorgesteld. Daarmee legde ze in elk geval enig gezond verstand aan den dag, wat voor haar tamelijk ongebruikelijk was. Ze stond erop dat de ontmoeting over een kwartier zou plaatsvinden terwijl hij bij hoog en bij laag volhield dat hij er niet eerder dan over een halfuur kon zijn. Uiteindelijk ging ze daarmee akkoord. Eén nul voor hem. Ik voelde me ongemakkelijk. Hoe meer tijd ze hem gaf, hoe waarschijnlijker het was dat hij hulptroepen zou organiseren. Dat idee moest ook bij haar opgekomen zijn. 'O, en Beck, nog één ding. Als je behalve Marty nog iemand anders meebrengt, dan kun je het verder wel schudden. Ja, van hetzelfde, kloothommel die je bent!' Ze legde de hoorn met een klap terug op de haak en stak haar handen in de zakken van haar jack. 'God, wat haat ik die vent. Wat een etterbak.'

Ik nam de hoorn weer op en pakte wat munten. 'Ik bel Cheney.'

Ze griste de hoorn uit mijn hand en legde hem weer op de haak. 'Ik heb Cheney niet nodig. We kunnen dit samen wel af.'

'Daar begin ik niet aan. Jij en Beck kunnen spelletjes spelen zoveel je wilt, maar ik doe niet meer mee,' zei ik.

'Oké. Prima. Sodemieter dan maar op. Je hoeft me alleen maar bij mijn auto af te zetten en dan los ik het verder zelf wel op,' zei ze. Ze draaide zich om en liep weg.

Ik had haar Cheneys hulp min of meer op willen dringen, maar daar wilde ze dus niets van weten. Ik knipperde met mijn ogen en staarde naar het trottoir. Wat kon ik doen? Het op haar manier doen of riskeren dat... ja, wat eigenlijk? Dat ze het niet zou overleven of gewond zou raken? Omdat Marty de computer gestolen had, was ze ervan uitgegaan dat Beck degene was die opdracht had gegeven om hem te ontvoeren, maar als dat nou eens niet het geval was? Het zou Salustio Castillo geweest kunnen zijn, die net zoveel te verliezen had. Misschien blufte Beck wel. Misschien had hij geen idee waar Marty vastgehouden werd, en wat dan? Hij hoefde alleen maar het koffertje te grijpen en wat zou ze daartegen kunnen doen? En als het erop aankwam, wat zou ik daartegen kunnen doen? Niets. Van de andere kant wist ze dat ik haar niet in de steek zou laten. Er stond te veel op het spel.

Met tegenzin liep ik achter haar aan naar de auto. Ze wachtte met afgewende blik terwijl ik mijn portier openmaakte en mijn schoudertas op de achterbank gooide. Ik stapte in en maakte het portier aan haar kant open. Reba stapte in en trok haar portier dicht. Ik had mijn handen op het stuur en probeerde tijd te winnen terwijl ik mijn hersens pijnigde op zoek naar een alternatief. 'Er moet een betere manier zijn om dit te doen.'

'Prima. Zeg het maar. Ik ben een en al oor,' zei ze.

Ik had geen antwoord. De ontmoeting stond gepland voor elf uur, over ongeveer 25 minuten. We hadden nog tijd genoeg om naar mijn appartement te rijden en mijn pistool op te pikken. Het scheelde niet veel of ik had met mijn hoofd op het stuur gebonkt. Wat haalde ik me in mijn hoofd? Een vuurwapen was uitgesloten. Ik ging niemand neerschieten. Vanwege een computer? Te gek voor woorden.

Aan de andere kant... shit... aan de andere kant... als Marty's telefoon afgetapt werd, zou de FBI Becks telefoonlijnen ongetwijfeld óók aftappen. Een van hun mensen moest Beck en Reba hebben horen bekvechten, dus misschien hadden ze adequaat gereageerd en was de cavalerie al onderweg.

Uit mijn ooghoeken zag ik Reba op haar horloge kijken. Ze zei: 'Tik-tak. Tik-tak. De klok tikt door.'

'Waar is Marty momenteel?'

'Dat heeft hij niet gezegd. Ik neem aan ergens dicht in de buurt.'

Ik schudde gefrustreerd het hoofd. 'Ik lijk wel gek om dit te doen.' Ik draaide het contactsleuteltje om. 'Laten we in elk geval even de tijd nemen om de omgeving te verkennen, of heb je dat al gedaan?'

'Niet echt. Waarom zou ik? Jij bent de expert.'

De rit leek oneindig lang te duren. Op een gegeven moment nam ik de snelweg, in de veronderstelling dat dat sneller zou gaan. Dat bleek een grote vergissing. Druk verkeer, bumper aan bumper, twee rijbanen gestremd door een ongeluk op een van de rijbanen in tegenovergestelde richting. Een eindje verderop zag ik de zwaailichten van politieauto's en een ambulance. Hoewel er zich op onze rijbanen geen obstakels bevonden, kwamen we toch vrijwel stil te staan omdat veel auto's stapvoets gingen rijden om toch maar vooral alles goed te kunnen zien.

Tegen de tijd dat we de afrit naar Cabana bereikten, hadden we nog minder dan een minuut. Ik geef toe dat ik de laatste twee kilometer veel te hard reed in de hoop dat we aangehouden zouden worden. Het mocht niet zo zijn. De oceaan bevond zich rechts van ons, van de weg gescheiden door het strand, een fietspad, en de brede strook gras waar talloze palmbomen op stonden. Aan onze linkerkant passeerden we een reeks motels en restaurants. Er waren nog heel wat toeristen op de been, wat eigenaardig genoeg geruststellend was.

Op Milagro draaide ik het parkeerterrein op waar we hadden afgesproken. Er stonden geen andere auto's, wat (misschien) inhield dat, mocht Beck van plan zijn hulptroepen in te zetten, die in elk geval niet vóór ons waren gearriveerd. Reba zei dat ik aan het eind van het parkeerterrein moest keren en terug moest rijden naar de ingang. Ik volgde haar instructies en parkeerde de auto met de voorkant naar de straat, voor het geval we er snel vandoor zouden moeten gaan. We stapten uit. Ze klapte de rugleuning van haar stoel naar voren en pakte het koffertje van de achterbank. Ze trok het handvat uit en trok het achter zich aan naar de voorkant van de auto. 'Dan kan hij zien dat het ons ernst is,' zei ze.

Achter ons braken de golven op het strand. Het water was diepzwart, met een helwitte glans waar de kruin van elke golf het maanlicht ving. Een vochtig briesje speelde met mijn haar en trok aan de pijpen van mijn spijkerbroek. Ik draaide me om en speurde het strand achter ons af, terwijl ik van de ene voet op de andere wipte om warm te blijven. Tot dusver waren we, naar het zich liet aanzien, alleen.

Reba stak een sigaret op. Er verstreken tien minuten. Ze keek op haar horloge. 'Wat heeft dit te betekenen? Wil hij dat verrekte ding nou wel of niet?'

Aan de overkant van de straat arriveerden gasten bij de ingang van de Santa Teresa Inn. Twee parkeerbedienden deden hun werk en er liepen ook nog wat voetgangers. In het restaurant op de eerste verdieping stonden tafeltjes aan het panoramaraam. Ik zag mensen die zaten te eten, maar ik betwijfelde of die ons in het donker konden zien. Een zwart-witte politieauto kwam aanrijden en sloeg rechts af Milagro in.

'Ik denk dat we beter weg kunnen gaan. Dit bevalt me helemaal niet,' zei ik.

Ze keek weer op haar horloge. 'Nog niet. Als hij er om halftwaalf nog niet is, dan gaan we.'

Om elf minuten voor halftwaalf kwamen er twee auto's langzaam aanrijden en ze draaiden het parkeerterrein op. Reba liet haar sigaret vallen en drukte hem met haar schoen uit. 'De voorste auto is die van Marty. De tweede is van Beck.'

'Is dat Marty achter het stuur?'

'Ik kan het niet goed zien. Zo te zien wel.'

'Oké, vooruit dan maar met de geit,' zei ik.

Reba sloeg haar armen over elkaar, vanwege de kou of vanwege de spanning, dat was me niet helemaal duidelijk. Aan het eind van het parkeerterrein keerde Marty's auto en hij reed terug in de richting van de ingang, zoals wij ook hadden gedaan. Hij stopte een meter of tien bij ons vandaan en liet zijn motor stationair draaien, terwijl Becks auto ons tot op een meter of vijf naderde.

Beide auto's lieten hun koplampen branden. Ik hield mijn hand boven mijn ogen. Ik kon Beck achter het stuur van zijn auto zien zitten, maar ik was er bepaald niet van overtuigd dat de andere bestuurder Marty was.

Er verstreek een minuut.

Reba wipte rusteloos van de ene voet op de andere. 'Wat is nou precies de bedoeling?'

'Reba, laten we wegwezen. Ik vertrouw het voor geen meter.'

Beck stapte uit. Hij stond naast het openstaande portier, zijn blik strak gericht op het koffertje. Hij droeg een openhangende donkere regenjas waarvan de panden wapperden in de wind. 'Dat is hem?'

'Nee hoor, Beck. Ik ga een reisje maken, nou goed?'

'Breng hem maar hiernaartoe, zodat ik kan zien wat erin zit.'

'Zeg tegen Marty dat hij uitstapt zodat we kunnen zien dat hij het is.'

Beck riep achterom: 'Hé, Marty? Zwaai eens naar Reeb. Ze denkt dat je iemand anders bent.'

De bestuurder van Marty's auto zwaaide naar ons en knipperde met zijn koplampen, en voerde toen het toerental van zijn motor op als een stockcarcoureur bij de start van een race. Ik raakte Reba's arm aan en zei: 'Rennen...'

Ik zette het op een hollen naar links terwijl Marty's auto met piepende banden naar voren schoot en recht op ons afkwam. Reba greep het handvat van het koffertje en holde achter me aan. De koffer stuiterde op en neer op het oneffen oppervlak van het parkeerterrein en klapte toen op zijn kant. Ze holde in de richting van de straat, de koffer als een anker achter zich aan slepend. Ik schreeuwde: 'Laat die koffer los!'

De bestuurder van Marty's auto ging op de rem staan terwijl hij het stuur omgooide, zodat de achterkant van de wagen een zwieper maakte en mijn auto maar net miste. Er sprongen twee mannen uit, de bestuurder en nog een man die plotseling van de achterbank te voorschijn kwam waar hij zich verborgen had gehouden.

Beck stond met zijn handen in zijn jaszakken onbewogen toe te kijken hoe Reba het koffertje losliet en er als een haas vandoor ging. De twee mannen waren snel. Ze had nog maar nauwelijks een paar meter afgelegd toen een van hen haar van achteren tackelde, waarop beiden tegen de grond gingen. Ik keerde om en holde naar haar toe. Ik had geen plan. Dat koffertje zou me een zorg wezen, maar ik was niet van plan Reba aan haar lot over te laten.

Ze verzette zich heftig en schopte naar de kerel die haar getackeld had. Hij stompte haar in het gezicht en haar hoofd sloeg tegen de grond. Toen hij zijn vuist ophief om haar nogmaals een dreun te verkopen, sloeg ik mijn armen om zijn rechterarm en klemde me uit alle macht vast. Iemand greep me van achteren beet, drukte mijn armen tegen mijn zijden, tilde me van de grond en zwaaide me toen weg van zijn maat. Ik draaide mijn hoofd om naar Reba, die zich op haar zij had gerold. Ik keek toe terwijl ze zich op handen en knieën overeind werkte. Ze maakte een verdoofde indruk en er liep bloed uit haar mond en haar neus. De kerel die haar geslagen had, draaide zich naar me om. Hij pakte me bij mijn voeten en samen droegen ze me naar Marty's auto. Ik probeerde me uit alle macht aan hun greep te ontworstelen, maar de man omklemde me gewoon nog steviger en ik was volkomen machteloos.

Beck liep naar Marty's auto en hield een van de achterportieren open. De knaap die zijn armen om me heen geklemd hield, liet zich achterover op de achterbank vallen zodat ik boven op hem terechtkwam. Hij rolde zich om zodat ik onder hem kwam te liggen, mijn gezicht in de bekleding van de achterbank gedrukt. Zijn gewicht was zo verpletterend dat ik geen lucht meer kreeg. Ik dacht dat mijn ribben het zouden begeven en mijn longen zouden doorboren. Ik probeerde te kreunen, maar het enige wat ik kon produceren was een puffend geluid, nauwelijks hoorbaar.

'Ga verdomme van haar af,' snauwde iemand.

De man plantte een elleboog in mijn rug terwijl hij overeind ging zitten. Tegelijkertijd pakte hij mijn rechterpols en draaide mijn arm op mijn rug terwijl hij mijn hoofd omlaag duwde. Ik staarde naar de vloermat, mijn neus er vijftien centimeter vandaan. Iemand werkte mijn benen naar binnen en smeet het portier dicht. Even later hoorde ik het portier van Becks auto dichtslaan. Hij startte de motor terwijl de bestuurder van Marty's auto instapte, het portier dichttrok, en eveneens zijn motor startte. Hij trok in een rustig tempo op. Bij de uitgang van het parkeerterrein minderden we vaart. Geen piepende banden, niets wat de aandacht van eventuele voorbijgangers zou kunnen trekken. Voorzover ik wist, zat Reba nog steeds op het parkeerterrein, trachtend het bloed dat uit haar neus gutste, te stelpen. Ik had een glimp opgevangen van degene met wie ik op de achterbank zat. Er zat een ooglap van wit verbandgaas over zijn linkeroog getapet. Twee lelijke paarsrode kneuzingen liepen als verfstreken over zijn linkerwang. Het moest niet veel gescheeld hebben of die stoelpoot had hem zijn oog gekost, waarschijnlijk de reden waarom hij er zoveel genoegen in had geschept me stevig aan te pakken. Ik concentreerde me op de rit. Ik nam aan dat we in een colonne van twee reden. Ik dacht aan de ontvoeringen die ik in films had gezien, hoe de heldin later de plaats waar ze heen gebracht was, wist vast te stellen aan de hand van het geluid van de autobanden die over een spoorwegovergang reden of het geluid van een misthoorn in de verte. Wat ik voornamelijk hoorde, was het zware ademen van mijn metgezel. De conditie van beide mannen was kennelijk minder goed dan aanvankelijk het geval had geleken. Of misschien, vleiender voor ons, hadden Reba en ik onze huid duurder verkocht dan ze verwacht hadden.

We sloegen links af Cabana Boulevard op en na nog geen minuut remde de auto alweer af en kwam tot stilstand. Ik nam aan dat dit het verkeerslicht was op de kruising van State en Cabana. De chauffeur zette de radio aan en we konden genieten van een zanger die 'I Want Your Sex...' ten gehore bracht.

Mijn nieuwe beste vriend zei: 'Zet die shit uit.'

De bestuurder zei: 'Ik mag George Michael graag horen.' Maar de radio werd uitgezet.

'Draai je raampje omlaag en kijk wat Beck wil.'

Ik kon me Becks auto in de rijbaan naast de onze voorstellen, terwijl hij dat rollende gebaar maakte en zich opzij boog om iets tegen de bestuurder te zeggen. Geïrriteerd zei onze chauffeur: 'Oké, oké. Dat weet ik toch!' En tegen de knaap op de achterbank: 'Hij heeft de keycard, dus we moeten achter hem aan rijden. Hoe vaak heeft hij dat al niet gezegd?'

Vaag hoorde ik in de verte het geluid van naderbij komende sirenes. Het geloei werd luider en splitste zich toen in tweeën. Twee politieauto's, o alsjeblieft.

Ik probeerde mijn hoofd te draaien in de hoop iets door het portierraam op te kunnen vangen, maar het enige wat dat me opleverde was een ruk aan mijn arm die een felle pijnscheut door mijn lichaam joeg. De sirenes waren nu vlakbij. Ik zag het schijnsel van de zwaailichten van twee politieauto's die ons vlak na elkaar passeerden. De sirenes vervolgden hun weg over Cabana Boulevard en werden steeds zachter tot het geluid helemaal weggestorven was. Dat waren duidelijk niet de hulptroepen waarop ik stiekem had gehoopt.

We sloegen rechts af en ik gokte dat we nu over Castle reden. Toen we voor de tweede keer vaart minderden en stopten, vermoedde ik dat dat voor het verkeerslicht op de kruising met Montebello Street was. We trokken weer op en hielden een slakkengangetje van misschien vijftien kilometer per uur aan. Ik hoorde het holle geluid dat de autobanden maakten toen de weg onder de snelweg door liep. Even later liep de weg lichtjes omhoog, en ik vermoedde dat we ons op Granizo bevonden. Linksaf Chapel op. We moesten op weg zijn naar Becks kantoor, dat zich slechts een paar blokken verderop bevond. Ik wist dat de winkels en de kantoorgebouwen in het winkelcentrum gesloten zouden zijn. De keycard waar de chauffeur het over had gehad, diende waarschijnlijk om de slagboom van de ondergrondse garage te openen. En inderdaad voelde ik dat we vaart minderden en even later rechts afsloegen en langzaam een helling af reden. Op dit tijdstip zou de garage leeg zijn. We reden naar het eind van de spelonkachtige ruimte en parkeerden daar. Beck moest vlak voor ons hebben geparkeerd want ik hoorde zijn portier dichtslaan voordat onze chauffeur de motor af had gezet.

Ik werd zonder plichtplegingen van de achterbank getrokken en overeind gezet. Ik had gehoopt oogcontact met Beck te kunnen maken vanuit de gedachte dat ik meer kans had om hém te charmeren dan de twee gorilla's aan weerszijden van me. Zijn gezicht stond strak en hij ontweek mijn blik. We wachtten terwijl hij zijn kofferbak openmaakte en het koffertje eruit haalde. Er zaten grijze strepen op de zijkant van het over de grond schuren. Het handvat was gebroken. Beck legde het koffertje op zijn kant en knielde ernaast neer. Hij trok de rits open en sloeg de flap terug.

Leeg.

Ik staarde ernaar alsof ik probeerde een goocheltruc te doorgronden. Reba had me de computer laten zien. Nog geen uur geleden had hij in dat koffertje gezeten, maar waar was hij nu? De enige keer dat ik haar even uit het oog had verloren, was toen ik haar in de steeg had achtergelaten terwijl ik mijn auto ging halen. Ze moest van de gelegenheid gebruik hebben gemaakt om de computer uit het koffertje te halen en hem in de kofferbak van haar auto te leggen. Wat inhield dat ze Becks list voorzien had en hem vóór was geweest. Evenzeer moest hij voorzien hebben dat zij hem een loer zou draaien, want waarom zou hij anders mij ontvoerd hebben?

Beck kwam overeind en duwde met de neus van zijn schoen tegen het koffertje, een peinzende uitdrukking op zijn gezicht. Ik verwachtte dat hij razend zou zijn, maar in plaats daarvan maakte hij een verbijsterde indruk. Misschien vond hij het leuk dat Reba het conflict zo op de spits dreef, vanuit de gedachte dat zijn uiteindelijke overwinning daardoor des te zoeter zou smaken. Hij draaide zich om en liep in de richting van de liften.

Mijn twee bewakers en ik liepen achter hem aan, onze voetstappen hol weerklinkend in de grote lege ruimte. De knaap met de ooglap oefende een gestage druk uit op de arm die hij op mijn rug had gedraaid. Ik kon geen kant op zonder dat mijn arm als een gebraden kippenvleugeltje uit de kom zou worden gedraaid. De liftdeuren gleden open en we stapten met zijn vieren naar binnen. De deuren sloten zich weer en de lift zette zich in beweging.

'Waarom hier?' vroeg ik.

'Reba weet dat ze me hier kan bereiken. Voor het geval het je nog niet opgevallen was, we proberen elkaar te slim af te zijn.'

'Dat was me inmiddels al duidelijk geworden.'

Beck wierp me een vluchtige glimlach toe.

De deuren gleden open en we bevonden ons in het Beckwith Building. We staken de marmeren lobby over naar de publieksliften die ons naar de derde verdieping zouden brengen. Ik keek naar Willard, die achter zijn bureau zat. Hij sloeg ons zonder iets te zeggen gade, zijn knappe gezicht een uitdrukkingloos masker. Ik wierp hem een naar ik hoopte smekende blik toe, maar kreeg geen enkele reactie. Zag hij dan niet wat er aan de hand was? Beck was zijn baas. Misschien werd hij er wel goed voor betaald om de andere kant op te kijken.

We namen de lift naar de derde verdieping. Daar brandden alle lichten en de kleuren waren helder als in een Disney-tekenfilm. Groen tapijt, felgekleurde abstracte schilderijen aan de muur van de gang. Gezonde planten, modern meubilair. Ik verwachtte dat we naar Becks kantoor zouden gaan, maar in plaats daarvan sloegen we de hoek om naar de dienstlift. Hij drukte op de knop en de deuren gleden open. Hij liep naar de achterwand van de lift en duwde de grijze gewatteerde bekleding opzij. Hij toetste de code in op het aan de liftwand gemonteerde paneeltje. De deur naar zijn telruimte gleed open. Beck drukte op de knop waarmee de liftdeuren geblokkeerd werden en deed een stap opzij, waarna hij zich omdraaide en me aankeek. Hij had zijn handen in de zakken van zijn regenjas.

Niemand zei een woord.

Uit mijn ooghoeken zag ik de tel- en bundelmachines. Ook zag ik dat alle kartonnen dozen met losse bankbiljetten inmiddels leeg waren, en dat de biljetten nu in stapeltjes verpakt op het werkblad lagen.

Wat ik onmogelijk kon vermijden, was de aanblik van Marty. Hij zat vastgebonden op een stoel en was dusdanig toegetakeld dat hij bijna onherkenbaar was. Zijn hoofd hing voorover op zijn borst. Zelfs zonder zijn gezicht helemaal te kunnen zien, wist ik dat hij dood was. Zijn wang was helemaal opgezwollen en bij zijn haarlijn zat geronnen bloed dat al zwart begon te worden. Er was bloed uit zijn oren gesijpeld dat vastgekoekt zat rond de boord van zijn overhemd. Er ontsnapte een geluid aan mijn keel en ik wendde met een ruk mijn hoofd af. Mijn handpalmen waren ineens klam en er sloeg een golf van warmte door me heen. Ik voelde het bloed uit mijn hoofd wegtrekken. Ik wankelde op mijn benen. De knaap met de ooglap ving me op en ondersteunde me even. Beck drukte op een knop en de liftdeuren die toegang gaven tot de telruimte gleden dicht.

Ik werd met knikkende knieën naar Becks kantoor geleid, waar ik me op de bank liet zakken en mijn handen voor mijn gezicht sloeg. Het beeld van Marty was als een foto die ik nu in negatief zag, met licht en donker van plaats verwisseld. Boven mijn hoofd werd er gepraat, Beck die de twee mannen opdracht gaf het lijk daar weg te halen en zich ervan te ontdoen. Ik wist dat ze hem met de dienstlift naar beneden zouden brengen, waar ze hem door de dienstgang naar de garage konden slepen. Ze zouden hem in de kofferbak van zijn auto stoppen en hem ergens langs de kant van de weg dumpen. Het was allemaal zo onwerkelijk. Ik had het in zijn ogen gezien – dit einde, deze dood – maar ik had er niets tegen kunnen doen.

Er dansten donkere vlekken voor mijn ogen en ik had die merkwaardige gewaarwording in mijn oren – witte ruis – die me vertelde dat ik op het punt stond flauw te vallen. Ik stak mijn hoofd tussen mijn knieën en haalde een paar keer diep adem. Binnen een minuut leek het koeler te worden en verdwenen de donkere vlekken. Toen ik opkeek, waren de twee mannen verdwenen en zat Beck achter zijn bureau. 'Het spijt me van Marty. Het is niet wat je denkt. Hij kreeg een hartaanval.'

'Hij is evengoed dood en dat heb jij op je geweten,' zei ik.

'Het is net zo goed Reba's schuld.'

'Hoe dat zo?'

'Kijk wat ze me geflikt heeft. We hebben een afspraak en dan komt ze opdagen met een lege koffer. Wat denkt ze nou, dat ze ongestraft een loopje met me kan nemen?'

‘Zij heeft de computer niet gestolen. Marty heeft hem meegenomen toen hij vertrok.’

‘Het zal me een rotzorg zijn wie hem heeft meegenomen. Ze had hem alleen maar terug hoeven geven en dan was hij misschien nog in leven geweest. Het is de stress die hem fataal is geworden. Een paar onbenullige klappen en hij legt het loodje.’

Het had geen zin om met de man in discussie te gaan. Hij was zo zeker van zichzelf en zijn manier van denken was zo krom. Hoe moest dit aflopen? Het conflict tussen hen was steeds verder uit de hand gelopen en de zaak kon alleen nog maar escaleren. Beck had de troefkaart in handen, zo simpel lag het. Hij had mij.

Hij glimlachte flauwtjes. ‘Je hoopt dat ze de politie zal bellen, maar dat doet ze niet. Weet je waarom niet? Omdat ze daar geen lol aan zou beleven. Ze is een gokker. Ze speelt graag alles of niets. Die arme meid is lang niet zo slim als ze denkt.’

‘Ik heb geen zin om hierover te praten. Jullie vechten het zelf maar uit.’

‘Daar kun je donder op zeggen.’

Samen wachtten we tot de telefoon over zou gaan. Ik had het opgegeven om te voorspellen wat die twee zouden doen. Ik bekommerde me nu alleen nog maar om mezelf. Het probleem was dat ik moe was en me paniekerig voelde. Mijn handen trilden van de zenuwen en het kostte me moeite om helder na te denken. Beck leunde achterover in zijn draaistoel en speelde met een presse-papier die hij van de ene hand overgooide in de andere.

Mijn oog viel op een rij kartonnen dozen tegen de muur, allemaal netjes dichtgetapet en klaar om getransporteerd te worden. Het viel me nu pas op dat het in zijn kantoor een beetje een rommeltje was: planken die half leeggehaald waren, de nodige uitpuilende dossiers op zijn bureau. Het zag er naar uit dat Beck op het punt stond om ervandoor te gaan. Geen wonder dat hij er zo op gebrand was zijn computer en zijn diskettes terug te krijgen. Die diskettes en zijn harde schijf bevatten zijn complete onderneming, elke cent die hij bezat, al het geld dat hij weg had gesluisd, lege vennootschappen, Panamese bankrekeningen. Hij was niet iemand met een hoofd voor getallen of data. Alles moest vastgelegd zijn. Hij wist net zo goed als ik dat die gegevens zijn ondergang zouden betekenen als ze in de verkeerde handen terechtkwamen.

Ik zei: ‘Ik moet naar de wc.’

‘Nee.’

‘Toe nou, Beck. Je kunt meelopen en aan de deur luisteren terwijl ik een plas doe.’

Hij schudde het hoofd. 'Sorry. Ik wil bij de telefoon zijn als ze belt.'

'En als dat nou pas over een uur is?'

'Pech gehad.'

We wachtten in stilte. Ik keek op mijn horloge. Het glas van de wijzerplaat was kapot en de wijzers waren stil blijven staan op 11.22 uur. Ik zag nergens een klok. De tijd kroop voorbij. Als Reba belde, had ik nog één kans om de agenten die Becks gesprekken afluisterden, in te seinen. Ik wist nog niet hoe ik dat zou klaarspelen of wat ik zou zeggen, maar de mogelijkheid zou zich voordoen.

De stilte duurde zo lang dat ik me zowat een ongeluk schrok toen de telefoon uiteindelijk begon te rinkelen. Beck nam de hoorn van de haak en hield hem losjes bij zijn oor. Hij glimlachte en boog zich voorover, zijn ellebogen op het bureau. 'Hé, Reeb, brave meid. Ik wist wel dat je contact op zou nemen. Kunnen we zakendoen? O, wacht even. Ik heb hier een vriendin van je en ik vroeg me af of je misschien even met haar wilde praten.'

Hij drukte op het luidsprekerknopje van zijn telefoon en Reba's holle stemgeluid weerklonk in het kantoor. 'Kinsey? O, jezus... is alles in orde met je?'

Ik zei: 'Ik zou best wat hulp kunnen gebruiken. Als je Cheney nou eens belt en hem vertelt wat er aan de hand is?'

'Vergeet Cheney nou maar. Geef me Beck maar weer,' zei ze geïrriteerd.

Nu hij zijn handen vrij had, trok Beck zijn bureaula open en hij haalde een pistool te voorschijn. Hij schoof de veiligheidspal terug en richtte het wapen op mij. 'Hé, Reeb? Sorry dat ik je onderbreek, maar laten we ter zake komen. Luister hier even naar.'

Hij richtte op de muur vlak boven mijn hoofd en haalde de trekker over. Er kwam een geluid uit mijn keel dat het midden hield tussen een schreeuw en gekerm. De tranen sprongen me in de ogen. Hij zei: 'Oeps. Ik heb gemist.'

Ze zei: 'Beck, niet doen.'

'Ik kan niet zo goed met dit ding overweg. Willard heeft me wel wat instructie gegeven, maar ik schijn de slag maar niet te pakken te kunnen krijgen. Zal ik het nog eens proberen?'

'Grote hemel. Toe, Beck, doe dat nou niet.'

'Ik heb je antwoord nog niet gehoord. Ben je bereid om zaken te doen?'

'Niet meer schieten. Niet doen, alsjeblieft. Ik kom het ding wel brengen. Ik heb het bij me. Het ligt in de kofferbak van mijn auto. Ik heb het in een weekendtas gestopt.'

'Dat heb je al eens eerder gezegd. Ik geloofde je, en kijk wat je me toen geflikt hebt. De grote verdwijntruc uitgehaald.'

'Ik zweer dat ik je ditmaal niet belazer. Ik ben vlak in de buurt. Geef me twee minuten. Zo lang kun je toch wel wachten? Toe.'

Zijn toon was sceptisch. 'Jeetje, ik weet het niet, Reeb. Ik vertrouwde je. Ik dacht dat je eerlijk spel zou spelen. Wat jij uitgehaald hebt, was niet zo fraai. Helemaal niet zo fraai, zou ik zeggen.'

'Dit keer breng ik hem echt mee. Geen toestanden meer. Ik zweer het je.'

Beck keek me aan terwijl hij sprak. Hij knipoogde en glimlachte en amuseerde zich kennelijk kostelijk. 'Hoe weet ik of je niet hetzelfde geintje zult uithalen? Mij een tas geven waar niks in blijkt te zitten.'

Ik stond op en wees naar de deur, terwijl ik geluidloos zei: 'Ik moet plassen.'

Hij gebaarde dat ik weer moest gaan zitten terwijl Reba wanhopig zei: 'Ik weet hoe we het kunnen doen. Ik kom binnen via de dienstgang. Je kunt naar Willards bureau gaan en het op de monitor volgen. Ik doe de tas open en dan kun je met eigen ogen zien dat de computer erin zit.'

Ik greep naar het kruis van mijn spijkerbroek en sloeg toen mijn handen ineen terwijl ik geluidloos het woord 'Toe...' vormde. Ik wees weer naar de deur.

Met het pistool gebaarde hij dat ik moest gaan zitten. Ik schuifelde in de richting van de deur. Ik stak een vinger op en fluisterde: 'Ik ben zo terug.'

Ik liep de kamer uit en haastte me de gang door, mijn voetstappen geluidloos op het tapijt. Onderweg trok ik met het nodige lawaai kantoordeuren dicht. Ik hoorde hem 'Hé!' roepen. Hij klonk niet zozeer boos als wel geïrriteerd door mijn ongehoorzaamheid.

Ik zette het op een hollen en bereikte de vestibule. Gelukkig stonden de deuren van de dienstlift open. Ik liep naar de achterwand en toetste de code voor de telruimte in. 15-5-1955. Reba's geboortedatum. De deuren gleden open.

Buiten in de gang hoorde ik Beck mijn naam roepen, terwijl hij kantoordeuren openrukte om te zien of ik me daar misschien ergens schuilhield. Hij vuurde een schot af waarvan ik me zelfs op deze afstand een ongeluk schrok. Hoewel ik geweten had dat ik hem niet zou neerschieten, was ik er bepaald niet van overtuigd dat hij mij niet zou neerschieten, al dan niet per ongeluk. Ik trok een schoen uit en zette die tussen de open liftdeur en de wand. De deur begon dicht te glijden, kwam tegen de schoen aan en gleed weer open, een proces dat zich als een zenuwtrekking steeds opnieuw herhaalde. Ik draaide me om en drukte de G-knop op het paneeltje in om de dienstlift naar de garageverdieping te sturen. De deuren reageerden traag, wat me genoeg tijd gaf om mijn schoen weg te grissen en de telruimte binnen te glippen terwijl de deuren naar de gang dichtgleden. Een halve tel later gleden de deuren die toegang gaven tot de telruimte dicht en was ik veilig. Tijdelijk, in elk geval.

Marty's lijk bevond zich nog steeds in de telruimte. Ik sloot me ervoor af en blokkeerde alle emotionele reacties. Daar was het nu niet het goede moment voor. Ik gooide de schoen neer, omdat ik de tijd niet durfde nemen hem weer aan te trekken. Ik keek naar de tegen de muur bevestigde ladder en liet mijn blik langs de sporten naar boven gaan. Met maar één schoen aan begon ik te klimmen. Ik wist dat het luik bovenin toegang gaf tot het dak. Als ik daar eenmaal was, zou ik me verstoppen of net zolang over de borstwering gaan staan gillen tot de politie op kwam dagen. Misschien was er al politie – agenten uit Santa Teresa, het SWAT-team, gijzelingsonderhandelaars – onderweg, allemaal uitgerust met kogelvrije vesten.

Ik wierp een blik op Marty, nog altijd vastgebonden op zijn stoel. Waarom hadden die gasten Becks opdracht niet uitgevoerd? Ze hadden hem daar weg moeten halen, maar ze hadden hem gelaten waar hij was. Mijn handpalmen waren vochtig, maar ik waagde nog een blik omlaag, en zag toen wat me eerder ontgaan was. De tel- en bundelapparatuur stond nog op het werkblad, maar de bankbiljetten waren verdwenen. In plaats van zich van het lijk te ontdoen, moesten ze er met het geld vandoor zijn gegaan.

Ik bereikte de bovenste sport van de ladder en stak mijn hand uit naar het luik boven mijn hoofd. Ik zag nergens een slot of knop of wat dan ook om het open te maken. Ik betastte het hele oppervlak, op zoek naar een handgreep of een hendel of zoiets. Niets. Ik klemde me uit alle macht vast aan de bovenste sport terwijl ik tevergeefs mijn vingers in de spleet bij de rand van het luik probeerde te krijgen. Ik sloeg met mijn vlakke hand tegen het luik, duwde toen zo hard als ik kon.

Onder me hoorde ik de liftdeur openglijden. Ik drukte mijn hoofd tegen de ladder en hield mijn adem in.

Op conversatietoon zei Beck: 'Dat luik is afgesloten, dus je kunt beter weer naar beneden komen. Reba is onderweg. Zodra we de zaak afgehandeld hebben, staat het je vrij om te vertrekken.'

Ik keek naar beneden. Hij had zijn regenjas aan, kennelijk met het oog op zijn vertrek. Het pistool dat hij in zijn hand had, was recht op mij gericht. Hij had vermoedelijk geen idee hoeveel druk ervoor nodig was om de trekker over te halen. Ook als hij me onopzettelijk een kogel door mijn hoofd schoot, zou ik evengoed dood zijn. Hij bukte zich en pakte mijn schoen op.

Hij bewoog het pistool heen en weer. 'Kom op. Wees nou maar niet bang, ik ben echt niet van plan je iets aan te doen. Het is bijna voorbij, dus een ontsnappingspoging heeft nu geen zin meer.'

Ik klom voorzichtig naar beneden, met mijn voet naar elke sport tastend, plotseling ten prooi aan hoogtevrees. Ik overwoog nog even om los te laten en me boven op hem te laten vallen, maar ik zou me alleen maar bezeren en ik had geen enkele garantie dat ik hem daardoor zou uitschakelen. Hij sloeg me geduldig gade tot ik weer op de vloer stond. Waarschijnlijk vond hij het prettiger om naar mij te kijken dan naar Marty. Het feit dat het lijk niet was weggehaald, scheen nauwelijks tot hem doorgedrongen te zijn.

Hij glimlachte flauwtjes. 'Leuk geprobeerd. Je had me aardig te pakken. Ik dacht dat je de andere kant op was gerend...' Hij gaf me mijn schoen aan. Ik zweeg terwijl ik tegen de muur leunde en hem aantrok.

Hij pakte me bij mijn elleboog en voerde me via de dienstlift mee naar de gang. Hij had gelijk. Het was bijna voorbij, dus wat had het voor zin om mijn leven in de waagschaal te stellen? Per slot van rekening had ik hier niets mee te maken. Ik liet me op mijn hurken zakken en strikte mijn veter. Becks geduld begon op te raken, maar ik liep liever niet met een losse schoenveter. Hij pakte me weer bij mijn elleboog en we sloegen de hoek om naar de publiekslift. Hij had zijn aktetas in de hal laten staan. Hij pakte hem op en drukte met de knokkel van zijn wijsvinger op de liftknop. De deuren gleden onmiddellijk open. Samen stapten we naar binnen. Beck drukte op het knopje voor de lobby. Als vreemden stonden we zwijgend tegen de achterwand, onze blik gericht op de digitale display terwijl de lift van 3 naar 2 naar 1 en naar de lobby zakte. Heel even koesterde ik de hoop dat ik, als de deuren opengleden, politiemensen met getrokken vuurwapens zou zien die hem zouden arresteren en een eind aan deze hele toestand zouden maken.

De lobby was leeg, afgezien van Willard die achter zijn bureau zat. De fontein in het midden van de lobby gutste als een toilet dat doorgetrokken werd. Mijn blaas was zo vol dat ik de contouren ervan had kunnen uittekenen. Buiten de ruiten van spiegelglas was het donker en er was geen levend wezen te bekennen. De winkels aan de overkant waren allemaal gesloten. Willard was overeindgekomen en keek aandachtig naar een van zijn tien monitors. Hij stak een arm uit en knipte een paar keer snel met zijn vingers. Beck en ik staken de lobby over en liepen om Willards bureau heen. Hij wees. Het beeld op een van de zwartwitschermen toonde de ondergrondse parkeergarage. Reba, achter het stuur van mijn VW, reed langzaam de glooiing af en sloeg rechts af. De auto verdween uit het zicht. Drie minuten later zagen we haar de dienstgang in lopen, één verdieping lager. Ze gebruikte twee handen om de kennelijk zware weekendtas te dragen. Ze zette hem voorzichtig op de grond en keek op naar de in een hoek gemonteerde beveiligingscamera. 'Hé, Beck?' Haar wang was gezwollen door de stomp die ze had gekregen, ook haar lippen waren gezwollen en ze had een blauw oog. Haar neus zag eruit alsof hij geplet was.

Ze wachtte af terwijl ze in de camera bleef kijken.

Willard stak Beck de hoorn van zijn bureautelefoon toe. Hij drukte op een knopje en we hoorden het wandtoestel in de dienstgang overgaan. Reba nam op, haar blik nog steeds op de camera gericht.

'Hé, liefje. Hoe is het ermee?' zei Beck, haar eerdere begroeting na-apend.

'Doe me een lol, Beck. Wil je dit hebben of niet?'

'Laat het me eerst maar eens zien.'

Ze liet de hoorn vallen en hij sloeg tegen de muur, bungelend aan zijn spiraalsnoer. Beck rukte zijn hoofd achteruit en mompelde: 'Shit.' Beneden boog Reba zich voorover en ze maakte de weekendtas open. De computer was duidelijk te zien.

'En de diskettes?'

Ze ritste een zijvak open en haalde een handvol diskettes te voorschijn, een stuk of twintig zo te zien. Ze hield ze omhoog naar de camera, met de voorkant naar voren zodat hij de etiketten kon zien die hij waarschijnlijk zelf geschreven had. 'Oké,' zei hij.

Ze deed ze weer in het zijvak en ritste de tas dicht. 'Ben je nou tevreden, zak die je bent?'

'Inderdaad. Dank voor je belangstelling. Kom maar naar de lobby en gedraag je. Ik heb Kinsey hier bij me, voor het geval je bijdehante ideeën mocht koesteren.'

Reba stak haar middelvinger naar hem op. Goed zo, dacht ik. Dat zou hem leren.

Ik keek naar Willard. 'Laat je dit allemaal zomaar gebeuren?'

Geen reactie. Misschien was Willard inmiddels wel overleden en had niemand de moeite genomen dat even door te geven. Ik wilde een hand voor zijn ogen heen en weer bewegen om te zien of hij met zijn ogen zou knipperen.

De deuren van de dienstlift gleden open en Reba stapte naar buiten, de weekendtas met zich mee zeulend. Beck, met zijn pistool nog steeds in de hand, hield haar nauwlettend in de gaten, alert op het geringste teken van vals spel. Ze zette de tas voor zijn voeten neer.

Hij maakte een gebaar met het pistool. 'Maak hem open.'

'O, jezus. Denk je soms dat er een boobytrap in zit?'

'Daar acht ik je best toe in staat.'

Ze bukte zich en ritste de tas open, zodat de computer voor de tweede keer zichtbaar werd. Zonder dat hij het hoefde te vragen, haalde ze de diskettes te voorschijn en ze gaf ze aan hem.

'Achteruit.'

Ze deed een paar passen achteruit, met haar handen boven haar hoofd. 'Wat ben je toch wantrouwend,' zei ze.

Beck gaf zijn pistool aan Willard. 'Hou ze allebei in de gaten.'

Hij knielde neer en haalde de computer uit de tas. Hij stak zijn hand in zijn jaszak en haalde een kleine kruiskopschroevendraaier te voorschijn waarmee hij de schroeven van de kast losdraaide. Hij liet de schroeven op de vloer vallen en verwijderde het achterpaneel. Ik had geen idee wat hij van plan was.

Het binnenwerk van de computer lag nu bloot. Zelf heb ik geen computer en ik had nog nooit de binnenkant van zo'n ding gezien. Wat een ingewikkelde verzameling veelkleurige connectors, draadjes, schakelingen, transistors, of hoe al die dingen ook mochten heten, een hele massa kleine frutseltjes in elk geval. Willard hield het pistool afwisselend op Reba en mij gericht, bijna onbewust volgens mij. Beck maakte zijn aktetas open en haalde er een flesje uit te voorschijn. Hij schroefde de dop eraf en goot een heldere vloeistof over het binnenwerk uit alsof het sladressing was. Het moet een of ander bijtend zuur zijn geweest, want er klonk een sissend geluid en een lucht van chemische verbranding steeg op. De isolatie van de bedrading smolt weg, kleine onderdeeltjes krulden om alsof er leven in zat en verschrompelden als ze met de bijtende vloeistof in aanraking kwamen. Hij pakte nog een flesje uit zijn tas en schonk zuur over de diskettes, nadat hij die eerst uitgespreid had om er geen te missen. Onmiddellijk verschenen er gaten, er klonk een sissend geluid en er ontwikkelde zich de nodige rook terwijl de diskettes desintegreerden.

Reba zei: 'Je kunt al die gegevens nooit onthouden.'

'Maak je daar maar geen zorgen over. Ik heb kopieën in Panama.'

'Goh, slim hoor.' Haar stem klonk vreemd.

Ik wierp een blik op haar. Haar mond trilde en er blonken tranen in haar ogen terwijl ze toekeek. Met schorre stem zei ze: 'Ik hield echt van je. Echt waar. Jij betekende alles voor me.'

Ik keek haar geïnteresseerd aan. Waarom dacht ik nou toch dat ze alleen maar deed alsof?

'Jezus, Reeb, je leert het ook nooit, hè? Wat is er voor nodig om het tot die stomme kop van je te laten doordringen? Je bent net een klein kind. Iemand vertelt je dat Sinterklaas bestaat en jij gelooft het onmiddellijk.'

'Maar je zei dat ik je kon vertrouwen. Je zei dat je van me hield en dat je voor me zou zorgen. Dat heb je gezegd.'

'Dat weet ik, maar ik heb gelogen.'

'Over alles?'

'Daar komt het wel zo'n beetje op neer,' zei hij op berouwvolle toon.

Op een van de monitors ving ik iets van beweging op. Twee politieauto's van het korps van Santa Teresa kwamen de ondergrondse parkeergarage in rijden, gevolgd door twee personenauto's.

Ondertussen was Beck nog steeds geconcentreerd bezig. Hij pakte de schroevendraaier en stak die in het binnenwerk van de computer, metalen onderdelen verbuigend, draden loswrikkend, ervoor zorgend dat zijn handen niet in aanraking kwamen met het bijtende zuur. Hij zat met zijn rug naar de grote spiegelruiten geknield, dus hij zag niet dat Cheney met getrokken revolver uit de schaduwen te voorschijn stapte, gevolgd door Vince Turner en vier agenten met FBI-vesten aan.

Te laat om de computergegevens te redden, maar evengoed was ik dankbaar voor hun komst.

Reba zag hen ook. Ik zag haar blik even naar het raam gaan en toen weer terug naar Beck. 'Arme Beck. Wat heb jij je in de luren laten leggen,' zei ze.

Hij kwam overeind en pakte zijn aktetas. Hij keek haar met welwillende blik aan. 'Werkelijk? Hoe dat zo?'

Reba zweeg even, terwijl er een flauw glimlachje over haar mishandelde gezicht trok. 'Zodra ik weer terug in de stad was, heb ik een telefoontje gepleegd met iemand die bij de Belastingdienst werkt. Ik heb hem alles verteld – namen, nummers, data – alles wat hij nodig had om zijn gerechtelijke machtigingen los te krijgen. Hij moest de rechter thuis bellen, maar die wilde hem maar al te graag van dienst zijn.'

Op schertsende toon zei Beck: 'O, jezus, Reba, laat me niet lachen. Ik ben er al maanden van op de hoogte dat ze me in de gaten houden. Dit is het enige waar ik me werkelijk zorgen over maakte en dat is nu geregeld. Hoeveel bezwarend materiaal denk je dat ze nog kunnen redden uit deze puinhoop hier?'

'Waarschijnlijk helemaal niets.'

'Precies.'

Beck zag dat Reba's aandacht afgeleid werd. Hij keek achterom en zag Cheney, Vince Turner, en diverse politiemensen en FBI-agenten buiten voor de deur staan. Zijn glimlach verdween, maar hij scheen zich geen al te grote zorgen te maken. Hij gebaarde naar Willard dat hij hen binnen moest laten. Willard legde het pistool op de vloer, stak zijn handen omhoog om te laten zien dat hij ongewapend was, en deed de deur van het slot.

Reba was nog niet klaar met Beck. 'Er is maar één probleempje.'

Beck keek haar weer aan. 'En dat is?'

'Dat is niet Marty's computer.'

Beck lachte. 'Gelul.'

Reba schudde het hoofd. 'Mooi niet. De FBI had problemen met het feit dat de computer gestolen was en dus heb ik hem weer omgeruild.'

'Hoe ben je het gebouw binnengekomen?'

'Hij heeft me binnengelaten,' zei ze, terwijl ze naar Willard wees.

'Laat me niet lachen. Willard werkt voor mij.'

'Dat mag dan wel zo wezen, maar ik ben degene die hem suf heeft geneukt.' Ze stak haar linkerhand op en vormde met haar duim en wijsvinger een cirkel. Ze stak haar rechterwijsvinger in het gat en pompte die op en neer als een zuigerstang. Becks gezicht vertrok bij dat vulgaire gebaar, maar Reba lachte.

Ik wierp een vluchtige blik op Willard, die met gepaste zedigheid zijn ogen neersloeg. Politiemensen en FBI-agenten kwamen de lobby in. Cheney pakte Becks pistool op en verschoof de veiligheidspal voordat hij het wapen aan Vince overhandigde.

Reba zei: 'Nadat Willie me binnengelaten had, heb ik Marty's computer meegenomen naar jouw kantoor. Ik heb jouw computer losgekoppeld en die van Marty ervoor in de plaats gezet. Vervolgens heb ik jouw computer weer op Marty's bureau geïnstalleerd. De computer die je zonet vernield hebt, is die van Onni. Die bevatte niet veel méér dan privé-correspondentie en een hele verzameling stomme computerspelletjes. Ik snap gewoon niet dat je haar zo goed betaalde terwijl ze alleen maar haar tijd aan het verlummelen was.'

Beck wilde er nog steeds niet aan. Hij schudde het hoofd en likte met zijn tong langs zijn voortanden terwijl hij probeerde een glimlach te onderdrukken. Ze had hem net zo goed kunnen vertellen dat ze ontvoerd was door buitenaardse wezens om voor seksuele experimenten te worden gebruikt.

Ze zei: 'Wil je weten wat ik nog meer gedaan heb? Ik zal je vertellen, Beck, dat ik echt heel druk in de weer ben geweest. Nadat ik de computers verwisseld had, ben ik naar het huis van Salustio gereden en ik heb hem de 25.000 dollar teruggegeven die ik achterovergedrukt had. Marty had me dat geld gegeven in ruil voor documenten waarvan hij nooit gebruik heeft kunnen maken. Het interesseerde Salustio feitelijk geen moer waar het geld vandaan kwam. Het probleem was dat hij nog steeds nijdig op me was nadat ik hem het geld gegeven had. Dus bij wijze van compensatie voor het ongemak vertelde ik hem over de op handen zijnde inval bij jou. Dat verschafte hem nét genoeg tijd om zijn geld hier weg te halen. Dus nu is alles vergeven en vergeten. Hij en ik staan quitte. Jij bent degene die de klappen op gaat vangen.'

Van Becks gezicht viel niets af te lezen. Hij zou haar nooit de voldoening schenken zijn nederlaag toe te geven, maar ze wist dat ze gewonnen had.

Epiloog

Dat was natuurlijk niet het eind van het verhaal.

Beck werd in staat van beschuldiging gesteld wegens moord, bedreiging met een dodelijk wapen, ontvoering, het witwassen van geld, het ontduiken van inkomstenbelasting, samenzwering om de overheid op te lichten, het vernietigen van bewijsmateriaal, het belemmeren van de rechtsgang, het verzuimen om valutatransacties te melden, en het omkopen van ambtenaren. Aanvankelijk maakte Beck zich niet al te druk. Per slot van rekening wist hij dat hij genoeg geld weg had gesluisd om een heel leger advocaten in te huren zolang als dat nodig was. Er was alleen dat ene kleinigheidje dat Reba vergeten was te vermelden. Het was giswerk van mijn kant, want ik kon haar er niet toe brengen het te bevestigen. Voor ze de computers omruilde, had ze zich toegang verschaft tot Becks rekeningen en al zijn gelden naar het buitenland overgemaakt, waarschijnlijk naar een van Salustio's nummerrekeningen. Ze had ongetwijfeld wel een manier bedacht om hem te belonen voor het in bewaring houden van het geld totdat zij het op kon strijken.

De FBI koesterde hetzelfde vermoeden, want die druiloren wilden het niet met haar op een akkoordje gooien. Reba werd bij de eerste de beste gelegenheid teruggestuurd naar de vrouwengevangenis van Californië. Over haar maak ik me geen zorgen. Ze heeft daar goede vriendinnen, ze kan uitstekend met het personeel overweg, en ze weet dat ze zich gewoon fatsoenlijk moet gedragen. Ondertussen gaat het goed met haar vader. Die gaat niet dood zolang Reba hem nog nodig heeft.

Wat Cheney en mezelf betreft, daar valt nog weinig over te zeggen, maar ik voel me wel een heel klein beetje optimistisch. Dat zou onderhand ook wel eens tijd worden, niet?

Dus wat ik van dit alles heb geleerd, is het volgende: in het toneelstuk van mijn leven ben ik meestal de hoofdpersoon, maar soms speel ik alleen maar een bijrolletje in het stuk van iemand anders.